LE MAÎTRE DES SUPERSTITIONS

Collection « Suspense & Cie »
dirigée par Sibylle ZAVRIEW

Titre original :
SUPERSTITIOUS
publié par Warner Books, New York

R.L. STINE

LE MAÎTRE DES SUPERSTITIONS

roman

Traduit de l'américain par
Sabine Boulongne

JC Lattès

Pour Brandon, Robert et Joan,
avec mes remerciements.

Pour Jane et Matty,
avec tendresse.

Prologue

Charlotte Wilson fixait obstinément le plafond. La lumière jaune pâle qui s'infiltrait entre les lames des stores vénitiens projetait au-dessus de sa tête un réseau de lignes ombrées.

Des barreaux, pensa-t-elle. Les barreaux d'une prison.

Le type à côté d'elle remua. Elle l'entendit étouffer un renvoi.

Son rot après le dîner, songea-t-elle amèrement. Le dîner, c'était moi.

Les stores cliquetèrent. Une bouffée d'air agréablement frais balaya le lit. Elle poussa un soupir. L'appartement sentait le renfermé. Les oignons frits. Le tabac froid.

— Vous fumez? demanda-t-elle, les yeux rivés sur les barreaux tandis que des picotements parcouraient sa peau moite.

— Non, j'ai juste de la vapeur qui me sort par les oreilles, répondit-il en blaguant, avant d'ajouter : Vous avez été super.

Pas vous, pensa-t-elle.

Vous êtes si lourd. J'ai cru que vous alliez m'écraser. Et qu'est-ce que c'étaient que ces cris de morse ridicules à la fin?

Il fit glisser sa main lentement sur son ventre. En baissant les yeux, elle aperçut une trace blanche à la base de son annulaire. Il avait retiré son alliance.

Marié? Pourquoi pas? Surprise? Non.

Comment est-ce qu'il a dit qu'il s'appelait déjà? « John », il me semble. Est-ce bien ça?

La main s'aventura un peu plus bas.

— Qu'est-ce qu'il y a de si drôle ? s'étonna-t-il.

— Je pensais juste à quelque chose.

Elle leva un genou, se gratta la cuisse et se rendit compte qu'elle était toute collante. J'ai besoin d'un long bain bien chaud. Plein de vapeur. Un rideau de vapeur, pour pouvoir me cacher derrière.

Elle passa la petite chambre en revue. Il avait jeté sa veste et son pantalon par terre contre le mur. Sa chemise blanche formait un monticule blanc dans le tiroir ouvert de la commode.

Ses vêtements à elle étaient posés sur une chaise près de la porte. La jupe pliée sur le siège. Le pull soigneusement drapé autour du dossier. Ses collants noirs roulés à côté de sa jupe.

Si calculé. Si détaché.

Qu'est-ce que je fais ici ?

— J'ai commencé un nouveau travail cette semaine, lança-t-elle.

Qu'est-ce que ça peut bien lui faire ? Pourquoi est-ce que je lui raconte ça ?

Il lui malaxait consciencieusement le ventre.

— Ah ouais !

Ne pourrait-il pas au moins feindre d'être intéressé ?

Les stores tremblèrent de nouveau. L'ombre des barreaux dériva au plafond.

— Vous travaillez à l'université ?

Il retira sa main et se redressa en plantant un coude dans l'oreiller. Son regard croisa le sien. Des yeux sombres, pénétrants. Une mèche de cheveux humides lui retombait sur le front.

Il a au moins deux fois mon âge, se dit-elle.

Quand il souriait, ses yeux se plissaient. Il n'est pas vilain garçon, décida-t-elle. Je ne suis pas complètement folle.

— Oui, je travaille pour un professeur. Comme secrétaire. Ce n'est pas inintéressant. Il faut dire qu'il est célèbre. Les autres en font d'ailleurs toute une histoire.

Professeur Liam O'Connor. Elle répéta son nom mentalement. Liam. Elle le trouvait agréable à l'oreille, à cause de sa consonance étrangère. Intriguant.

Elle ne l'appellerait jamais par son prénom. Elle le

savait. Elle dirait : « Docteur O'Connor ». Il avait les yeux brun foncé. Une expression intense. Intelligent.

John lui rappelait-il Liam ? Était-ce la raison pour laquelle elle l'avait suivi dans cette chambre ?

Pas vraiment.

— Vous lui servez son café et lui tapez ses lettres, hein ? lâcha-t-il d'un ton railleur. C'est ça que vous appelez intéressant ?

Elle repoussa sa main de sa poitrine, et frissonna. Elle avait froid brusquement. Les stores recommencèrent à onduler.

— C'est un homme passionnant, insista-t-elle. Il est irlandais.

Elle avait l'air d'une idiote quand elle disait ça. Incontestablement. Elle n'avait plus du tout envie de parler à ce John. Ils avaient pourtant des tas de choses à se raconter tout à l'heure en buvant des bières au Pitcher. À moins que ce ne soit à la brasserie Mike.

Pourquoi allait-elle traîner dans les bars du campus après son travail ? Pourquoi se laissait-elle draguer par ces types ?

Bonnes questions, Charlotte. Maintenant assieds-toi, ouvre ton cahier et écris un essai de trois cents mots ou moins sur le « respect de soi ».

Non. Pas d'essai. Fini les reproches ! Tu commences enfin à te débrouiller. Tu as trouvé un job, un nouvel appartement en face du campus, une colocataire.

Il faut que je rentre à la maison.

Le sommier gémit lorsqu'elle se leva. Elle posa les deux pieds par terre. Des ombres s'abattirent sur le tapis d'Orient aux tons passés. L'attaché-case noir de John était calé contre la commode.

— Et vous, qu'est-ce que vous faites dans la vie ? demanda-t-elle, se souvenant de lui avoir déjà posé la question dans le bar sans obtenir de réponse.

— Comme travail, vous voulez dire ?

— Oui.

— Oh, des tas de choses différentes. Ça varie.

Son attaché-case le trahissait.

— Vous êtes représentant de commerce ?

— Quelquefois, je vends. D'autres fois, j'achète. C'est selon.

Très mystérieux. Motus et bouche cousue, John.

Il la saisit tout à coup par la taille. Ses mains rugueuses lui brûlaient la peau.

— Revenez. Il est encore tôt.

Elle se leva.

— Il faut que j'y aille. C'était super. Vraiment, dit-elle en rejetant par-dessus ses épaules la masse de ses cheveux blonds humides.

Puis elle se pencha, ramassa la cravate qui traînait sur le tapis et la fit glisser entre ses mains en examinant les rayures foncées.

— Très classique, John.

Il rit. Un rire sec. Une sorte de toux plutôt.

— Le costume-cravate. Ce n'est qu'un déguisement. On est tous déguisés, pas vrai?

Elle se rendit compte qu'elle était nue et lâcha la cravate.

Elle s'enfonça dans l'ombre pour aller chercher ses vêtements et fut tentée d'ouvrir la penderie, histoire de voir comment sa femme s'habillait.

Elle prit son slip sur la chaise. Pourquoi avait-elle choisi le noir satiné ce matin? Se doutait-elle qu'elle finirait la soirée dans le lit d'un inconnu? D'un inconnu sans son costume?

Elle sentit qu'il l'observait tandis qu'elle levait une jambe et faisait glisser le slip le long de sa cuisse. Vas-y, John. Rince-toi l'œil! C'est pour cela que je suis là, non?

— Euh... Charlotte!

Elle lissa le haut de son slip, tendit le bras vers son collant.

— Charlotte!

Elle se retourna. Il avait empilé tous les oreillers sous sa tête et croisé les mains derrière sa nuque. Les coudes en l'air, il souriait.

Joli sourire, pensa-t-elle, mais un sourire de voyageur de commerce.

Il a réussi à me vendre sa camelote, en tout cas.

— Euh... Charlotte? Avant de partir... euh...

Elle commença à enfiler son collant.

— Oui?

— Avant de partir... qu'est-ce que vous diriez d'une pipe, hein?

Et moi qui croyais qu'il m'aimait pour mon esprit !

— Je ne pense pas, John... J'ai les lèvres gercées.

Ils rirent tous les deux. Ha ha ! Ce que c'est drôle !

Une minute plus tard, elle était habillée et avait filé. Elle se sentait toute moite. Les jambes flageolantes. Les joues en feu.

Elle mourait de faim tout à coup. Et si je m'arrêtais quelque part pour manger un sandwich ? Non. Il vaut mieux que je rentre prendre un bain.

Elle se souvint qu'il y avait dans le réfrigérateur des restes de plats chinois achetés tout faits. Elle les réchaufferait au micro-ondes. Un vrai festin ! Kelli serait-elle à la maison ? Était-ce ce soir qu'elle donnait son cours à un lycéen à l'autre bout de la ville ?

Les arbres s'agitaient dans le vent. Des feuilles venaient se poser sur le trottoir en voltigeant, exécutant leur danse automnale.

Des lumières clignotaient aux fenêtres derrière elle. Le vieil immeuble en brique occupait tout le pâté de maisons. La longue marquise de l'entrée battait dans la brise. Elle jeta un coup d'œil à la fenêtre de John. Était-ce au troisième ou au quatrième ? Pas de lumière là-haut.

Elle bifurqua sur High Street. Le vent s'y engouffra avec elle. Elle fit passer son sac en toile dans sa main gauche et se mit à courir, tête baissée pour se protéger des bourrasques.

Elle ralentit le pas en entendant des raclements réguliers qui se rapprochaient d'elle à vive allure et se retourna pour apercevoir deux garçons en rollers, balançant les bras d'un air sérieux, vêtus à l'identique : sweat-shirts rouge et gris de l'université de Moore State, jeans amples et casquettes de base-ball foncées, mises à l'envers.

Scratch, scratch.

Ils passèrent comme une flèche sans même la voir. Ils se dépêchaient probablement de rentrer à la résidence universitaire.

Soudain, elle se sentit vieille à vingt-six ans. Je devrais me mettre aux rollers. Pourquoi ne pas essayer ? Ça me changerait peut-être la vie.

Elle s'arrêta au coin de la rue et laissa passer une camionnette bringuebalante. Un gros chien, une sorte de berger allemand, sortit sa tête par l'une des fenêtres arrière et jappa à son adresse. Trois aboiements brefs, furieux. Puis, satisfaite de lui avoir exprimé ce qu'elle avait sur le cœur, la créature réintégra le véhicule.

Elle s'engagea bientôt dans Yale Avenue au-delà de laquelle s'étendait le campus. Quel humour! pensa-t-elle. Construire une université minable le long d'une rue baptisée Yale. Comment l'établissement pourrait-il jamais se montrer à la hauteur?

Elle écarta une grosse feuille brune qui s'était accrochée au passage dans ses cheveux et reprit son sac de sa main droite tout en embrassant du regard les bâtiments si familiers de l'université. La lueur argentée du clair de lune se répandait sur l'édifice en granit blanc réservé à l'administration, illuminant son dôme vert pâle.

Les vieux arbres du campus ployaient dans le vent en chuchotant à qui mieux mieux. Derrière le parking principal se dressait la silhouette obscure du département des sciences humaines couvert de lierre, sa flèche en brique se détachant, noire, sur le ciel violet.

La première fois qu'elle l'avait vu en arrivant à l'université — elle n'avait alors que dix-sept ans —, elle l'avait pris pour une église. Par la suite, elle avait découvert que, jadis, il faisait effectivement office de chapelle. Durant ses quatre années d'études, elle avait suivi de nombreux cours dans cette enceinte confinée aux murs lézardés.

Voilà qu'elle en prenait tous les jours le chemin, pour y travailler cette fois-ci. Au dernier étage, celui des bureaux, juste en dessous de la flèche vide.

Comme elle pensait à son travail, son regard se porta naturellement vers Yale Avenue, dans laquelle un peu plus bas, derrière une rangée de vieux saules noueux, se cachait la grande maison meublée où son nouveau patron avait élu domicile.

Liam.

Elle revit en pensée son regard brun. Si franc, si chaleureux. La fossette discrète qui lui creusait le menton. La courbe blanche de ses dents lorsqu'il souriait. Et ce léger accent irlandais quand il lui lançait : « Bonjour, Charlotte! »

Oh là là ! Qu'est-ce qui me prend de penser si fort à lui ? Serais-je en train de perdre la tête ?

Debout au milieu de la rue, elle scrutait l'obscurité. Était-il chez lui ?

Elle ne discernait rien au-delà des arbres.

Vivait-il seul? Était-il marié? Hétéro?

Elle se rendit compte qu'elle ignorait tout de lui. Un homme mystérieux! Donne-toi un peu de temps. Tu ne travailles là que depuis quinze jours.

L'apparition de phares éblouissants au bout de la rue la tira brusquement de ses rêveries. Elle gagna le trottoir d'un bon pas. La voiture la dépassa en déversant un flot de musique country par une fenêtre ouverte.

En suivant une allée pavée, elle contourna le bâtiment de l'administration et traversa la grande pelouse ronde, bordée d'arbres, connue de tous sous le nom du Cercle. Le drapeau de l'université — un M rouge sur fond gris — tiraillait sur la corde de son mât comme s'il cherchait à s'échapper. Seuls les claquements de ce fanion rompaient le silence en dehors des raclements de ses chaussures sur les pavés.

Les restes d'un repas chinois et l'idée d'un bon bain lui revinrent à l'esprit.

Des lampadaires bas jalonnaient l'allée qui s'enfonçait sous les arbres. L'une des ampoules avait sauté.

Il fait si sombre, pensa-t-elle, au moment où une silhouette surgissait devant elle.

Une forme violette, floue. Une tête. Des bras.

— Hé! s'écria-t-elle, stupéfaite.

Elle lâcha son sac quand la créature lui empoigna les cheveux, l'entraînant sur l'herbe.

— Hé! Lâchez-moi!

Qu'est-ce que c'était que ce bruit de *déchirure*?

La douleur, fulgurante, la saisit aux épaules, puis descendit le long de son dos. Ses jambes cédèrent sous elle. Elle tomba à genoux.

Elle savait qu'on lui avait arraché le scalp. Son scalp et tous ses cheveux. Arrachés. D'un seul coup. Sans effort.

Non!

Elle vit les doigts approcher de ses yeux.

Paralysée par les tourbillons de la souffrance, elle ne pouvait plus bouger. Son cri se réduisit à un « Unh unh unh » à peine audible.

Les doigts s'enfoncèrent profondément.

En quittant leur orbite, ses yeux firent *flop flop*.

« Unh unh unh. »

Elle ne voyait plus que du rouge.

Elle *sentait* ce rouge.

Elle porta les mains à sa tête, tâta un bout d'os. De l'os humide de sang.

Le sommet de son crâne était mou, pulpeux, comme du papier de toilette mouillé. Où sont mes cheveux?

Du sang chaud lui dégoulinait sur la figure.

« Unh unh unh. »

Est-ce bien moi?

Elle entendit un grognement rauque quand on la souleva du sol.

On la souleva, puis on la plia.

En arrière. Encore et encore.

« Unh unh. »

Le dernier bruit qui lui parvint fut la rupture de sa colonne vertébrale.

PREMIÈRE PARTIE

1

Sara brisa une patte de crabe entre ses doigts et en extirpa délicatement un morceau de chair blanche.

— J'aime bien cet endroit, dit-elle en parcourant du regard le restaurant bondé.

Très chaleureux, songea-t-elle. Tout simple. Des murs en brique rouge. Des tables carrées en bois. Des sets de table en papier blanc. Le menu inscrit à la craie sur un tableau noir au-dessus du passe-plat. Des serveuses en tabliers d'une blancheur parfaite, ornés sur le devant de gros homards rouges au pochoir.

SPINNAKER. Une enseigne peinte à la main au-dessus du bar proclamait le nom de l'établissement.

Sara trempa la chair de crabe dans un petit pot en porcelaine blanche contenant une sauce au beurre avant de la porter avec précaution à sa bouche.

Mary Beth planta sa fourchette dans son steak d'espadon grillé.

— En Ohio où j'ai grandi, on ne servait jamais de poisson, déclara-t-elle. Personne n'avait jamais entendu parler de fruits de mer. Tu sais ce qu'on nous donnait? Des bâtonnets de poisson congelés. Les fruits de mer pour nous, c'était ça! Exotique, hein?

Sara éclata de rire. Elle s'essuya les lèvres, luisantes de beurre, avec sa serviette avant de la reposer sur ses genoux.

— Je n'avais jamais vu une crevette avant l'âge de vingt ans, poursuivit Mary Beth. Je ne savais même pas quel bout on était censé manger!

Sara goûta la coleslaw. Délicieuse.

— Tu ne savais pas éplucher une crevette ? Mary Beth !
Même en Indiana d'où je viens, on y arrivait très bien.

Une lueur malicieuse illumina les yeux verts de Mary
Beth.

— J'ai grandi dans un trou perdu.

— Shaker Heights ? Allons ! s'exclama Sara en posant
sa fourchette. Depuis quand Shaker Heights est-il un trou
perdu ?

Mary Beth s'esclaffa en rejetant la tête en arrière. Sara
l'avait vue dans cette attitude un million de fois.

Je connais toutes ses expressions par cœur, pensa-
t-elle. En dehors de cette nouvelle coupe de cheveux plus
courte, agrémentée de mèches platine, elle n'a pas changé
d'un iota. On pourrait être en première année d'université,
en train de boire des litres de café ultraléger chez Daley's
tout en parlant de garçons à n'en plus finir.

— Je n'arrive pas à croire que je suis de retour ici,
murmura-t-elle. Que toi et moi...

— Tu as fait tomber une goutte de beurre sur ton pull-
over, l'interrompit Mary Beth en pointant l'index.

Sara baissa les yeux, puis trempa un coin de sa serviette dans son verre d'eau et tamponna la tache.

Mary Beth engloutit une bouchée d'espadon.

— De quelle couleur est ce pull ? Ça te va très bien en
tout cas.

— Groseille.

Sara ajusta son col boule. Elle avait une prédilection
pour les robes amples en tricot dans lesquelles elle pouvait
se cacher. Celle-ci lui descendait presque jusqu'aux genoux.
Elle la portait avec un caleçon noir.

— Où l'as-tu achetée ?

— Je l'ai commandée chez J. Crew.

Mary Beth plissa les yeux d'un air accusateur en brandissant sa fourchette.

— Tu habites New York et tu choisis tes habits dans un
catalogue ?

Sara haussa les épaules.

— C'est tellement plus facile. Tu sais très bien que j'ai
horreur de faire les magasins.

Elle détestait le shopping. Cela lui paraissait si futile.
Se faire belle, s'admirer dans de grandes glaces, demander

à des vendeuses qu'on ne connaissait ni d'Ève ni d'Adam quelle allure on avait dans telle ou telle tenue...

Attirer l'attention sur soi.

Non pas qu'elle fût timide. Elle se savait jolie, mais ne voyait pas l'intérêt d'être le point de mire.

Elle s'empressa de détourner le cours de la conversation.

— J'aime beaucoup ta robe, Mary Beth. On voit que tu réussis dans la vie! C'est du cachemire, n'est-ce pas?

Mary Beth tiraille sur une longue manche grise.

— Avec le salaire que j'ai? Du coton, ma chère, ni plus ni moins. (Elle soupira.) Ça me fait bizarre de porter une robe tous les jours. Mais mon patron ne supporte pas les jeans.

— Ton patron? Je croyais que tu dirigeais le service des relations publiques.

Mary Beth agita à nouveau sa fourchette sous le nez de Sara.

— Tu ne connais donc rien aux universités? Tout le monde a un patron. S'il y a un directeur du service des relations publiques, c'est qu'il y a forcément un directeur au-dessus du directeur dudit service. Ou bien un recteur chargé de chapeauter le directeur en question.

Elles rirent toutes les deux de bon cœur. Comme au bon vieux temps, pensa gaiement Sara. Elle s'aperçut qu'elle commençait à se détendre.

— J'espère que tu n'as pas l'intention de faire des emplettes ici à Freewood, reprit Mary Beth en badigeonnant de sauce aigre sa pomme de terre. On ne trouve rien ici, à part des Levi's trop grands et des sweat-shirts avec un énorme M rouge sur le devant.

— Je ferais peut-être bien de m'en acheter un ou deux, répondit Sara. Ça me rajeunirait. Je me sens tellement vieille, ajouta-t-elle en soupirant.

Mary Beth hocha la tête en signe d'assentiment.

— Vingt-quatre ans, c'est franchement vieux sur un campus d'université. Mais tu as l'air d'en avoir dix-huit. Tu aurais dû faire une carrière de mannequin, Sara. Avec tes pommettes et cette bouche parfaite. Évidemment, maintenant, tu as passé l'âge! Il faut regarder la vérité en face. Nous ne sommes plus de la première fraîcheur, ni l'une ni l'autre.

Elles jetèrent toutes les deux un rapide coup d'œil à la ronde. La clientèle du restaurant se composait surtout d'étudiants, même si deux couples d'âge mûr occupaient un box voisin du bar. Des professeurs, de toute évidence. Tous les autres avaient encore les rondeurs de l'enfance, pensa Sara.

— Il m'arrive d'être la plus vieille dans cet endroit, gémit Mary Beth.

Soudain, son visage s'anima.

— Ne parlons plus de ça. Tu es là. Je suis tellement contente de te revoir. Ton appartement te plaît?

Sara rompit une autre patte de crabe.

— Il est douillet.

— Ça veut dire trop petit? Tu le détestes?

Sara pouffa de rire.

— Non, ça veut dire douillet.

Elle repoussa d'une main la masse de ses cheveux noirs. Une frange souple lui couvrait le front presque jusqu'aux sourcils.

— S'il ne te plaît vraiment pas, on peut essayer de t'en trouver un autre. Tu veux venir habiter chez moi? J'ai pensé que tu préférerais vivre seule. Évidemment, à New York, tu devais...

— Ça va très bien, je t'assure, insista Sara. Je suis navrée d'avoir dit douillet. Je voulais dire... agréable. Super. Tout à fait ce qu'il me faut.

Mary Beth secoua la tête, ses cheveux blond platine brillant dans la lumière.

— Tu l'as en horreur, cet appartement. Je suis désolée, poursuivit-elle en poignardant sa pomme de terre avec sa fourchette. Il est bien placé au moins. À deux pas du campus. C'est d'ailleurs la raison pour laquelle je l'ai choisi. Mais j'aurais dû réfléchir un peu plus. Tu as probablement besoin d'un espace plus grand. Pour recevoir tes amis et...

— Mes amis, s'exclama Sara en levant les yeux au ciel. Mary Beth, je ne connais personne ici, à part toi! Tu es ma seule amie.

Sara s'aperçut que les occupants de la table voisine s'étaient tournés vers elles. Comprenant qu'elle avait parlé trop fort, elle rougit. Elle baissa les yeux sur son assiette et attendit qu'ils cessent de la dévisager et reprennent leur conversation.

— N'empêche que tu es contente d'être revenue, n'est-ce pas? reprit Mary Beth en l'observant avec attention.

— Évidemment, s'empressa-t-elle de répondre. Tu sais très bien que tu m'as sauvé la vie.

— Eh bien, tu ne m'as pas raconté grand-chose à propos de... quoi que ce soit.

Mary Beth se mordilla la lèvre. Elle repoussa son assiette, tendit la main vers son sac et se mit à farfouiller à l'intérieur.

Sara jeta un coup d'œil vers la porte du restaurant au moment où trois clients entraient. Un homme séduisant aux cheveux foncés — un professeur probablement —, vêtu d'un chandail beige et d'une veste de sport en tweed nantie de protège-coudes. Une jeune femme en imperméable fauve, plutôt jolie, cramponnée à son bras, et un colosse au visage rubicond auréolé d'un tourbillon de cheveux blancs hérissés comme s'il venait d'essuyer une tempête.

À l'instant où Sara reportait son attention sur Mary Beth, celle-ci était en train d'allumer une cigarette. Elle n'en croyait pas ses yeux.

— Tu fumes toujours? lança-t-elle d'un ton de reproche.

Mary Beth secoua l'allumette qui finit par s'éteindre.

— Non, j'ai arrêté, répondit-elle avant d'inhaler consciencieusement la fumée, puis de la souffler lentement entre ses lèvres.

— Voyons, Mary Beth!

— J'ai arrêté.

— Mais là, tu fumes.

— Je sais. Mais j'ai arrêté. Crois-moi.

Elle aspira une autre bouffée et posa la cigarette en équilibre sur le bord de son assiette.

— Ils ne mettent plus jamais de cendrier dans les restaurants.

Sara leva les yeux au ciel.

— Tu dois être la seule à fumer encore dans ce pays.

— Certainement pas! protesta son amie. Regarde autour de toi. Les étudiants. Ils fument tous. Il y a même des clubs de fans de Joe Camel dans les résidences universitaires. Je t'assure. Ils se croient immortels!

Le visage de Sara s'illumina.

— Maintenant que je suis de nouveau étudiante, je suis peut-être immortelle moi aussi.

Mary Beth secoua la tête. Un long filet de fumée s'échappa de ses narines.

— Les étudiants en doctorat sont condamnés d'avance.

— Tu es toujours aussi bizarre, Mary Beth.

— Quant à toi, tu restes aux antipodes de la bizarrerie. Tu es carrément... antibizarre.

Elle écrasa sa cigarette à demi consumée sur le bord de son assiette.

— Tu vois. Je viens juste d'arrêter.

La serveuse approcha pour débarrasser la table. Elles en profitèrent pour commander deux cafés. Des éclats de rire tonitruants retentirent à une table située à l'autre bout de la salle. Quatre jeunes gens levèrent leurs bouteilles de bière et trinquèrent joyeusement.

— Exactement comme à New York, hein? plaisanta Mary Beth.

Elle se redressa en ajustant ses longues manches, et poursuivit :

— Hé, j'aimerais bien que tu me racontes un peu ce qui t'est arrivé là-bas, Sara. Parle-moi du monde glorieux de l'édition. De la vie nocturne new-yorkaise. De tous ces gens passionnants, lancés à cent à l'heure que tu as rencontrés. Parle-moi de Chip. Et...

— À propos, et toi? l'interrompit Sara en serrant sa serviette sur ses genoux. Où est passé Donny? La dernière fois que nous nous sommes parlé au téléphone, Donny et toi...

— Je sais, je sais, répliqua Mary Beth en levant les deux mains dans un geste de résignation. J'étais folle de lui. Il était tout pour moi. Un vrai dieu! Lui aussi m'aimait. Passionnément. On se disputait souvent pour savoir lequel d'entre nous était le plus amoureux.

— Et...?

Mary Beth soupira amèrement.

— J'ai dû rompre. Il m'a fallu lui briser le cœur, avoua-t-elle en tambourinant sur la table du bout des doigts.

Sara s'aperçut qu'elle se rongeait les ongles.

— Pourquoi? Allez. Dis-moi la vérité.

Mary Beth hésita.

— Il était bâti comme un hamster, chuchota-t-elle finalement en rapprochant son visage de celui de son amie.

— Pardon? Qu'est-ce que tu dis?

— Elle était petite, toute petite!

Mary Beth pointa ses deux index tout près l'un de l'autre.

Sara ne put s'empêcher de rire. Elle se couvrit la bouche d'une main.

— Ça n'a rien de drôle, la réprimanda Mary Beth. Certaines nuits, on était obligés de s'armer d'une lampe de poche pour lui faire la chasse.

Sara secoua la tête en s'esclaffant de plus belle.

Mary Beth lui saisit le bras.

— Tu sais, ces experts à la télé qui affirment que la taille n'a aucune importance? Ils sont cinglés. Ça compte, crois-moi. Ils devraient m'interroger, moi.

— Mais... mais, balbutia Sara.

Mary Beth avait toujours su la faire rire aux larmes. Le plus souvent à propos de questions on ne peut plus sérieuses.

— Mais tu étais amoureuse de lui, finit-elle par bredouiller.

Mary Beth lui lâcha le bras et haussa les épaules.

— C'est *dur*, l'amour!

La serveuse leur apporta deux cafés. Sara mit une goutte de lait dans le sien et remua. Elle prit la petite tasse en porcelaine blanche entre ses mains et huma l'arôme qui s'en dégageait.

— Alors tu ne sors avec personne en ce moment?

Mary Beth comprima les lèvres en une moue exagérée. Encore une expression familière.

— Boo hoo, fit-elle.

Sara but une gorgée. Trop chaud. Elle tendit de nouveau la main vers le petit pot à lait.

— À ton tour, déclara Mary Beth. Raconte-moi tout. Allez! Tu me dois bien ça puisque je t'ai sauvée des eaux.

— Il n'y a pas grand-chose à dire, répondit Sara en fixant sa tasse. Ou plutôt trop à dire.

— Parle-moi de New York, insista Mary Beth. Décris-moi ton appartement fabuleux tout en haut d'une tour luxueuse tout aussi fabuleuse. Parle-moi de la maison d'édition Concord, de tous les auteurs célèbres que tu as croisés.

Sara soupira.

— Tout ça, c'est le passé.

Elle rejeta ses cheveux en arrière et rectifia sa frange. Mary Beth pianotait sur la table avec impatience.

— Parle-moi de Chip au moins. Quand je t'ai appelée au printemps, tu ne jurais que par lui. Que s'est-il passé? Pourquoi avez-vous rompu?

— Eh bien..., commença Sara en inclinant la tête de côté comme chaque fois qu'elle réfléchissait intensément.

— Allons, Sara. Pourquoi l'as-tu laissé tomber?

Sara soupira de nouveau, puis elle prit une profonde inspiration. Elle était sur le point de répondre lorsqu'elle fut brusquement interrompue par une pluie de sel qui se répandit sur ses cheveux et ses épaules.

Du sel?

Elle pivota sur elle-même et plongea son regard dans les yeux bruns de l'homme assis derrière elle à la table voisine. Il s'était retourné lui aussi et lui faisait face, une salière à la main.

Elle épousseta les cristaux blancs qui couvraient son pull-over.

— Vous venez de jeter du sel par-dessus votre épaule, n'est-ce pas?

Son beau visage s'empourpra.

— Je suis absolument désolé, dit-il. C'est l'une de mes petites superstitions.

2

— Jeter du sel par-dessus son épaule porte bonheur, lui expliqua-t-il. J'ignorais que vous étiez assise derrière moi. J'aurais dû vérifier d'abord.

Il avait un léger accent étranger. Britannique? Non. Irlandais. Oui, c'était ça. Sans l'ombre d'un doute.

Elle n'arrivait pas à détacher son attention de ce regard brun envoûtant sous d'épais sourcils sombres. De minuscules rides lui plissaient les yeux. Il la dévisageait lui aussi.

— Ce n'est pas grave. Je ne m'y attendais pas, c'est tout. Je...

Pourquoi bégayait-elle?

Avant qu'elle ait eu le temps de finir sa phrase, il s'était levé. Plus grand qu'elle ne le pensait. Il passa la main dans sa foisonnante chevelure brune tout en reculant sa chaise. Puis il tendit brusquement le bras vers elle.

Quoi encore?

Il lui effleura les cheveux, d'une main douce et chaude, et se mit en devoir de brosser le sel.

— Je suis vraiment navré, dit-il. Je vous supplie de me pardonner.

La manche de sa veste en laine lui chatouillait le front.

— C'est sans importance. Je vous assure.

Son cœur battait la chamade. Le contact de cette main provoquait des picotements tout le long de sa nuque. Il la fixait intensément, puis inclina la tête et concentra son attention sur ses cheveux. Elle sentait la chaleur émanant de sa peau.

Elle détourna finalement le regard et jeta un coup d'œil aux deux autres personnes assises à sa table. Elle les avait aperçues un peu plus tôt quand elles avaient franchi le seuil du restaurant. Une jeune femme au visage agréable. Une trentaine d'années, peut-être un peu plus. Des cheveux platinés, coupés court, foncés à la racine. Un joli sourire. En face d'elle, le mastodonte rougeaud aux cheveux blancs hirsutes qu'elle avait déjà remarqué. Il finissait sa bière en inclinant le bock dans sa grosse patte tout en la lorgnant avec insistance.

— Voilà.

Il recula d'un pas, mais ses yeux restèrent braqués sur elle.

— Je crois que j'ai tout enlevé. Quel dommage de gâcher une aussi belle chevelure !

Il sourit pour la première fois. Un sourire chaleureux, se dit-elle.

Il leva la paume de sa main.

— Oh, regardez ! Un de vos cheveux. Prenez-le, dit-il en le lui tendant. Vite. Humectez-vous le pouce et l'index.

Sara hésita. Qu'est-ce que c'était encore que cette histoire ?

— Liam...

Elle entendit la jeune femme l'appeler d'une voix douce.

— Liam, assieds-toi.

Il ne semblait pas l'avoir entendue.

— Humectez-vous le pouce et l'index, répéta-t-il, en brandissant le cheveu noir.

Elle lui obéit presque malgré elle et se lécha les deux doigts.

— Maintenant, pincez-le et tirez dessus. S'il boucle, vous serez riche. S'il reste raide, vous resterez pauvre.

— Je crois que je connais déjà la réponse, s'exclama-t-elle en éclatant de rire.

Elle ne s'était pas trompée. Le cheveu conserva sa raideur naturelle.

— Dommage, fit-il en se penchant vers elle. Sa compassion lui parut sincère, comme s'il prenait ce verdict au sérieux.

— Laissez donc cette jeune fille tranquille, Liam ! s'écria le colosse d'une voix gutturale.

— D'accord, d'accord.

Il haussa les épaules en gratifiant Sara d'une mimique bon enfant. Il fit mine de se retourner vers ses compagnons, mais s'arrêta brusquement en cours de route. Son expression changea. C'était Mary Beth qu'il dévisageait à présent.

— Mais je vous connais! s'exclama-t-il.

Mary Beth sourit.

— Bonjour, professeur O'Connor.

Il lui rendit son sourire.

— Vous êtes la jeune fille à la caméra vidéo.

Puis, faisant face à ses amis :

— Elle a tourné une vidéo sur moi la semaine dernière. En balade sur le campus. Pouvez-vous parler et marcher en même temps ? Voilà ce qu'elle m'a demandé. C'était la première fois qu'on me posait une question pareille !

Les deux autres éclatèrent de rire.

— Ce n'est pas aussi facile qu'il y paraît, poursuivit-il en reportant son attention sur Mary Beth. J'ai trébuché à deux reprises.

— Vous avez été très bien, le rassura-t-elle.

— Une vidéo sur vous! lança le malabar d'une voix râpeuse, et quel était le sujet ? Personnages bizarres à éviter sur le campus ?

Tout le monde s'esclaffa. La jeune femme blonde tapota familièrement le bras de son voisin de table.

— Ce film était destiné à l'accueil des étudiants de première année, expliqua Mary Beth sans quitter Sara des yeux. Nous l'avons montré à tous les nouveaux arrivants lors des séances d'orientation. Il est rare que l'on ait droit, ici à Moore State, à la présence d'un professeur réputé dans le monde entier.

— *Répudié*, vous voulez dire! plaisanta l'hercule.

Puis, il porta son bock à ses lèvres. Celui-ci resta suspendu en l'air lorsqu'il s'aperçut qu'il était vide.

— Mademoiselle! S'il vous plaît! Mademoiselle!

Encore troublée par la chaleur de cette main à proximité de son visage, Sara considéra le professeur O'Connor avec un intérêt croissant. Elle se souvenait d'un article publié en première page dans le journal du campus à propos de ce célèbre professeur, grand spécialiste du folklore, auteur de nombreux ouvrages, invité prisé des débats télévisés, qui devait diriger cette année-là à Moore State un séminaire destiné aux étudiants de doctorat. Mais elle s'était contentée de le parcourir. Le folklore ne l'intéressait pas particulièrement.

Il faut reconnaître qu'il est plutôt bel homme, se dit-elle. Elle aimait cette façon qu'il avait de se passer machinalement la main dans les cheveux et se demanda quel effet cela ferait de glisser ses doigts dans cette chevelure insoumise comme il l'avait fait dans la sienne.

Elle se rendit compte tout à coup que Mary Beth venait de prononcer son nom, qu'elle était en train de la présenter au professeur. Il lui prit la main et la serra à deux reprises. Avec douceur. Il avait la peau brûlante. Pourquoi la sienne lui paraissait-elle si glaciale ?

— Ravie de faire votre connaissance, professeur.

Était-ce bien sa voix ? Pourquoi avait-elle une intonation si froide, si nerveuse ?

— Je vous en prie, corrigea-t-il sans lâcher sa main. Appelez-moi Liam.

Un petit réseau de rides se forma au coin de ses yeux.

Quel âge avait-il ? se demanda-t-elle. Trente-cinq ans peut-être ? Difficile à dire. Cette pointe d'accent irlandais avait un charme incontestable. La vision de petits lutins batifolant sous des champignons au milieu d'une herbe vert émeraude lui vint à l'esprit.

Il lui libéra finalement la main et désigna ses compagnons de table.

— Sara, je vous présente ma sœur, Margaret.

Celle-ci adressa un hochement de tête aux deux jeunes filles.

— Et mon collègue et nouvel ami, Milton Cohn.

Celui-ci leva son bock vide en leur honneur. Un sourire de guingois illumina son visage rubicond. Ses cheveux blancs faisaient songer à une couronne de crème Chantilly juchée sur une glace à la framboise.

Collègue ? pensa Sara. On dirait un professeur de lutte gréco-romaine. Elle remarqua qu'il avait de la peine à tenir son bock par l'anse tant ses doigts étaient dodus.

— Voilà nos plats, on dirait, lança Liam en voyant la serveuse s'approcher de leur table, un plateau lourdement chargé en équilibre sur l'épaule.

Au moment de se rasseoir, il se tourna une dernière fois vers Sara.

— Elles sont bonnes, ces pinces de crabe ?

Il a remarqué ce que je mangeais ! s'étonna-t-elle, sentant qu'elle s'empourprait.

— Oui, elles sont bonnes, répondit-elle, consciente que sa réponse tombait à plat — pas assez éloquente. Sans intérêt.

— Parfaitement cuites, ajouta-t-elle pour faire bonne mesure.

Il sourit. La serveuse dut manœuvrer autour de lui pour disposer les assiettes.

— Dans un petit îlot au large de Samoa, poursuivit-il par-dessus l'épaule de celle-ci, les gens enterrent les coquilles de pattes de crabe en profondeur dans le sable après en avoir mangé la chair. Savez-vous pourquoi ? Pour empêcher les crabes morts de leur courir après, la nuit, dans le but de se venger.

— Comme c'est intéressant ! répliqua-t-elle tout aussi maladroitement.

— Il dit n'importe quoi ! brailla Milton tout en versant une avalanche de poivre sur son faux-filet. Ne croyez pas un mot de ce qu'il raconte. Il en invente la moitié !

— Liam est un érudit, Milton ! protesta Margaret, prenant la défense de son frère d'un ton faussement scandalisé.

— Il ne raconte que des conneries, renchérit Milton avant de concentrer son attention sur son assiette, découpant son steak à grands coups de couteau.

— En tout cas, les pattes de crabe sont absolument délicieuses ici, insista-t-elle. Je me suis régalée. D'ordinaire, je n'ai pas de quoi m'en offrir.

Elle se rendit compte tout à coup qu'elle s'évertuait à prolonger la conversation pour empêcher Liam de se détourner d'elle.

— Vous cherchez du travail alors ?

Milton leva les yeux de son assiette, pointant son couteau dans sa direction tout en continuant à mastiquer consciencieusement.

— Pardon ?

Elle n'était pas sûre d'avoir bien entendu.

Lorsqu'il déglutit, elle vit sa pomme d'Adam tressauter. Il avait un cou de footballeur, se dit-elle. Digne de Frankenstein.

— Vous cherchez un emploi à mi-temps ? insista-t-il.

— Eh bien... oui, répondit-elle d'un ton hésitant. J'ai l'air si fauché que ça ? Est-ce pour cela qu'il me pose la question ?

— Elle est complètement fauchée, intervint Mary Beth.

Sympa, Mary Beth! Pourquoi ne pas faire circuler mon relevé de compte autour de la table pour que chacun puisse y jeter un coup d'œil pendant que tu y es? Mais elle comprit que son amie essayait simplement de l'aider.

Milton se pencha de côté pour lui parler, Liam lui bloquait la vue.

— Mon assistante est enceinte, reprit-il d'une voix rauque, et elle est déterminée à en tirer profit au maximum.

Il porta à sa bouche ses doigts grassouillets pour étouffer un rot. Il avait réussi à se mettre de la sauce sur le tranchant de la main.

— Elle ne travaille plus que deux fois par semaine, poursuivit-il. Je serais content d'avoir quelqu'un pour m'aider les trois autres jours.

— Euh... cela m'intéresse, balbutia Sara.

Il a les yeux rivés sur mes seins. Qu'est-ce qu'il a à me fixer comme ça?

— Si l'horaire que vous me proposez cadre avec celui de mes cours, précisa-t-elle. J'entame mon année de maîtrise. En psychologie.

Liam fit volte-face.

— Ah, vraiment! Avez-vous fait la connaissance de Geraldine Foyer?

Sara réfléchit un instant, puis secoua la tête.

— Non. Les cours ont débuté la semaine dernière. Je ne connais pas encore grand monde dans le département.

— Il faudra que je vous la présente, déclara-t-il.

Sara vit que Margaret jetait à son frère un coup d'œil intrigué. Elle reporta son attention sur Milton.

— En quoi consiste ce travail? s'enquit-elle.

— Êtes-vous capable de marcher et de parler en même temps? demanda-t-il en glissant à Mary Beth un sourire rusé. Ça se résume à peu près à ça. Il s'agit de faire du classement et de répondre au téléphone. Un travail de merde pour un salaire de merde.

— Milton, se récria Margaret en prenant un air choqué. On est à table!

Sara éclata de rire.

— C'est précisément ce que je cherche.

Puis elle bredouilla :

— Quelles sont vos fonctions exactement?

Cette question parut le surprendre. Il s'arrêta de mâchonner.

— Je suis le doyen de l'université.

Elle ne s'attendait vraiment pas à cela! Entraîneur de l'équipe de football, d'accord. Responsable de la sécurité. Pourquoi pas? Mais doyen! Alors ça!

Elle était sur le point de s'excuser de son ignorance quand Milton se leva d'un bond. Il se tamponna la figure avec sa serviette, puis la jeta sur sa chaise avant de foncer sur elle.

— Je devrais me présenter convenablement.

Il fit un pas de plus vers elle.

Deux coups de feu retentirent.

Il s'étreignit la poitrine, le souffle coupé. Son regard vacilla et il tomba comme une masse.

3

Liam pivota rapidement sur lui-même et rattrapa le colosse avant qu'il ne s'étalât de tout son long.

— Milton! Vous avez vraiment un sens de l'humour juvénile! lança-t-il.

Milton ouvrit les yeux, retrouva en un clin d'œil son équilibre et pouffa de rire.

— C'est pour cela que je suis toujours à l'université.

Puis il se tourna vers Sara, un sourire jusqu'aux oreilles.

— Je vous ai bien eue, hein?

Sara avala péniblement sa salive.

— Effectivement.

Milton pointa son index en direction du bar. Deux

autres détonations résonnèrent par-delà la cacophonie des voix et les bruits de vaisselle.

— Ce sont des mélanges explosifs! expliqua Mary Beth. Spinnaker est réputé pour ses mélanges explosifs.

Sara vit le barman cogner deux verres minces contre une plaque de marbre posée sur le comptoir. De nouvelles explosions retentirent. Deux jeunes gens en jean délavé et sweat-shirt portèrent les verres à leurs lèvres et les burent d'une traite.

En détournant les yeux, Sara découvrit la masse imposante de Milton, debout devant elle. Il lui pétrissait l'épaule.

— Désolé de vous avoir fait peur. J'ai un sens de l'humour un peu malsain.

— Pas malsain. Fatal! lâcha Liam sans se retourner.

Sara remua l'épaule, gênée par la poigne du doyen. Cherchait-il vraiment à se faire pardonner ou bien est-ce qu'il en profitait pour la peloter?

Il retira sa main, comme s'il avait lu dans ses pensées.

— Si ce poste d'assistante vous intéresse vraiment, passez me voir dans les bureaux de l'administration. Disons, demain après-midi. Redites-moi votre nom.

— Sara. Sara Morgan.

Il hocha la tête d'un air solennel tout en mémorisant son nom. Après quoi il regagna sa place.

Sara avait mal à l'épaule. De toute évidence, Milton n'était pas conscient de sa force.

Margaret se pencha vers son frère et commença à lui parler. Sara se retourna vers Mary Beth qui fouillait dans son portefeuille en cuir marron dans l'intention de payer l'addition.

— On partage, déclara Sara en tendant la main vers son sac.

— Pas question! répondit Mary Beth en levant la main. Ce soir, c'est moi qui régale.

Elle sortit trois billets de vingt dollars.

— Tu m'inviteras quand tu auras touché ta première paie. Un coup de veine, hein? ajouta-t-elle en chuchotant.

C'était à Liam que Sara pensait, et pas à Milton.

— On verra, murmura-t-elle.

— On dirait un homme de main, poursuivit Mary Beth. Mais je n'ai entendu que du bien à son sujet. Il a pris ses fonctions à la fin de l'année dernière. On avait retrouvé l'ancien doyen nu comme un ver à l'arrière d'une camionnette avec non pas une, mais, tiens-toi bien, deux étudiantes! Il estimait qu'il fallait être proche de ses élèves, ricana-t-elle.

— Milton ne rentrerait même pas dans une camionnette! chuchota Sara en jetant un coup d'œil par-dessus son épaule pour être sûre qu'il ne pouvait pas l'entendre. Mais il était occupé à massacrer les vestiges de son steak.

— Est-il marié? demanda-t-elle.

— Milton? Je ne crois pas... Qu'est-ce que ça peut te faire? ajouta Mary Beth en la dévisageant.

Sara leva les yeux au ciel.

— Pas Milton. Liam.

Mary Beth éclata de rire.

— Non. Célibataire.

— Homosexuel?

— Comment veux-tu que je le sache? Je l'ai interviewé une demi-heure. J'ignore tout de lui hormis qu'il vit avec sa sœur. L'administration de l'université leur a donné la vieille maison meublée. Tu sais, la grande blanche dans Yale Avenue.

— Oui, je crois que je vois, répondit Sara en se mordillant la lèvre. Est-ce que Jessica Golblatt et la grande rousse n'habitaient pas là à l'époque où nous étions étudiantes?

Mary Beth fronça les sourcils.

— Je ne m'en souviens pas. (La serveuse vint prendre l'addition et l'argent.) Il a pas mal de charme, commenta Mary Beth en se levant.

— Pas mal! s'exclama Sara. Tu sais à qui il me fait penser? Daniel Day-Lewis. J'ai loué la cassette de *Temps de l'innocence* il y a quelques semaines. Je me la suis passée au moins vingt fois. Et j'ai carrément acheté *Le Dernier des Mohicans*.

— Tu es malade! marmonna Mary Beth en mettant son sac en bandoulière. Non, en fait, tu es le romantisme incarné. Et c'est encore pire!

— Tu ne trouves pas qu'il lui ressemble? insista Sara.

Mary Beth secoua vigoureusement la tête tout en tiraillant sur sa jupe.

— Daniel Day-Lewis? Tu rêves!

Sara prit son sac à son tour. Au moment où elle s'apprêtait à se lever, elle éternua.

Liam se retourna instantanément.

— À vos souhaits !

— Merci, répondit-elle, sentant qu'elle rougissait.

— Quel jour sommes-nous ? demanda-t-il en fixant sur elle ses yeux bruns pétillants.

— Pourquoi me posez-vous la question ?

Elle chercha un mouchoir dans son sac.

— À cause d'une vieille ballade anglaise. Originaire du Lancashire.

Il s'absorba dans la contemplation du plafond tout en essayant de s'en souvenir.

— *Si lundi tu éternues, péril. Mardi tu éternues, embrasse un inconnu.* On est mardi aujourd'hui, si je ne m'abuse ? ajouta-t-il d'un air taquin en rapprochant son visage du sien.

Il me fait du gringue, songea-t-elle tout à coup. Il est en train de flirter avec moi. Incontestablement.

— Qu'en est-il des autres jours, professeur ?

— Appelez-moi Liam.

— Ne l'encouragez pas, intervint Milton d'un ton bourru. S'il commence à réciter des poèmes du Vieux Pays, on va y passer la nuit.

— Hum... voyons, poursuivit Liam, ignorant la remarque de son collègue, son attention toujours fixée sur Sara. *Si mercredi tu éternues, lettre attendue. Éternue le jeudi, sois réjoui.* Il prit une profonde inspiration et retint son souffle en faisant un effort pour se rappeler la suite. *Si vendredi tu éternues, malheur à toi. Éternue le samedi, tu voyageras. Éternue le dimanche, n'épargne pas ta peine. Car le diable te pourchassera le restant de la semaine.*

Un frisson la parcourut lorsqu'il acheva sa phrase.

— Liam, s'exclama-t-elle, taquine, est-ce que tous vos adages se terminent par des mises en garde aussi redoutables ?

Son sourire s'effaça brusquement.

— Oui, j'en ai bien peur, répondit-il.

4

— Alors, inspecteur Montgomery, comment trouvez-vous vos côtelettes de porc?

Il sentit qu'Angel s'approchait de lui par-derrière; elle l'étreignit tendrement en nouant les bras autour de son torse. Il émanait d'elle un parfum d'orange mêlée d'oignons frits.

— Elles sont très bonnes. Et les tiennes? demanda-t-il en pressant sa joue contre la manche de sa femme.

— Je n'ai pas encore goûté.

Elle s'écarta de lui et se dirigea vers son bébé, installé à l'autre bout de la table. Il se balançait dans sa chaise haute en chantonnant avec bonheur tout en plongeant ses doigts minuscules dans son bol de macaronis qu'il fourrait ensuite tant bien que mal dans sa bouche. Il réussissait une fois sur deux. Pas si mal pour un bambin d'un an!

Le détective Montgomery était perpétuellement en quête de nouvelles raisons d'être fier de son fils. Le matin même, pendant qu'ils buvaient tranquillement leur café, Angel lui avait avoué qu'elle ne s'était pas attendue que qu'il soit un père aussi gâteux. « Tu te vantes même de la manière dont il bave! » s'était-elle exclamée.

Il devait reconnaître que sa réaction l'avait surpris autant qu'elle. C'était Angel qui avait insisté pour qu'ils aient Martin. Lui aurait préféré attendre qu'ils aient les moyens d'élever un enfant, que sa situation professionnelle se stabilise, qu'il ait une idée un peu plus claire de ce que l'avenir lui réservait.

Chaque matin, pourtant, il se réveillait tout excité à la perspective de découvrir les nouvelles trouvailles de Martin. Le soir, il rentrait du commissariat de Freewood sur les chapeaux de roue, impatient de voir si son fils avait grandi pendant la journée. C'était si *intéressant* d'avoir un gamin à la maison. Nettement plus intéressant que de regarder Walter en face de lui au bureau, en train de se curer les dents avec un trombone.

Angel s'affairait autour de Martin. Elle ramassa quelques nouilles égarées sur le plateau de la chaise haute et les lui fourra dans la bouche. Il en écrasa une consciencieusement entre ses petits doigts bruns avant de l'envoyer par terre.

Adroit, nota Garrett. Ce sera un athlète, comme moi. Il avait été une vedette de la course à pied au lycée jusqu'au jour où il s'était démis un genou. Il s'était aussi essayé au basket-ball, mais il n'avait pas le compas dans l'œil. Et puis il avait un mal de chien à dribbler. Ce n'est pas parce qu'on est grand et noir qu'on est forcément Michael Jordan.

Il continuait à faire de la gymnastique tous les matins. Il avait un peu forci, il s'en rendait compte — il pesait près de quatre-vingt-dix kilos à présent — mais il avait toujours le pied agile. Non pas que cela lui servît à grand-chose dans cette ville, mais il se rassurait en se disant qu'au moins, il n'aurait jamais l'allure de Walter qui, à vingt-cinq ans, possédait déjà une bedaine l'obligeant à se tenir à trente centimètres de sa table.

Il se remémora la boîte de beignets de chez Krispy Kreme ouverte sur le bureau de son collègue. Walter avec du sucre glace répandu sur le devant de son uniforme bleu marine. Mieux valait en rire. Walter était un cas typique !

Son regard se posa sur Angel. Elle aussi avait des taches sur son pull-over bleu moulant. Des taches de bébé.

— Quand est-ce que tu vas t'asseoir et manger ? s'enquit-il.

Elle s'accroupit pour ramasser quelques macaronis éparpillés sur le sol.

— Je voudrais d'abord lui donner un autre bol de nouilles. Ton fils mange comme quatre.

Garrett hocha la tête.

— Évidemment.

Il enfourcha une cuillerée de purée, coupa un autre morceau de côtelette.

— L'autre viande blanche, marmonna-t-il.

— Qu'est-ce que tu dis ? demanda Angel penchée sur la

cuisinière. Qu'est-ce que tu racontes à propos de viande blanche ?

— Tu sais, la pub, expliqua Garrett. Pour la viande de porc. Ils essaient de nous faire croire que le porc est bon pour la santé parce que c'est de la viande blanche.

Angel versa des pâtes dans le bol de Martin.

— Je n'aime pas t'entendre parler de viande blanche, dit-elle en secouant la tête.

— Tu as l'esprit mal tourné, ricana-t-il.

— Et ça t'excite, répliqua-t-elle en lui souriant. Tu as un revolver dans la poche de ton pantalon ou bien est-ce moi qui te fais cet effet-là ?

Une de leurs blagues favorites.

C'est ça un mariage réussi, songea-t-il gaiement. Quand on partage le même sens de l'humour.

Martin s'était mis à taper des deux poings sur la table avec impatience.

— Daaa ! Daaa !

Garrett l'imita en tambourinant sur la table lui aussi.

— Daaa ! Daaa !

Martin rit.

— Deux bébés, marmonna Angel.

Elle posa le bol plein devant Martin qui le saisit aussitôt des deux mains. Puis elle s'assit à sa place, face à Garrett.

Si gracieuse, si légère, pensa-t-il en l'observant à la dérobée. Elle a l'air d'une petite fille dans ce gros pull-over. Elle n'a pas changé depuis notre rencontre quand on avait seize ans.

Elle prit une côtelette dans le plat et fit la moue.

— Faut-il vraiment que tu ailles travailler ? Pourquoi ne pas laisser tous les criminels tranquilles ce soir ?

Les criminels ? Ridicule. Le téléphone du petit commissariat situé au rez-de-chaussée derrière la poste ne sonnait pour ainsi dire jamais.

— Faut que je tienne compagnie à Walter, dit-il, après avoir avalé son dîner.

— Mais tu n'es pas de permanence le soir, ce mois-ci. Walter ne pourrait-il pas se débrouiller tout seul ?

— Ce péquenot ? Il ne sait même pas manger un sandwich convenablement !

— Et Harvey, où est-il?

— Il a emmené sa femme au théâtre. À Harper Falls. Je crois que c'est son cousin qui a monté la pièce.

Angel fronça les sourcils.

— Harvey au théâtre, avec sa femme?

— Il en profitera pour faire un petit somme.

— Et moi, où m'emmènes-tu? Je ne me souviens même pas de la dernière fois qu'on est allé au cinéma ou au spectacle.

Elle le taquinait.

— Avec Martin, on s'amuse plus qu'au théâtre.

— C'est vrai, répondit-elle en souriant à l'enfant.

Puis elle tamponna son petit visage avec sa serviette. Il lui écarta la main, leva les deux bras et glissa à terre en atterrissant sur le derrière.

— Hé! Je ne savais pas qu'il pouvait sortir de sa chaise tout seul! s'exclama fièrement Garrett.

— Il est futé.

Martin essaya de se dresser sur ses petites jambes. L'une de ses mains se prit dans son bavoir. Garrett lut l'étiquette sur la poche arrière de sa salopette rouge. Osh-KoshB'Gosh.

— Tu es mouillé? lança Angel à l'adresse du bambin. Faut-il que je te change?

Martin se mit debout et ébaucha deux ou trois pas hésitants en direction de la porte de la cuisine. Angel se leva d'un bond, mais Garrett lui fit signe de se rasseoir.

— Mange, chérie. Je le surveille.

— Ne le laisse surtout pas s'approcher de la cuisinière. La plaque est encore chaude.

Elle engouffra une cuillerée de purée et avala rapidement. Avec un enfant d'un an, on s'habitue très tôt à manger avec un lance-pierres.

Garrett passa en revue la petite cuisine encombrée à la recherche d'autres dangers éventuels. Le robinet de l'évier fuyait. Le plan de travail en formica était craquelé. Deux plaques seulement fonctionnaient sur la cuisinière.

Trop exigu, pensa-t-il. On n'est pas mal ici. C'est juste que c'est trop petit. Tous les placards sont pleins à craquer. Il ne reste pas un centimètre de libre pour poser une tasse ou une casserole.

Le père d'Angel était médecin. Elle avait eu une enfance aisée. Tandis que son regard errait dans la pièce, Garrett sentit qu'il se crispait. Il ne rentrait jamais chez lui sans penser qu'Angel méritait mieux que ça.

Ils avaient beau travailler tous les deux, ils n'avaient pas les moyens de s'offrir une maison aussi confortable que celle où elle avait grandi. Si seulement il avait un peu plus de temps libre pour faire du bricolage et peut-être même redonner une couche de peinture au salon.

— J'ai beaucoup réfléchi à la proposition de mon frère, lança-t-il à brûle-pourpoint.

Elle était en train de saucer son assiette, mais ne prit pas la peine de porter le morceau de pain à sa bouche.

— Eh bien, arrête d'y penser. Je n'ai vraiment pas envie d'aller vivre à Atlanta. Je suis très bien ici.

— Si j'acceptais cette place dans sa boîte, on pourrait s'acheter un pavillon. Avec un jardin. Tu sais. Pour que Martin puisse jouer dehors.

Elle reposa le bout de pain dans son assiette.

— Inspecteur Montgomery, je sais ce qu'est un jardin.

Il rit. Il aimait bien quand elle l'appelait inspecteur Montgomery. Sans trop savoir pourquoi.

— Je suis sérieux, Angel. Nous pourrions avoir une vie plus agréable. Une maison plus jolie. Et peut-être même faire des économies de manière à envoyer Martin à l'université.

Ses yeux verts de chatte le fixaient intensément. Elle recommença à saucer son assiette, mais s'abstint une fois de plus de manger.

— Tu oublies quelque chose, il me semble !

— Hein ! Quoi ? Qu'est-ce que j'oublie ?

— Que tu aimes ton métier de policier. Que vendre des meubles te ferait horreur. Tu considères ton frère comme un toquard, souviens-toi !

— Je ne ferais pas ça très longtemps. Je deviendrai gérant du magasin. Ou je trouverai autre chose. Je n'aurai jamais d'argent si je reste ici. En plus, je ne suis pas un vrai flic. On ne vit même pas dans une ville ! C'est juste quelques maisons et deux ou trois magasins réunis autour d'un campus universitaire. Et moi, Angel, je suis un flic de campus. Voilà ce que je suis. Une sorte de douanier, quoi ! Je devrais me balader en bicyclette plutôt qu'en voiture de patrouille. Un petit commissariat ridicule. Six policiers pour empêcher des gamins de traverser la rue en dehors des passages cloutés et de fumer de la marijuana après les matchs de foot.

— J'ai déjà entendu ce discours, il me semble! commenta-t-elle en faisant la grimace.

— Et tu n'as pas fini de l'entendre, menaça-t-il, jusqu'à ce que tu admettes que nous devons ficher le camp d'ici.

Elle se gratta le front. Il l'aimait pour la noblesse de son front. Son regard félin.

— Mais j'aime mon travail, Garrett. Et je suis sur le point d'avoir une promotion, l'as-tu oublié? Et puis j'ai de bonnes amies ici. D'accord, on ne vit pas dans un palais. Mais on s'en sort pas mal tout de même.

— Ton père a toujours considéré que je n'étais pas assez bien pour toi. Je suis sûr qu'il continue à être de cet avis.

D'où est-ce que ça sortait, ça, pour l'amour du ciel?

Il ne le pensait pas du tout. Qu'est-ce qui l'avait poussé à dire une chose pareille? Ces mots étaient-ils restés tapis tout ce temps dans quelque coin obscur de son cerveau, prêts à jaillir et à les faire bondir tous les deux?

Elle le dévisageait, bouche bée, en braquant sur lui son regard émeraude.

— Va travailler, Garrett. Tout va bien. Mon père n'a rien à voir là-dedans. Je ne pense jamais à tout ça et tu devrais t'en abstenir aussi.

Garrett s'empara de sa veste d'uniforme.

— Désolé. Je...

L'expression d'Angel s'adoucit. Elle prit Martin dans ses bras et le tendit vers son père.

— Dis au revoir à ton papa.

Martin agita machinalement sa petite main brune potelée.

Garrett lui rendit son salut. Puis se tournant vers Angel:

— Je t'appellerai tout à l'heure.

Il se dirigea vers la porte en jetant négligemment sa veste par-dessus son épaule.

Mais elle se glissa devant lui, lui bloquant le passage.

En écartant Martin de côté, elle se dressa sur la pointe des pieds et déposa un baiser sur la joue de Garrett.

— Tu sais ce qu'il te faut ? Une bonne vague de crimes. Ça te remonterait le moral en un rien de temps.

Garrett éclata de rire.

— Je croise les doigts.

— Reba... attends-moi !

— Non. Continue à courir. Ne t'arrête pas !

Les deux filles traversèrent Yale Avenue au pas de course, leurs chevelures noires flottant dans le vent pareilles à des fanions, leurs sacs à dos bleus rebondissant pesamment sur leur dos.

— J'ai un point de côté. Je ne peux plus faire un pas.

Reba se retourna, pantelante, et prit appui des deux mains sur ses genoux.

— On ne va pas pouvoir rentrer. Ils ont probablement déjà fermé la résidence.

Suzanne Schwartz se tenait la hanche en grimaçant de douleur.

— On aurait mieux fait de ne pas écouter les garçons !

Reba ricana.

— Ils n'ont rien à voir là-dedans. C'est à cause de l'herbe. Je me sens encore un peu à côté de la plaque.

— Jared était sympa.

— Je l'ai trouvé un peu lourd. Il n'arrêtait pas de me frotter la manche, comme si c'était la première fois de sa vie qu'il touchait de la laine. Je crois qu'il était déjà défoncé avant notre arrivée.

Elle tiraillа sur la veste de son amie.

— Allez, viens, sinon on va finir par être obligées de dormir à la belle étoile !

Suzanne lui décocha un sourire espiègle. Ses yeux sombres brillaient dans la lumière d'un réverbère.

— On pourrait retourner chez eux.

— Fripouille ! s'exclama Reba en secouant la tête. Allez. Cours.

Suzanne passa les lanières de son sac à dos sur son épaule et repoussa une mèche de cheveux de son front trempé de sueur. Puis elle s'élança à la poursuite de son amie. Elle avait une furieuse envie de ricaner et ressentait le besoin impérieux de chanter *Oklahoma* à tue-tête! Au printemps dernier, elle avait joué dans cette pièce montée par les élèves de dernière année de son lycée. Elle s'en souvenait encore par cœur.

Elles se retrouvèrent bientôt sur le campus. Traversèrent le Cercle à grandes foulées. Des nuages noirs défilaient en volutes devant la lune. Reba avait plusieurs mètres d'avance sur elle.

— Hé, attends-moi!

Reba était l'athlète. Même quand elle avait fumé de l'herbe. Suzanne, elle, était plutôt du genre léthargique.

— Attends-moi, Reba! Je n'arrive pas à courir si vite!

À sa grande surprise, Reba s'arrêta net. Leva la jambe droite. Poussa un cri strident.

Suzanne scruta la pénombre.

— Reba, qu'est-ce qui ne va pas?

Elle avait peut-être une crampe, ou s'était déchiré un ligament.

— Berk! J'ai marché dans quelque chose.

Suzanne découvrit la fille la première. Étalée par terre de tout son long. Elle crut d'abord que c'était un mannequin en cire. Tout tordu. Rien n'était à sa place.

Et puis elle vit le sang, l'os à l'endroit où la peau avait été arrachée, les intestins se déversant du ventre ouvert.

Alors elle comprit.

— Qu'est-ce que c'est que ça? s'écria Reba en retirant quelque chose de sa chaussure. On dirait une saucisse! *Oh mon Dieu quelle horreur*!

Reba vit alors le corps en lambeaux, déformé, gisant à ses pieds.

Pas une saucisse. Un bout d'intestin!

Je tiens un bout d'intestin dans la main.

Elle le jeta au loin en gémissant. Il fit un bruit d'éclaboussure en tombant sur le trottoir.

Reba sentit son estomac chavirer. Elle réprima un sanglot.

Si elle criait assez fort, se dit-elle, peut-être chasserait-elle de son esprit cette vision cauchemardesque.

5

Liam ferma d'une poussée la grande fenêtre du salon tout en jetant un coup d'œil dans la rue. Des ombres grises et vert olive jouaient sur le sol tandis que des serpents de nuages ondulaient devant la demi-lune voilée.

En se retournant, il vit que Margaret avait enlevé son imperméable et le pliait avec application.

— Veux-tu une tasse de thé? Ou préférerais-tu quelque chose d'un peu plus fort? Un whisky-soda, par exemple? Ou un Bailey?

Margaret fit la grimace.

— Liam, tu sais très bien que j'ai horreur de ce truc-là. Ça a un goût de chocolat au lait.

Il fit claquer sa langue.

— On ne dénigre jamais un bon whisky irlandais, maugréa-t-il.

— Serait-ce encore l'une de tes superstitions? demanda-t-elle en soupirant.

— C'est la règle d'or!

Il rit, mais Margaret garda son sérieux. Elle posa soigneusement son imperméable sur le dossier d'un fauteuil et jeta un coup d'œil circulaire dans la pièce, ne sachant pas encore très bien où se trouvaient les choses. Se sentirait-elle jamais chez elle dans cette vieille maison pleine de courants d'air? Au moins, sa chambre, au deuxième étage, était bien chauffée et confortable.

Liam la regarda en secouant la tête.

— Le dîner t'a paru interminable, hein? Je sais que tu détestes rester assise si longtemps.

Il alluma le lampadaire.

— Il faudra qu'on se débarrasse de cet abat-jour rouge,

se dit-il. Toute la lumière se répandait sur le sol sans éclairer le moins du monde la pièce.

Margaret bâilla, puis s'ébouriffa les cheveux.

— Que penses-tu de Milton ?

Elle n'attendait pas de réponse, pour la bonne raison que ce n'était pas vraiment une question.

— Il est jovial, mais je ne sais pas pourquoi, il me met mal à l'aise.

Liam s'approcha d'elle. Il posa la main sur son épaule et la lui frotta avec vigueur, comme s'il s'efforçait de la réchauffer.

— À cause de sa carrure d'athlète peut-être ?

— Sa carrure et son air bourru. Il me fait penser à une chèvre géante.

Liam rit gaiement en rejetant la tête en arrière. Margaret avait le don de trouver les comparaisons les plus déconcertantes.

— Une chèvre ?

— Billy, la chèvre bourrue. Tu connais l'histoire ?

— Scandinave, non ? fit-il en se grattant le menton. Puis il se dirigea vers le canapé au cuir fatigué et s'y laissa tomber avec souplesse.

Une lueur d'amusement brillait dans ses yeux bruns rivés sur elle.

— Les chèvres portent chance parfois, tu sais. Je me souviens d'un vieux dicton datant du xixe siècle à propos d'une chèvre.

Il ferma les yeux et commença à le réciter :

— *Certains croient que c'est une fable quand je dis que, dans l'étable, je suis docteur. Mais mon odeur à grand nombre de maux fait peur.*

Margaret secoua la tête.

— Chassez le mal, il revient au galop ! murmura-t-elle.

Liam fit la grimace.

— Le jeu de mots est la forme d'humour la plus vile qui soit.

— Puisque tu t'obstines à débiter des poèmes de basse-cour, tu peux bien supporter un mauvais jeu de mots. Il fait froid ici, ajouta-t-elle en s'approchant de la fenêtre. Regarde. Les vitres branlent. On va probablement attraper tous les deux une pneumonie cet hiver. Comment fais-tu pour te rappeler toutes ces maximes ?

Liam tendit la main vers un carafon de whisky posé sur la table basse et se servit un petit verre de scotch. Un sourire flottait sur ses lèvres.

— C'est ma spécialité. Celle de la famille.

Margaret fronça les sourcils. Elle écarta le lourd rideau de velours broché et regarda par la fenêtre. Deux filles passèrent à vive allure sur le trottoir d'en face, leurs sacs sautillant sur leur dos.

Elles sont vraiment en retard, pensa-t-elle en voyant qu'elles se dirigeaient vers le campus. Le couvre-feu est passé depuis longtemps. Elles vont avoir de gros ennuis si elles habitent dans une résidence.

— Est-ce qu'il y avait aussi un couvre-feu à l'université de Chicago ? demanda-t-elle. Je n'arrive plus à m'en souvenir.

— Non, répondit-il avant de porter son verre à ses lèvres. Mais ces petites villes de Pennsylvanie... elles ne changent jamais. Ici, le temps s'est arrêté.

Il avala encore une gorgée.

— On parlait de Milton, reprit-elle tout en continuant à sonder l'obscurité brumeuse.

— De Milton la Chèvre.

Liam se leva et traversa la pièce en tenant prudemment son verre.

— Il a des mains énormes. On dirait des jambons.

— Les chèvres n'ont pas de jambons, plaisanta-t-il. Pourquoi as-tu prêté autant d'attention à ses mains ?

Margaret se détourna de la fenêtre.

— Difficile de faire autrement. J'ai bien cru qu'il allait briser son bock en mille morceaux.

Liam posa son verre à côté de la cage du lapin. Elle le regarda glisser une carotte entre deux barreaux.

— Milton me plaît, dit-il. Je le trouve intéressant.

— Intéressant ? Tu crois que je ne t'ai pas vu bâiller pendant qu'il décrivait en détail sa collection de couteaux. Je suis désolée, moi, il me fait peur. Je ne saurais pas te dire pourquoi. Peut-être est-ce l'idée qu'un homme aussi puissant collectionne des couteaux.

— Avec des mains pareilles, on le voit mal collectionner des dés à coudre !

Ils rirent tous les deux.

Liam taquina le lapin avec le bout de la carotte.

— Tiens, Phoebe, mange. Allez. Mange. On devrait faire un bon ragoût irlandais de cette lapine, ajouta-t-il en jetant un coup d'œil à Margaret par-dessus son épaule. Regarde-la. Elle préfère manger ses crottes qu'une bonne carotte bien juteuse.

Margaret frissonna. Elle s'éloigna de la fenêtre après avoir remis le rideau en place.

— Pourquoi est-ce que tu ne te débarrasses pas de cette bête repoussante, Liam?

Il marqua un temps d'arrêt avant de répondre.

— Quatre pattes de lapin. J'ai besoin de mettre un maximum de chances de mon côté.

Quelques instants plus tard, on frappa avec vigueur à la porte. Ils sursautèrent tous les deux. Liam jeta la carotte dans la cage et se dirigea vers l'entrée.

— Qui cela peut-il bien être? Il est tard.

— C'est peut-être Milton, répliqua Margaret en souriant. Venu t'emprunter une tasse de lait de chèvre.

Liam s'arrêta au passage devant la cheminée pour jeter un coup d'œil à son reflet dans la glace.

— Tu es cruelle, Margaret.

Un autre coup retentissant. Suivi de trois petits *toc, toc, toc*.

— J'arrive.

Liam ouvrit la porte. Il lui fallut un moment pour identifier la femme qui se tenait sur le seuil. Il vit d'abord une masse de cheveux flamboyants, tout frisés, torturés, qui dissimulaient la moitié de la figure. Puis des lèvres peintes, rouge vif.

— Andrea!

— Bonsoir, professeur. J'espère que je ne vous dérange pas.

Elle écarta une mèche de ses yeux et sourit. Un sourire aguicheur, pensa-t-il.

— Pas du tout, entrez donc, répondit-il en lui rendant son sourire.

Il s'écarta pour la laisser passer. Un souffle d'air froid s'engouffra dans la maison avec Andrea DeHaven. Liam referma la porte derrière elle. En se retournant, il vit le regard de la visiteuse posé sur lui. Un peu trop intense à son goût.

Elle portait un long pull moulant en laine, couleur iris, qui jurait avec ses cheveux roux et son rouge à lèvres vermillon. Un caleçon violet. De longues boucles d'oreilles en verre noir assorties au collier de perles qui se balançait sur sa poitrine bien maintenue. Des perles lourdes qui cliquetèrent lorsqu'elle pénétra dans le salon.

Liam inhala un parfum doucereux. Entêtant. Elle a dû prendre un bain dedans, se prit-il à penser. Margaret reconnaîtrait probablement la marque.

— Margaret, tu te souviens d'Andrea DeHaven, notre chère propriétaire ? dit-il d'un ton un peu forcé.

— Mais oui bien sûr, répondit-elle en s'obligeant à sourire.

Andrea se retourna, prenant brusquement conscience de la présence de Margaret.

— Ravie de vous revoir, lança-t-elle sans conviction avant de reporter sur Liam son regard bleu humide.

Quel âge a-t-elle ? se demanda-t-il. La quarantaine peut-être ? Il s'efforça de ne pas fixer les rondeurs généreuses qui dépassaient de son chandail en V. Elle serait sexy si elle ne se donnait pas autant de mal pour produire cette impression.

Correction. Elle *est* sexy.

C'était une femme robuste. Des cuisses imposantes. Il se souvenait que le jour où elle lui avait fait visiter la maison, en août, elle portait un caleçon vert. Il s'en souvenait parfaitement. Du pantalon. Et de la manière dont elle l'avait touché à plusieurs reprises tandis qu'ils allaient de pièce en pièce. Lui effleurant la main, lui pressant le bras. Amicalement. Ses cheveux lui frôlant la joue au passage.

Combien de fois lui avait-elle dit qu'elle était veuve ? Au moins une douzaine. Avec tant de tristesse, tangible dans ce regard bleu qui se noyait dans le sien comme si elle cherchait à lui transmettre quelque message secret.

— J'étais juste à côté, chez un vieil ami, déclara-t-elle. J'ai vu de la lumière en passant et j'ai eu l'idée d'entrer une seconde pour voir comment vous alliez.

— C'est très gentil à vous, fit Margaret d'une voix lointaine.

Andrea continuait à manger Liam des yeux.

— Nous n'avons pas l'habitude d'avoir des propriétaires aussi attentionnées, commenta-t-il d'un ton plein de sous-entendus.

— Dans les petites villes universitaires, tout le monde est aimable, répondit-elle en fermant à demi les paupières et en se passant la langue sur les lèvres. J'ai croisé les doigts en espérant de tout cœur que vous vous plaisiez dans la maison.

Elle leva les deux mains en croisant ses doigts aux longs ongles rouge vif. Liam s'approcha d'elle et prit doucement sa main droite dans la sienne avant qu'elle ait eu le temps de décroiser les doigts.

— C'est un plaisir de vous revoir, Andrea. Incidemment, savez-vous pourquoi nous faisons ce geste?

Il lui tenait toujours la main. Elle avait la peau moite et chaude. Douce comme une pêche mûre.

— Vous voyez, la croix est un symbole d'unité parfaite.

Il lui effleura la base des doigts.

— À l'intersection de ces deux lignes, c'est un endroit idéal pour préserver un vœu.

— Je l'ignorais, s'exclama-t-elle.

Il crut la sentir frissonner. Elle est trop facile, pensa-t-il, en lui lâchant brusquement la main.

— Vous avez des doigts magnifiques, ajouta-t-il. Interminables. C'est le signe d'une noble lignée et d'une longue vie.

Elle gloussa.

— Liam... — C'était la voix de Margaret lui parvenant de quelque obscure sphère du système solaire. — Andrea n'est pas venue nous voir pour que tu lui lises les lignes de la main.

Liam braqua son regard sur la propriétaire.

— Je ne suis pas en train de lui prédire son avenir, mais de lui révéler certaines croyances ancestrales. Vous savez, les Chinois attachent beaucoup d'importance à la longueur des ongles. Selon eux, si on les coupe, on coupe court à la vie.

— C'est passionnant! lança Andrea en jetant un coup d'œil à ses griffes rouges. Mais les miens sont faux.

Elle rit. Cela la tira apparemment de la transe dans laquelle Liam l'avait plongée.

— Je ferais mieux d'y aller, dit-elle en repoussant ses cheveux en arrière et en inspectant discrètement la pièce. Alors tout va bien?

— Nous sommes tout à fait à notre aise, répondit Liam. Tout cela est très nouveau pour nous, mais nous commençons vraiment à nous sentir chez nous.

— J'ai des ennuis avec le robinet dans ma salle de bains, intervint Margaret qui s'était assise sur le dossier du canapé, les deux mains en appui. Il fuit passablement. Je n'arrive pas à l'arrêter.

— Il faudra faire venir un plombier.

Le problème de Margaret ne semblait guère intéresser Andrea. Elle leva les yeux vers Liam. Était-ce un clin d'œil? À moins qu'elle n'ait simplement cillé des paupières?

— Et vous, Liam, vous n'avez pas de soucis? Me permettez-vous de vous appeler Liam?

— Mais bien sûr, Andrea.

— Votre chambre vous plaît-elle?

Il réprima un gloussement. Cherchez le mot *flagrant* dans le dictionnaire. Vous pouvez être sûr d'y trouver la photo d'Andrea DeHaven!

— Les ouvriers ont fait du bon travail. Plus de courants d'air depuis qu'ils ont changé l'encadrement de la fenêtre.

Elle hocha la tête en laissant une mèche lui retomber sur l'œil.

Vraiment sexy, pensa Liam, tandis que son regard se reportait irrésistiblement sur son décolleté plongeant.

— Je suis ravie que la maison vous plaise. Bon, eh bien, bonsoir.

Elle jeta un rapide coup d'œil à Margaret avant de regagner l'entrée.

Liam lui emboîta le pas. Je sais exactement ce qu'elle va dire, songea-t-il.

Il ne s'était pas trompé.

— Si je peux faire *quoi que ce soit* pour vous, n'hésitez surtout pas à m'appeler.

Elle ponctua sa phrase d'une ultime œillade.

Il lui reprit la main. Huma son parfum enivrant.

Je ne suis pas de bois après tout.

Elle était l'évidence incarnée. Mais cela faisait son effet. Il se sentait troublé. Pour ne pas dire excité.

— Chicago est une ville glaciale. C'est agréable de se retrouver dans un endroit chaleureux, en si bonne compagnie.

Il pouvait se montrer tout aussi transparent qu'elle.

— Bonne nuit, Andrea.

Il lui libéra finalement la main en la faisant glisser dans la sienne avec une lenteur infinie. Puis il la regarda descendre les marches du perron et s'éloigner sur le trottoir. Une forme vaporeuse rouge et violette ondulant dans la brume sous l'éclairage blafard des réverbères. Il ne put s'empêcher de penser aux cuisses rondes moulées dans le caleçon prune.

Son parfum flottait encore dans l'entrée.

— J'ai cru qu'elle allait déchirer son affreux pull-over et te sauter dessus, railla Margaret. Je la voyais déjà couchée sur toi, te plaquant à terre, te chevauchant allégrement tout en te maculant la figure de rouge à lèvres.

— Tu ne manques pas d'imagination! répondit-il en riant.

Margaret s'éclaircit la gorge.

— Il n'en fallait pas beaucoup.

— Si tu n'avais pas été là, Margaret, j'aurais pu saisir ma chance!

Elle le fusilla du regard.

— Tu appelles ça de la chance?

Elle se dirigea vers la cheminée en secouant la tête.

— On a oublié de lui demander si on pouvait faire du feu.

Liam soupira en se frottant le menton.

— Je suis sûr qu'on la reverra sans tarder.

Margaret le considéra en fronçant les sourcils.

— Es-tu vraiment attiré par cette vache à lait?

— Les vaches ont des qualités. Il y a un charmant conte gallois à propos d'une fermière qui se change en vache.

— Oh, Liam. Cesse donc! Je t'ai posé la question sérieusement. Garde tes légendes pour ceux qui ne les connaissent pas déjà toutes par cœur.

— Je plaisantais, Margaret!

— Pas moi. Tu la trouves séduisante? Tu crois que tu pourrais...

Il secoua la tête comme s'il cherchait à dissiper cette pensée et se laissa tomber sur l'accoudoir du canapé. Le cuir émit un sifflement discret.

— Non, j'ai bien peur qu'Andrea n'arrive pas à ses fins avec moi.

Il leva les yeux vers elle et hésita avant d'ajouter d'un ton léger :

— Je crois que je suis amoureux.

— Tu plaisantes?

Il secoua à nouveau la tête d'un air pensif.

— Non, je ne plaisante pas. Mais alors pas du tout.

Margaret paraissait interloquée. Elle retira sa main du manteau de la cheminée pour se gratter l'épaule, puis la reposa machinalement où elle était.

— La fille du restaurant? La jolie aux cheveux noirs? dit-elle en observant Liam avec attention.

Il hocha la tête, sans sourire.

Margaret plissa les yeux.

— Comment s'appelle-t-elle déjà? Sara? Un peu jeune tout de même, non?

— Je ne trouve pas.

— Elle ne te paraît pas trop jeune?

Il ébaucha un sourire.

— Non. Je pense qu'elle conviendra très bien.

Margaret soupira. Puis son visage s'illumina.

— Eh bien, bonne chance, Liam.

Elle serra le poing et l'abattit sur le manteau en bois de la cheminée. À trois reprises. Avec application.

DEUXIÈME PARTIE

6

La mauvaise humeur de Garrett le poursuivit dans la nuit. Qu'est-ce que je veux faire quand je serai grand? La question lui revenait constamment à l'esprit comme une mélopée monotone, agaçante. Qu'est-ce que je veux faire quand je serai grand? Quoi? Quoi?

Certainement pas ça.

Il ne se souvenait même pas d'avoir conduit jusqu'au commissariat. Ni de l'endroit où il avait garé sa voiture. Probablement à l'emplacement habituel dans le parking de la poste. Il ne se le rappelait plus.

Walter venait de dire quelque chose, mais il ne l'avait pas entendu. Leurs deux bureaux gris métallique se faisaient face, collés l'un contre l'autre au milieu du commissariat au plafond bas. Garrett se pencha en avant et regarda Walter en plissant les yeux, déterminé à se concentrer sur ce qu'il disait.

Walter Granger, son collègue albinos.

Il était si blanc. Si clair. Lumineux pour ainsi dire. Une peau blanche comme de la farine. Quelque chose de spectral, de translucide. Des cheveux blond filasse, tout raides, comme du fil blanc. Des dents blanches tout de guingois. Des dents de lapin. Il avait même les yeux pâles. Gris. Argentés presque. Walter est incolore, se dit-il. Il n'est qu'un rayonnement! Il le fixait à présent comme une lumière dans le noir, se cramponnant à cette lumière, à l'éclat de Walter pour éviter de replonger dans le spleen.

— Comment ça se passe, Walter?

— Rien à signaler.

Walter acheva son café, écrasa le gobelet en carton dans sa main et le jeta dans la corbeille à papier.

— C'est genre l'ennui, à dire vrai.

C'est genre!

Garrett jeta un coup d'œil aux dossiers posés devant lui. Rien de nouveau.

— Y a-t-il eu quelque chose cet après-midi?

Walter grogna et croisa les jambes sur son bureau. Il avait un trou dans la semelle de son soulier gauche.

— Ethan s'est coltiné un 742.

Garrett fronça les sourcils.

— Arrête avec ces codes, protesta-t-il d'un ton irrité. Tu sais très bien que je n'arrive jamais à me souvenir à quoi ils correspondent. C'était quoi?

Walter leva les deux mains en signe de résignation.

— D'accord, d'accord. Je suis désolé. Vous n'êtes pas obligé de me sauter à la gorge. Un chien écrasé par une voiture.

— Un chien? Où ça?

— Dans Highlands. En face de la boutique Stop'N'. Un dalmatien. Aplati comme une crêpe. Il restait la tête et l'arrière-train, mais le milieu de son corps était tout écrabouillé.

Garrett fit la grimace.

— Qui est le coupable?

Walter haussa les épaules.

— Si on le savait, ce serait une 741. 742, c'est chien écrasé et délit de fuite.

— Flûte, bougonna Garrett. Puis il considéra Walter d'un air soupçonneux. Tu les inventes ces codes, n'est-ce pas? On n'a pas vraiment de code pour les chiens écrasés assortis de délits de fuite, si?

Walter fit la moue. Il avait l'air froissé.

— Bien sûr que si. On a des codes pour tout. Tu n'as qu'à interroger Ethan. C'est *son* affaire. Il pense que c'était un camion. Probablement un semi-remorque. On voit mal comment une voiture pourrait laminer un cabot à ce point. Il paraît que les boyaux étaient collés sur la chaussée. Littéralement. On n'aurait pas pu les racler si on avait voulu.

Garrett remua vainement ses dossiers, histoire de s'occuper les mains.

— Ethan exagère toujours un peu. Pas d'autres appels aujourd'hui?

— Non! À moins qu'on ne compte Mme Flaherty.
Garrett soupira.

— On ne la compte pas.

Mme Flaherty téléphonait au moins deux fois par semaine pour raconter que son mari l'avait battue. Garrett et ses collègues avaient pris ses premiers coups de fil au sérieux. Il s'était avéré que Mme Flaherty n'avait pas de mari.

— Il faudrait qu'on constitue un fonds, reprit-il en prenant le journal du matin pour en parcourir rapidement les dernières pages.

— Quel genre de fonds?

— Tu sais. Demander aux gens de contribuer. Collecter suffisamment d'argent pour faire venir quelques criminels en ville. Pour qu'on ne soit plus obligés de rester assis l'un en face de l'autre toute la sainte journée à se tourner les pouces.

Son humour échappa à Walter qui lui répondit le plus sérieusement du monde :

— Moi j'aime bien quand c'est tranquille.

Garrett hocha la tête d'un air pensif.

— Ouais. Moi aussi.

Il trouva ce qu'il cherchait dans le journal. Les mots croisés. Il ouvrit le tiroir de son bureau et en sortit un crayon.

— Tu crois qu'Harvey s'amuse?

— Où est-ce qu'il est? Au concert, c'est ça?

— Sa femme l'a emmené au théâtre.

Walter secoua la tête.

— Il préfère les concerts. Il dit qu'au théâtre, les acteurs parlent tellement fort qu'ils l'empêchent de dormir.

Garrett éclata de rire, puis dévisagea Walter. Se pouvait-il qu'il ait fait une plaisanterie de son propre cru ou bien s'était-il contenté de répéter ce qu'Harvey lui avait dit?

Il a répété, décida-t-il. Il connaissait Walter depuis deux ans et ne l'avait jamais entendu plaisanter, même pas à demi-mot.

Deux ans? Il y avait déjà si longtemps qu'Angel et lui vivaient dans ce trou perdu? Oui, cela ferait deux ans en novembre, conclut-il en baissant les yeux sur la grille de mots mêlés. Eh bien! En tout cas, il ne regrettait pas d'avoir quitté Detroit. Ni d'avoir laissé les parents d'Angel à trois mille kilomètres.

Avaient-ils été assez loin ?

— Qui est de patrouille ce soir ? Duke ou Jimmy ?

Walter se gratta la nuque.

— Les deux, je crois. Ils sont notés ensemble sur le tableau de service. Mais ils n'ont pas appelé.

Garrett les imaginait garés devant le Krispy Kreme. La radio de la voiture beuglant de la musique Heavy Metal à pleins tubes. Duke et Jimmy en train de boire leur café noir à petites gorgées en reluquant les étudiantes.

Il s'obligea à se concentrer. Le premier mot était difficile. AGRUBATA. Il lui arrivait de trouver la solution au premier coup d'œil. Mais celui-ci n'était pas évident.

Pourquoi aimait-il tellement ces mots mêlés ? Il s'y attelait tous les jours. Cela faisait partie de sa routine et lui donnait l'impression de ne pas perdre son temps. Il griffonna dans la marge du journal : TARGAUAB. BAGATURA. Non, ce n'était pas ça.

C'était un casse-tête parfait pour un flic, songea-t-il tout à coup. On part de quelque chose de totalement embrouillé que l'on démêle consciencieusement. C'est le chaos ramené à l'ordre. L'harmonie après le désordre.

Il avait enfin trouvé le mot et était en train de l'écrire dans les petites cases quand le téléphone sonna.

Walter décrocha :

— Commissariat de Freewood.

Garrett posa son crayon. La bouche de Walter s'ouvrit toute grande. Il écarquilla les yeux.

Puis se redressa brusquement.

— Sans blague... Sans blague.

— Qu'est-ce qu'il se passe ?

— C'est pas vrai, Duke !... La vache !

— C'est Duke ? Qu'est-ce qui est arrivé ?

Walter n'avait pas l'air de l'avoir entendu. Garrett se leva d'un bond et se pencha vers son collègue.

— On a un problème ?

— C'est pas Dieu possible !... Bon, ne touchez à rien. On arrive.

Walter lâcha le combiné qui tomba sur le bureau avec fracas. Il ne se donna même pas la peine de le remettre en place, se contentant de fixer Garrett en faisant de drôles de petits bruits de déglutition.

— Alors? demanda Garrett avec impatience.

— On a un meu... meurtre.

Garrett sentit des picotements dans la nuque.

Walter porta les mains à son col. Ses gros doigts tiraillèrent sur le bouton.

— Un meurtre! Faut qu'on y aille.

— Où ça? s'enquit Garrett.

Était-ce bien la première question qu'il fallait poser. En deux ans de service, il avait eu affaire à un vol à main armée. En tout et pour tout. Mais un meurtre! Il fallait sûrement s'y prendre autrement.

Walter renonça à boutonner son col. Il se retourna gauchement et prit sa veste d'uniforme suspendue à un crochet en tirant dessus d'un coup sec.

— Sur le campus. Près du Cercle. Derrière des buissons, d'après Duke. Deux filles ont découvert le cadavre.

Le cœur battant, Garrett ouvrit le dernier tiroir de son bureau et en extirpa son revolver de service dans son étui en cuir marron. Tandis qu'il le fixait à sa ceinture, un violent sentiment de culpabilité le saisit.

J'espérais tellement que ça arriverait.

Je rêvais qu'il y ait un crime. Pour avoir quelque chose à faire et mettre fin à cet ennui.

C'est ma faute. Mon vœu a été exaucé.

C'est bête de penser ça, se dit-il. Mais il n'empêche que c'est la réalité.

— Comment va Duke? Il tient le coup?

— Il avait l'air tout retourné. J'ai eu l'impression qu'il était au bord des larmes...

Duke n'avait pas de cran, Garrett le savait. Le bonhomme n'avait jamais voulu être flic. Il s'était lancé dans cette voie parce que la blanchisserie de son père avait fait faillite et qu'il n'avait pas trouvé d'autre idée.

Garrett attrapa sa veste. Il mit le répondeur en marche et suivit Walter dehors. Dans la nuit fraîche et pluvieuse. Ils avaient bien fait de prendre leurs vestes. Son revolver lui pesait sur la hanche. Si seulement son cœur pouvait arrêter de battre si fort! Ses mains lui semblèrent glacées lorsqu'il les posa sur le volant.

— C'est une fille, l'informa Walter en claquant sa portière. Une étudiante probablement. Duke n'en était pas sûr.

Garrett plaqua le gyrophare sur le toit et mit la sirène en marche. Ce beuglement à la fois plaintif et strident lui fit faire la grimace. Il y avait belle lurette qu'il ne l'avait pas entendu.

Il recula. Demi-tour rapide en faisant crisser les pneus sur l'asphalte. La voiture descendit du trottoir en cahotant et s'engagea sur la chaussée déserte.

— Duke est sûr que c'est un meurtre?

Walter émit un son bizarre, une sorte de cri étouffé sorti des profondeurs de son gros cou.

— Oui. Il n'y a aucun doute.

Le visage de la fille était couvert d'un goudron noir et gluant.

Ce fut en tout cas ce que Garrett pensa au premier coup d'œil. Un coup d'œil rapide car il dut détourner les yeux et se mit à trembler des pieds à la tête.

C'était pour de vrai. Une vraie fille. La mort pour de vrai.

Il n'était pas certain d'être prêt.

Le goudron épais qui lui noircissait la figure. C'était du sang!

Rouge et noir. Rouge et noir.

Le sol, les buissons, leurs visages pris dans le faisceau clignotant du gyrophare. Rouge et puis noir. Rouge et puis noir.

Duke se tenait à l'écart dans une position bizarrement rigide; sa pomme d'Adam sautillait dans son cou maigrichon. On aurait dit que ses cheveux noirs coupés en brosse s'étaient dressés sur le sommet de son crâne. Quand Garrett et Walter approchèrent, il désigna les buissons, puis battit en retraite.

— Où est Jimmy?

— Il est en route. Il a crevé. Dans Stowe Street. Il ne va pas tarder.

— Une lampe de poche, marmonna Garrett qui hésitait encore au bord de l'allée, embrassant du regard le Cercle vide et les bâtiments du campus qui se tapissaient tout autour, tels des témoins désespérément muets. Avons-nous pensé à apporter une lampe de poche?

— Oh, mince! J'ai oublié, répondit Walter en se tapant le front.

— Tenez. J'en ai une, chuchota Duke.

La lumière blanche qui se répandit sur l'herbe comme une rivière étincelante leur fit mal aux yeux. Garrett prit la torche électrique des mains de Duke, histoire de se cramponner à quelque chose.

Puis il avança prudemment vers les taillis. Walter resta en arrière, quelques pas derrière lui.

Du goudron noir sur la figure. Tant de sang!

La voix de Duke lui parvint tout à coup, faible et distante :

— Elle s'appelle Charlotte. Charlotte Wilson. J'ai trouvé sa carte d'étudiante dans son portefeuille.

Garrett s'arrêta devant un buisson bas, immobile pour la bonne raison qu'il n'y avait pas un brin de vent. Il jeta un coup d'œil par-dessus son épaule dans la direction de Duke, silhouette efflanquée se profilant dans la lumière éblouissante des phares.

— Une étudiante?

— Non. Une employée.

— On lui a fait les poches?

— Non. J'ai trouvé vingt dollars dans son portefeuille. Et sa carte de crédit.

— Violée?

— Je ne crois pas. Elle a encore sa culotte.

Très professionnel, ce Duke, pensa Garrett.

Rouge et puis noir. Rouge et puis noir.

Il prit une profonde inspiration avant de se décider à contourner le buisson en serrant la lampe de poche si fort qu'il avait une crampe à la main.

La voix chevrotante de Walter s'éleva derrière lui, curieusement fluette :

— Quelqu'un devrait peut-être prendre des notes?

Garrett ferma les yeux un instant, mais continua à voir l'éclair rouge, le noir, le rouge à travers ses paupières closes.

— On consignera tout plus tard. Commençons par jeter un coup d'œil, d'accord? Ensuite...

Il faillit s'étrangler.

Il n'était pas prêt. Pas pour un spectacle pareil.

Le visage barbouillé de noir. Il savait pertinemment que

c'était du sang. Elle en avait plein les yeux. Ses orbites débordaient. Le nez aussi.

Il ne voyait pas sa bouche. Où était passée sa bouche?

Le faisceau de la lampe vacilla. Il eut l'impression que le sol s'était mis à trembler.

Ses genoux se dérobèrent sous lui. Était-ce lui qui avait poussé ce petit cri de souris?

Il s'obligea à regarder sans ciller des yeux.

Elle avait un bras replié derrière la nuque.

Les bras ne plient pas comme ça d'habitude, si?

Une petite jupe courte, remontée au-dessus de la taille, révélant le V noir du slip. Les jambes écartées. Le ventre ouvert. Déchiré. Déchiré en deux. Déversant son contenu. Tout son contenu.

Et son dos!

Oh, non!

Plié en deux? Brisé au milieu?

Non.

Bon sang! C'est pas vrai.

La lumière me joue des tours. Je ne vois plus clair.

Rouge et puis noir. Rouge et puis noir.

Il déglutit. Une fois. Deux fois. Forcé de regarder ailleurs. Duke et Walter étaient juste derrière lui maintenant. La figure de Duke longue comme un crayon. L'air hagard. Les yeux exorbités. Rien ne bougeait, hormis cette pomme d'Adam qui continuait à tressauter. Walter blême. Un teint de papier mâché, même dans cette lumière, les paupières mi-closes, sa main grassouillette crispée sur la crosse de son revolver, l'autre pendant lamentablement le long de son corps, son poing se serrant et se desserrant machinalement.

Garrett s'obligea à se retourner.

Le corps disloqué de la fille gisait dans une mare de sang noir comme une ombre. Une ombre morte.

Quel gâchis. Un casse-tête indéchiffrable, pensa-t-il. La fille. Charlotte Wilson. Impossible de la reconstituer, de la remettre en état.

— Oh bordel!

La lumière tremblotante éclairait quelque chose par terre. En se baissant pour ramasser l'objet, il fut pris de vertige. Il n'arrivait pas à voir ce que c'était.

Ça n'allait pas. Mais alors pas du tout.

— Oh bordel! Qu'est-ce que c'est que ça?

Une sensation douce contre sa main brûlante.

Il agrippa la chose, la brandit. La secoua.

— Une perruque? beugla-t-il, d'une voix creuse. Est-ce qu'elle portait une perruque?

Non, pas une perruque, comprit-il en y regardant d'un peu plus près.

Trop près.

Pas une perruque. Des cheveux. Les cheveux de Charlotte. Plantés sur son scalp.

Ses cheveux et son scalp. Tout dorés dans la lumière blafarde. Arrachés de son crâne. Jetés de côté comme du papier d'emballage.

— Oh, mon Dieu!

Le scalp lui tomba des mains.

La lampe de poche aussi.

Alors Garrett se pencha par-dessus le buisson et rendit son dîner.

7

Sara jeta négligemment *People Magazine* par terre.

— Qu'est-ce qu'on en a à faire des problèmes de Keanu Reeves? Pourquoi t'es-tu abonnée à cette revue, Mary Beth?

— Je trouvais que ma vie manquait de piquant!

Sara s'allongea sur le canapé en cuir vert en posant la tête sur l'accoudoir rebondi, les genoux en l'air. Elle s'étira langoureusement.

— J'ai besoin de faire un peu d'exercice, déclara-t-elle. Ça te dit de venir courir avec moi?

Mary Beth était assise en tailleur sur le tapis d'Orient élimé, adossée à la table basse.

— Sûrement pas, répondit-elle en secouant la tête. Il est hors de question que j'aille gambader de nuit dans le campus.

Elle décroisa les jambes et tendit la main vers le magazine.

— Qu'est-ce qu'ils racontent à propos de Keanu Reeves?

Sara fixait les fissures en forme de toile d'araignée qui sillonnaient le plafond badigeonné de blanc.

— Tu as vu la fille au journal télévisé? C'est horrible. Je ne peux plus supporter de passer à proximité de cet endroit. Tu vois ce que je veux dire? Là où elle a été assassinée. Ils ont tendu un ruban jaune tout autour des buissons. Pour empêcher les gens d'y accéder. Hier, j'ai vu deux étudiants en train de prendre des photos.

— Quelle honte! murmura Mary Beth en roulant le magazine entre ses mains sans prendre la peine de l'ouvrir.

— Je n'arrive pas à croire que ce genre de choses puisse se passer à Freewood.

— C'est ce qu'ils n'arrêtent pas de répéter aux informations locales.

— Je ne les regarde jamais, avoua Mary Beth en s'appuyant de nouveau au rebord de la table. Puis elle bâilla. Pourquoi est-ce que je suis toujours fatiguée? Sans doute parce que je suis obligée de travailler pour gagner ma vie.

— Il y a trois jours que cette pauvre fille a été assassinée et la police n'a toujours pas de piste. Ça fait peur, tu ne trouves pas? Je passe par là tous les matins. Ça me donne la chair de poule chaque fois.

— Et tu voulais aller courir ce soir? s'exclama Mary Beth en tapant le magazine roulé contre les genoux déchirés de son jean. Mieux vaut rester vautré chez soi au risque de devenir mollasson. C'est plus sûr.

— Tu as raison, reconnut Sara en fronçant les sourcils.

Elle frissonna en revoyant mentalement les images terribles qu'on avait passées sur la chaîne locale. Elle se souvenait du sac en plastique noir contenant le corps que l'on emportait sur une civière. Des visages sinistres des policiers refusant de répondre aux questions des journalistes.

— Tes cours se passent bien? Ça te plaît?

Les questions de Mary Beth la tirèrent brusquement de ses pensées.

— Devine comment s'appelle mon prof de séminaire? s'écria-t-elle en s'animant tout à coup.

— Je ne peux pas le savoir. Je ne connais personne dans le département de psychologie.

— Barbant.

— Pardon?

— Le professeur Barbant. C'est lui qui dirige le séminaire.

Mary Beth éclata de rire.

— Il y a vraiment un prof qui s'appelle comme ça?

Sara se mit sur son séant et posa les pieds par terre.

— Incroyable, non? Si tu t'appelais Barbant et que tu décides d'enseigner, tu changerais de nom, pas vrai? Enfin, tu t'imagines combien il est difficile de ne pas pouffer de rire chaque fois qu'on prononce son nom?

Mary Beth tira sur la barrette en plastique qui retenait ses cheveux sur le côté.

— Moi, j'avais un professeur de botanique qui s'appelait Plante. Greta Plante. On a toujours pensé que c'était un nom fabriqué de toutes pièces.

Sara gloussa.

— Ses parents auraient dû la prénommer Verte. Pourquoi est-ce que tu as pris des cours de botanique?

— Je m'imaginais que ce serait facile, répondit Mary Beth en faisant claquer la barrette entre ses doigts.

Elle changea brusquement d'expression et baissa les yeux, s'absorbant dans la contemplation du tapis.

— Tu me connais. Je cherche toujours la facilité. C'est probablement la raison pour laquelle je n'ai pas décollé d'ici. Toi au moins, tu as pris un risque. En allant tenter ta chance à New York. En te mettant à l'épreuve.

Sara eut un petit rire amer.

— Tenter et échouer. Il semble que mes décisions soient toujours motivées par un garçon.

Elle se leva et se dirigea vers la cuisine.

— Je vais chercher un Diet Coke. Tu en veux un?

— Non merci.

Sara revint en portant la canette rouge et blanche à ses lèvres.

— J'ai décidé de faire mes études à Moore State à cause de Michael, poursuivit-elle. J'ai quitté l'université à la fin de la licence pour Rick. Et maintenant me voilà de retour par la faute de Chip.

Elle débita tout cela d'un ton neutre comme s'il s'agissait de dresser un inventaire.

— Mais moi, je ne suis jamais partie! gémit Mary Beth. Regarde cet appartement. On dirait que je suis encore étudiante.

Elle désigna les posters épinglés au mur au-dessus du canapé. Jim Morrison et les Doors. En concert au Fillmore en 1967. Dans des tons fluo, orange et rouges. À côté d'un Keith Haring : trois figures primitives, audacieuses, dansant sur un fond tout jaune.

Sara passa la pièce en revue. Mis à part le canapé en cuir et la table basse, généreusement donnés par les parents de Mary Beth au moment où ils avaient fait refaire leur maison de Shaker Heights, le mobilier se résumait à deux futons beiges à même le sol. Un mini-téléviseur reposait sur une étagère blanche contre le mur du fond. La bibliothèque contenait la stéréo, une pléthore de CD, de livres de poche et des piles de magazines.

Sara ne put s'empêcher de rire.

— C'est vrai que ça ressemble un peu à notre chambre d'étudiantes, reconnut-elle. Ou encore à cet appartement qu'on louait dans High Street quand on était en dernière année. Où est passé ton matelas d'eau?

Mary Beth enfouit son menton au creux de ses mains d'un air sinistre.

— Il a eu une fuite. J'ai dû nager pour sauver ma peau. Sinon, je l'aurais probablement encore. Rends-toi compte, j'écoute encore les Pink Floyd! On dirait que je fais tout ce que je peux pour ne pas grandir.

Sara repoussa une mèche de cheveux rebelle du revers de la main.

— Au moins tu as un job, Mary Beth. Moi je recommence mes études!

Elle cherchait désespérément un moyen de changer le cours de la conversation. Elle avait été si contente de retrouver le campus et de revoir Mary Beth qu'elle en avait oublié le penchant de celle-ci à s'apitoyer sur son sort. Mary Beth n'était jamais aussi malheureuse qu'elle le prétendait. Sara le savait. C'était simplement une manière d'attirer l'attention sur elle.

Mary Beth aimait se faire plaindre; elle avait besoin que son entourage prenne soin d'elle. À dire vrai, du temps de leurs études, leur amitié s'était fondée sur les prévenances dont Sara, toujours pragmatique, la tête sur les épaules, avait entouré Mary Beth, si émotive et fragile.

Sara songea qu'à présent, la situation s'était inversée d'une certaine façon. C'était elle qui passait par un moment difficile, qu'il fallait réconforter. Mary Beth s'était révélée une véritable amie. Cela n'avait pas dû être facile pour elle. Elles s'étaient rendu compte toutes les deux que, même si c'était une joie d'être à nouveau réunies, leurs rapports avaient changé. Ni l'une ni l'autre n'avaient véritablement défini le rôle qui leur incombait respectivement dans ces circonstances nouvelles.

— À propos de travail..., commença Mary Beth en lui prenant la canette de soda des mains.

Elle but une gorgée avant de la lui rendre.

— ... Es-tu allée voir le doyen?

Sara hocha la tête.

— J'y suis allée l'autre jour. Après mon séminaire. Il n'était pas là. Sa secrétaire m'a dit qu'il avait dû s'absenter brusquement. Il devrait être de retour dans quelques jours.

— Tu vas y retourner?

— Oui. Un emploi à temps partiel — trois jours par semaine — me conviendrait on ne peut mieux. J'ai vraiment besoin d'argent.

Elle esquissa un geste de sa main libre.

— À propos de se sentir dans la peau d'une étudiante... je n'ai même pas de quoi m'offrir un futon!

Mary Beth esquissa un sourire.

— Tu sais, reprit Sara après s'être de nouveau allongée sur le sofa, en sortant du bâtiment de l'administration, l'autre jour, j'ai surpris une conversation à son sujet entre deux étudiants. Ils l'appellent Milton le Monstre.

Elle pouffa de rire.

Mary Beth secoua la tête.

— Ce n'est pas sympa, je trouve. Vraiment pas sympa.

— Avoue qu'il a tout d'un monstre de cinéma. Il est tellement énorme. Et cet air menaçant! Avec cette masse de cheveux blancs bizarrement dressés sur la tête comme s'il avait reçu une décharge électrique.

— Il a probablement de l'arthrite, remarqua Mary Beth.

Sara but une longue gorgée.

— La jeunesse est parfois cruelle.

— On dit qu'il est très gentil. Il paraît qu'il a été marié trois fois. Quand tu penses que nous n'avons rien d'autre à faire au bureau que de cancaner sur le compte de Milton Cohn ! fit-elle en soupirant.

— C'est triste, reconnut Sara en faisant tournoyer sa canette entre ses mains. Devine qui j'ai rencontré sur les marches de la bibliothèque ?... Liam. Tu sais. Le professeur O'Connor.

Une lueur passa dans le regard de Mary Beth.

— Tu l'appelles par son prénom ?

Sara rit. Elle sentit qu'elle piquait un fard.

— C'est lui qui m'a enjoint de le faire !

Mary Beth se pencha vers elle d'un air intrigué.

— Tu lui as dit bonjour ? Est-ce qu'il se souvenait de toi ?

Sara hocha la tête.

— Oui. Ça m'a surprise d'ailleurs. Il se rappelait même mon nom. Il m'a dit que j'avais un nom qui portait chance. Parce que cela veut dire « matin ».

— Sara veut dire matin ?

— Non. Morgan. Il a ajouté que le matin était un nouveau commencement, ou quelque chose comme ça.

Sara baissa les yeux.

— J'ai vraiment eu l'impression qu'il me faisait du gringue.

— Eh ben dis donc, chuchota Mary Beth.

Sara regretta tout à coup d'avoir parlé de lui. Elle se sentit vulnérable, sans trop savoir pourquoi. Mary Beth pouvait-elle lire dans ses pensées ? Se rendait-elle compte à quel point Liam l'avait obnubilée depuis leur rencontre ?

Elle n'avait pas envie qu'on la taquine à son sujet. Il n'y avait pas de quoi plaisanter. Elle s'était aperçue qu'elle pensait à lui continuellement, se souvenant de ses doigts glissant dans ses cheveux, de la chaleur de son regard posé sur elle.

Et alors ?

— Il ne fait aucun doute qu'il flirtait avec toi l'autre soir au restaurant, reconnut Mary Beth en croisant les mains sur ses genoux.

Sara fit l'innocente.

— Tu crois?

Elle avait les joues en feu.

— Évidemment, il flirte avec tout le monde.

— Comment le sais-tu? s'exclama-t-elle sur la défensive.

Elle s'en voulut aussitôt.

— En tout cas, il ne semblait pas indifférent à mon égard quand j'ai tourné cette vidéo sur lui. C'est le fameux charme irlandais. Tu sais ce qu'on dit : Les Irlandais sont les rois du boniment.

Elle a raison, reconnut Sara en silence.

Je n'ai pas arrêté de penser à lui toute la semaine, à la façon dont il m'a regardée, au vieux dicton qu'il m'a récité, à la manière dont il m'a tenu la main.

Le roi du boniment.

Le bon vieux charme irlandais.

Bien sûr qu'il est comme ça avec tout le monde. Pourquoi ai-je cru qu'il m'accordait une attention spéciale?

Elle secoua la tête comme si cela pouvait dissiper ses pensées. C'est moi qui suis puérile. Pas Mary Beth! La collégienne qui fait des chichis, c'est moi. Vingt-quatre ans. Et je tombe encore amoureuse du beau professeur.

Mary Beth se redressa brusquement en prenant une mine sérieuse.

— Et Chip alors? Que s'est-il passé?

— Quoi?

Sara pensait toujours à Liam. Elle le revoyait sur les marches de la bibliothèque, ses yeux bruns pétillants rivés sur elle tandis que le vent jouait dans ses cheveux bouclés.

— Tu as promis de tout me raconter. À propos de Chip, reprit Mary Beth en jetant *People Magazine* au loin. Allons Sara. Cesse d'entretenir le suspense. Pourquoi l'as-tu largué à la fin?

Sara avala péniblement sa salive.

— Parce que... parce qu'il a essayé de me tuer.

8

Une ombre s'abattit sur le bureau de Sara. Elle acheva de taper sa phrase avant de lever les yeux de l'écran de son ordinateur. Et découvrit Eliot Glazer qui remplissait l'embrasure étroite de la porte de son petit box.

Eliot Glazer. Directeur de la maison d'édition Concord.

Ses cheveux poivre et sel clairsemés étaient plaqués en arrière. Ses yeux gris injectés de sang la fixaient intensément à travers des verres à monture argentée perchés au bout de son nez. Des cercles roses rehaussaient ses joues en permanence, comme s'il n'en finissait pas de rougir ou d'être excité.

Il portait des chemises blanches non amidonnées au col perpétuellement déboutonné. Son ventre débordait de la ceinture de son pantalon bleu marine.

— Eliot ! Bonjour. Je suis en train de rattraper le courrier en retard, dit-elle en guise de bienvenue, désignant le tas de manuscrits refusés sur son bureau. En sa qualité d'assistante au service d'édition, son travail consistait notamment à les lire — au moins une page ou deux — et à les renvoyer à leurs auteurs avant qu'ils ne constituent un risque d'incendie.

Ce n'était certainement pas ce qu'elle préférait dans ses attributions.

Ces gens-là ne se rendaient donc pas compte à quel point ils étaient mauvais ?

Eliot s'adossa pesamment au mur du box.

— Est-ce que vous savez pourquoi on appelle ça les rebuts ?

— Non. Pourquoi ?

— Je pensais que vous le sauriez.

Il attendit qu'elle rît. Tout à fait son genre d'humour. Tellement subtil que cela n'avait strictement rien de drôle.

Sara s'esclaffa malgré tout.

— Il y a quelques bons manuscrits aujourd'hui. Je viens d'en finir un intitulé *Je suis un martien*. C'est une auto-biographie.

— Vous l'avez renvoyé sur Mars ?

— Non. Dans le Wisconsin.

Eliot hocha la tête. Il la regarda par-dessus ses lunettes.

— Je suis allé dans le Wisconsin.

Elle attendit qu'il poursuivît, mais il n'en fit rien.

Sara jeta un coup d'œil au petit réveil posé sur son éta-gère. Quatre heures cinquante. Vendredi après-midi. Eliot lui apportait-il du travail pour le week-end ?

Non. S'il vous plaît. Non.

Il se tourna et elle aperçut la pile d'épreuves qu'il tenait sous le bras.

— Sara, ce texte est en retard. Est-ce que ça vous ennuierait de le lire pendant le week-end ?

— Eh bien, euh...

Sans hésiter, il lui tendit le paquet de feuilles. Il ne lui posait pas vraiment la question. Il était en train de lui dire qu'elle devait rapporter le manuscrit corrigé lundi matin.

— Il y a très peu de coquilles. Ça ne devrait pas vous prendre beaucoup de temps.

Sara parcourut la première page.

— De quoi s'agit-il ? De football ?

Eliot hocha la tête.

— Un roman sur le football. Incroyable, non ? On est en retard, évidemment. C'est la panique. Vous connaissez cela par cœur. Le drame de l'édition. On se met au travail un an à l'avance, mais tout doit être fait à la dernière minute.

Ses joues virèrent au vermillon.

Sara leva les yeux au ciel. Feuilleta la pile d'épreuves.

— Un roman de quatre mille pages sur le football. Je sens que je vais m'amuser comme une folle.

Un sourire de guingois révéla des dents tachées de nico-tine.

— Quatre mille pages, vous exagérez ! Mais c'est tout à fait l'impression que ça donne.

Il pivota sur lui-même et son ventre sortit du box avant lui.

— Tout le monde est affreusement tendu, ajouta-t-il. Ce doit être à cause de la fusion.

— Avez-vous des nouvelles à ce sujet ? demanda-t-elle.

— Vous voyez bien ! Vous aussi, vous êtes nerveuse. Qu'est-ce que ça peut vous faire que nous fusionnions ou pas ? Vous avez peur qu'on vous retire vos actions ?

— Ce n'est pas très gentil, Eliot. Pas gentil du tout.

En tant qu'assistante d'édition, Sara touchait un peu moins de vingt-cinq mille dollars par an. Il n'avait jamais été question pour elle de bénéficier d'un droit de souscription. Ni de prime. Ni de frais de représentation pour aller déjeuner dans les grands restaurants. Et elle devait se contenter de deux semaines de vacances annuelles.

— Bon week-end, lui lança-t-il par-dessus son épaule en s'éloignant.

Le regard de Sara continua de fixer la partie de mur qu'il venait de libérer, tandis qu'elle roulait les épreuves entre ses mains. Finalement, elle posa tout le paquet sur son bureau et reporta son attention sur la lettre de refus affichée sur l'écran de son ordinateur. « *Je regrette de devoir vous informer que votre manuscrit sur votre enfance chez les Martiens ne cadre malheureusement pas avec nos projets éditoriaux.* »

Nous devrions avoir une lettre-type pour les extraterrestres, se dit-elle.

Un raclement de gorge sonore la fit sursauter. Elle fit volte-face.

— Chip !

Il entra dans le box, un sourire jusqu'aux oreilles, et s'assit au bord de la table sur une pile de manuscrits. Il s'empara d'un presse-papiers, une boule de cristal transparente, qu'il fit rebondir entre ses mains.

Entre donc. Fais comme chez toi. Tout ce qui est à moi est à toi.

Ses cheveux couleur paille lui effleurèrent le front quand il se pencha pour l'embrasser sur la bouche. Il avait les lèvres sèches et gercées.

Tout ce qui est à moi est à toi.

Elle aurait voulu que son baiser dure un peu plus longtemps. Pourtant, elle s'écarta la première. Presque tout le monde était parti, mais Eliot traînait encore dans les couloirs.

Qu'est-ce que ça peut faire s'il me surprend en train d'embrasser Chip?

Pas très professionnel.

Elle repoussa Chip d'une main tout en lissant la veste en lin fauve qu'elle portait sur un pull en coton crème.

— Qu'est-ce que tu fais là?

Il brandit la boule de verre et plongea son regard à l'intérieur en plissant les yeux.

— Voyons... Je vois de l'eau et du sable. Du soleil. Une maison... à Southampton. Un long week-end.

— Vois-tu ton père dans la maison?

Il reposa la boule.

— Non. Il a pris l'avion ce matin pour Los Angeles. Des ennuis à la chaîne. Un problème de production. Une grosse affaire.

Son sourire s'élargit, révélant deux rangées de dents étincelantes.

Comment fait-il pour avoir l'air bronzé en permanence? se demanda-t-elle. Il passe si peu de temps en plein air. Même son club de tennis est à l'intérieur.

— Pas de papa. Juste toi et moi.

Il plongea la main dans la poche de son pantalon et en sortit les clés de sa Porsche qu'il brandit sous le nez de Sara.

— Voilà pourquoi je suis ici. Pour t'emmener loin de tout ça.

Sara jeta un coup d'œil à sa montre.

— Il est cinq heures. C'est vendredi... On va se retrouver dans les embouteillages.

Il se pencha et passa tendrement l'index sur sa joue.

— Nous serons ensemble dans la circulation. Alors qu'est-ce que ça peut bien nous faire, hein?

Sa caresse la fit frissonner. Elle lui saisit la main au passage et la serra doucement dans la sienne tout en plongeant le regard dans ses yeux bleu pervenche. Des yeux d'enfant. Si innocents. Si émouvants dans ce visage ouvert, typiquement américain. Robert Redford, quand il était jeune.

Chip Whitney, le roi du BCBG.

Elle ne parvenait pas à croire qu'elle sortait avec un garçon aussi séduisant. Il lui arrivait d'effleurer ses sourcils soyeux, de parcourir son visage du bout des doigts comme si c'était une poupée.

Un visage parfait. Aussi parfait que sa vie.

Enfin... presque.

La cicatrice qui barrait son menton le rendait un peu plus humain. Une minuscule ligne blanche. À peine un centimètre. Il ne se souvenait pas d'où elle provenait. Elle se détachait sur sa peau hâlée comme un deuxième sourire à peine visible. Sara aimait bien la caresser.

Évidemment, il avait le nez trop court. Du reste,, elle avait longtemps pensé qu'un chirurgien esthétique zélé lui en avait ratiboisé un bout. Mais non. Chip était bel et bien né avec ce petit nez légèrement en trompette.

Cela lui donnait l'air arrogant. Arrogant, il l'était sans l'ombre d'un doute, avait-elle décidé quelques heures après avoir fait sa connaissance. Mais d'une manière charmante.

Il se débrouillait toujours pour la désorienter. Depuis le départ.

Lorsqu'ils étaient ensemble, elle avait le sentiment de l'observer, comme si elle sortait d'elle-même. Mais peut-être était-ce son problème à elle, et non pas celui de Chip.

— Il faut qu'on fasse un crochet par chez moi, dit-elle.

Elle se retourna vers son clavier et enfonça quelques touches pour sortir du programme de traitement de texte. Le martien du Wisconsin pouvait attendre la semaine prochaine pour s'entendre dire que son existence ne valait rien.

— Le temps de prendre quelques vêtements. Et mon maillot de bain.

— On en trouvera un sur place, lui répondit-il d'un ton péremptoire. On ira faire du shopping en ville. T'acheter tout ce dont tu auras besoin.

— Je ne peux pas renouveler ma garde-robe chaque fois que je pars en week-end, Chip. Je suis complètement fauchée. À tel point que j'apporte mon sandwich au bureau.

Pourquoi passaient-ils tant de temps à parler de Sara-la-pauvre et de Chip-le-riche? Elle se rendait bien compte que c'était elle qui remettait constamment sur le tapis leurs situations financières aux antipodes l'une de l'autre. Mais avait-elle le choix? Chip avait une carte Gold. Elle découvrait ce que c'était que de vivre avec un salaire moyen dans une ville comme New York.

Elle vit ses larges épaules s'affaisser sous son polo blanc. Il retourna la boule en cristal dans sa main.

— Tu te débrouilles toujours pour tuer la spontanéité. Ouille ouille ouille.

Allait-elle laisser passer ça? Non.

— Peut-être parce que la spontanéité signifie pour moi faire ce qu'on a envie de faire quand on a envie de le faire.

Belle riposte. Là je t'ai eu!

Il hocha la tête, grimaça un sourire. Un sourire mal venu, se dit-elle. J'étais sérieuse. Je ne plaisantais pas. Ce n'était pas simplement une réplique qui se voulait drôle.

Il posa le presse-papiers à côté de la pile de manuscrits.

— Bon, d'accord. On s'arrêtera d'abord chez toi pour que tu prennes tes affaires. Ensuite on ira dîner rapidement quelque part avant de se mettre en route. Ça te va comme ça?

Pour toute réponse, elle l'embrassa sur la joue.

Il se leva d'un bond, comme si ce baiser lui avait déplu, et jeta un coup d'œil à sa montre, une vieille Bulova datant des années cinquante qu'elle lui avait achetée dans un magasin de Colombus Avenue pour fêter leurs six mois de liaison. Elle ne marchait pas très bien. Sara le soupçonnait de la mettre uniquement quand ils se voyaient.

— Allons-y, dit-il.

Il sortit dans le couloir et fixa d'un air impatient le bout de la rangée de boxes.

Son brusque changement d'humeur ne l'avait pas surprise. Elle avait contrecarré ses projets. Il réagissait toujours mal dans ces cas-là. Ce n'était pas seulement une question d'imposer sa volonté. Chip ne supportait pas la moindre contrariété dans le cours harmonieux de son existence.

Pour lui, tout obstacle était insupportable.

Il n'était pas complètement gâté pourri tout de même, se dit-elle. Il avait certaines valeurs morales. Son enfance à Beverly Hills, la maison de week-end à Malibu, les voyages à New York et en Europe en compagnie de son père, président d'une importante chaîne de télévision, tout cet entourage de vedettes du cinéma, de la télévision et de metteurs en scène, les bains de soleil, les longs après-midi passés à lézarder au bord de la piscine olympique ou à s'activer sur les courts de tennis en argile derrière le pavillon des invités.

Cette jeunesse aussi dorée que la carte Gold qu'il avait dans la poche ne l'avait pas empêché de devenir un être sensible et attachant.

Cela n'avait fait qu'accroître ses espérances.

Il voulait une vie facile, sans accroc. Il s'attendait que tout se passe comme sur des roulettes. Que le soleil brille à chaque pique-nique.

Bonne journée. Cette formule toute faite avait véritablement un sens pour lui. Il estimait que cela lui était dû.

Il n'imaginait pas qu'on puisse lui dire non.

Oui, oui, oui.

Opposer un refus à Chip, c'était le décevoir irrémédiablement. Cela le désarçonnait complètement. Il prenait chaque rejet comme une offense personnelle.

Sara le voyait comme un être tout doré, tout ensoleillé. Elle adorait frôler les petits poils blonds et doux qui lui couvraient les bras. Tirailler sur les touffes de boucles blondes qui dépassaient de l'échancrure de ses polos déboutonnés. Pareils à de minuscules rais de soleil qui lui sillonnaient la peau.

Elle était si différente. Si grave. Si terre à terre. Elle aimait l'ombre. Parfois, en sa présence, elle se sentait comme l'une de ces planètes obscures, invisibles à l'œil nu, qui deviennent des étoiles dès qu'elles baignent dans la clarté du soleil.

Oui, oui, oui.

La moindre rebuffade dissipait instantanément l'éclat de son regard. Il était si facile à vivre. Accommodant.... Accommodant-barbant. Ils ne se querellaient jamais vraiment. Mais il suffisait d'un refus pour le hérisser.

Non, je ne peux pas te voir à cinq heures et demie.

Non, je ne veux pas faire de pause-café. Je dois retourner travailler.

Non, j'aime beaucoup ce chien. Mais il faut le ramener au chenil. Les animaux domestiques ne sont pas admis dans mon immeuble.

Et puis quelqu'un avait-il éteint le soleil? Elle ne supportait plus ses grognements étouffés, ses regards blessés, comme si le monde entier conspirait contre lui, déterminé à l'anéantir par un seul non.

Elle revoyait encore l'expression médusée de la serveuse

dans ce restaurant de Soho. Elle se souvenait de ses cheveux violets tout frisottés. De ses longues boucles d'oreilles en plastique qui s'étaient mises à cliqueter quand elle avait secoué la tête, abasourdie.

— Non, monsieur, je suis désolé. Nous n'avons plus de risotto.

Chip avait relevé les yeux brusquement comme s'il avait reçu une balle. Sara avait vraiment cru qu'une douleur l'avait transpercé tout à coup. Puis il s'était redressé d'un bond en manquant de renverser le plateau en verre de la table. Elle avait bien été obligée de le suivre quand il s'était précipité dehors. En se retournant sur le seuil, elle avait vu la serveuse plantée devant leur table, son carnet de commande à la main, ses boucles d'oreilles s'agitant en tous sens comme sous l'effet d'un tremblement de terre.

Le tremblement de terre était passé lorsqu'elle avait atteint le trottoir. Chip était déjà occupé à étudier le menu du restaurant voisin. Il avait souri et l'avait attirée contre lui comme si de rien n'était, comme s'il y avait juste eu une brève éclipse du soleil, comme si ce petit refus ne lui faisait ni chaud ni froid. Une petite blague, voilà tout.

Sara tremblait encore, tant elle avait été gênée. Elle qui détestait les scènes, quelles qu'elles soient, et qui n'aimait que l'ombre ! Elle avait eu envie de réprimander Chip, de le houspiller un bon coup en lui faisant remarquer qu'on ne faisait pas une histoire pareille pour un risotto.

Mais il se serait contenté de se moquer d'elle. Il n'aurait pas compris.

Elle revoyait les longues boucles d'oreilles se balançant follement. Chaque fois qu'elle y repensait, cela lui donnait la chair de poule. Elle en voulait encore à Chip.

Était-ce de la peur ?

Chip l'avait prise par la main et ils étaient entrés dans le restaurant voisin. Pris d'assaut. Trois rangées de clients pressés contre le bar. Toutes les tables occupées. Pas de réservation possible. Chip s'était pourtant débrouillé pour dénicher une table et ils avaient dîné tranquillement.

Tout est si facile pour lui. Il *exige* que ce soit facile.

Tellement facile qu'on se demande bien ce qu'il fait avec moi ? songea-t-elle.

Les seuls moments où il semblait avoir besoin d'elle

véritablement, c'était lorsqu'ils faisaient l'amour. Dans ces moments-là, il paraissait la vouloir tout entière. Comme s'il cherchait à l'accaparer, l'étouffer, l'engloutir et à la satisfaire encore, encore et encore.

Oui, oui, oui.

Mais cela ne durait jamais très longtemps.

Et elle, avait-elle besoin de lui?

Elle était très attirée par lui. Comme un papillon noir tourbillonnant aux abords du soleil, de plus en plus près, avec toujours plus d'audace. Elle aimait les soirées dans ces grandes villas qui ressemblaient à des missions, les lofts tout en chrome et cuir blanc de Manhattan où elle rencontrait toutes sortes de gens aussi bizarres que présomptueux, plantés là, leur verre à la main, avec tout le naturel de l'habitude, qui s'étaient donné un mal fou pour s'habiller de manière décontractée. Des individus pleins d'esprit qui se faisaient rire les uns les autres, dont le seul but dans l'existence était de s'impressionner mutuellement par leur tenue vestimentaire et de se faire rire.

Elle aussi, ils la faisaient rire. Elle ne se sentait pas particulièrement supérieure à eux. Elle se cramponnait au bras de Chip et se contentait d'observer en restant dans l'ombre.

Elle aimait sa Porsche. L'odeur de son aftershave. Obsession. Obsession pour hommes. N'était-il pas gêné quand il l'achetait? Quand il était là debout devant le comptoir et qu'il prononçait ce nom?

Non. C'était facile pour lui.

Cette aisance aussi, elle l'appréciait beaucoup chez lui. Mais avait-elle vraiment besoin de lui?

Elle éteignit son ordinateur, fourra les épreuves dans son sac et se hâta de suivre Chip. Ils passèrent bras dessus bras dessous devant la double rangée de boxes couleur prune. Le bureau d'Eliot, à qui elle cria bonsoir. Elle l'aperçut au passage penché sur son téléphone en train de se passer nerveusement la main dans les cheveux. Il leva les yeux juste à temps pour la voir avec Chip et lui adressa un vague geste d'adieu.

Dans l'ascenseur, Chip se mit à fredonner. Il commençait à retrouver sa bonne humeur, malgré le changement de plan. C'était le moment de l'embrasser. Elle posa son sac par terre et prit son visage entre ses mains. Ils avaient le temps d'échanger un long baiser. Vingt-cinq étages à descendre avant d'atteindre le rez-de-chaussée.

Chip tapotait son volant avec impatience. La Porsche vert bouteille avança de quelques mètres et s'arrêta brutalement à deux centimètres du pare-chocs de la camionnette qui les précédait. « Quelle circulation ! » bougonna-t-il.

Il pressa le genou de Sara avant de reposer la main sur le volant.

— J'ai horreur d'aller sur la côte le vendredi soir.

Sara prit appui des deux genoux contre le cuir sombre de la boîte à gants.

— Il y a des gens qui sont obligés de travailler pour gagner leur vie, lança-t-elle d'un air entendu. Ils ne peuvent pas quitter la ville plus tôt.

— On attache trop d'importance au travail, répliqua-t-il.

Toutes les voitures progressèrent encore de quelques mètres.

Sara aperçut des lumières rouges clignotant au coin de la rue.

— Il a dû y avoir un accident, dit-elle. Ça roulera mieux dès qu'on l'aura dépassé.

Il ne répondit rien. Il ne l'avait pas entendue apparemment. Que fixe-t-il avec tant d'insistance ? se demanda-t-elle en regardant la lumière blafarde d'un réverbère se répandre sur son visage. Ils avancèrent encore un peu. Lumière. Obscurité. Lumière. Obscurité. Son beau visage paraissait disparaître, puis s'illuminer de nouveau, mais il ne clignait même pas les yeux.

— À quoi penses-tu ? s'enquit-elle d'une voix douce.

— Hein ? Oh (Pourquoi sa question l'avait-elle surpris ?) À rien de particulier. Tu sais, les embouteillages, ça m'hypnotise, dit-il en soupirant. On aurait pu partir plus tôt si ta mère n'avait pas appelé.

— Écoute, il fallait absolument que je lui parle. Pauvre maman ! Toute seule dans cette grande maison. Avant, elle ne restait jamais aussi longtemps au téléphone. Mais maintenant...

— Tu devrais lui acheter un chien.

— Elle ne pourrait pas s'en occuper. Elle a de l'arthrite, tu sais.

Sara souffla pour écarter sa frange de ses yeux.

— Je suis toujours ravie de l'entendre, mais elle appelle systématiquement au mauvais moment. Et puis elle commence à radoter passablement. Elle m'a raconté trois fois la même histoire. Je trouve ça tellement triste.

Chip fit encore quelques mètres.

— Et tes frères ? Je croyais que l'un d'entre eux habitait tout près de chez elle ?

— Oui, mais maman et moi, on a toujours été très proches. Sans doute parce que je suis la plus jeune. Tu sais, elle avait quarante ans quand je suis née et...

Sa phrase resta en suspens car elle s'aperçut que Chip ne l'écoutait pas.

Le plafonnier était allumé dans la voiture immobilisée à côté de la leur. La conductrice, une femme au visage rond auréolé de bouclettes flamboyantes, tendit le cou vers le rétroviseur pour se farder les lèvres. Deux petits blondinets se bagarraient sur la banquette arrière.

— As-tu parlé à ton père ? demanda-t-elle dans l'espoir de récupérer son attention.

— À mon père ?

Chip s'agita sur son siège et accéléra brusquement. Ils tournèrent à l'angle de la rue en heurtant légèrement le trottoir. Il n'y avait pas d'accident. Juste une voiture en panne que l'on s'apprêtait à remorquer.

— Avant qu'il parte, poursuivit-elle en pressant les mains contre ses cuisses. Tu avais l'intention de lui parler. À propos d'un job. Tu te souviens ?

Chip hocha la tête. Se mordilla la lèvre. Sans quitter des yeux la chaussée.

— Ah ouais, c'est vrai. J'y pensais. Mais j'ai eu une autre idée depuis.

Elle attendit qu'il continue tout en l'observant à la dérobée.

Des rais de lumière glissaient par intermittence sur son visage, révélant la tension qui l'habitait. La petite cicatrice qui lui barrait le menton brillait et s'éclipsait tour à tour. Il plissa les yeux en réfléchissant à ce qu'il allait dire.

— Je n'ai pas vraiment envie de travailler pour mon père, répondit-il finalement d'un air pensif en détachant ses mots, comme si c'était la première fois que cette idée lui venait à l'esprit.

L'oisiveté de Chip la perturbait plus qu'elle ne le troublait lui-même. Elle s'était aperçue qu'elle y pensait souvent. Elle n'avait pas l'habitude de se frotter à des gens sans ambition.

La plupart des anciens camarades d'Harvard de Chip vivaient désormais à Los Angeles où ils écrivaient des feuilletons pour la télévision. Voilà comment les diplômés de cette prestigieuse université occupaient leur temps de nos jours. Jadis, ils seraient sans doute devenus romanciers, journalistes ou auteurs dramatiques. Mais les amis de Chip avaient des visées conformes à leur époque qui consistaient à écrire des scénarios de vingt-deux minutes dans le seul et unique but de faire fortune.

À la fin de ses études — qui n'avaient pas été particulièrement brillantes, il fallait bien l'admettre — Chip avait passé quelque temps à Belize à faire Dieu sait quoi. À son retour, il s'était installé dans la maison de son père à Malibu où il avait traîné avec ses copains scénaristes — quand ceux-ci n'étaient pas cramponnés à leur clavier —, en prenant des bains de soleil pour dorer sa belle peau qui l'était déjà. Se la couler douce. L'expression californienne par excellence.

Le jour où elle l'avait rencontré dans un cocktail littéraire au Puck Building (mon horoscope disait que ce serait mon jour de chance, s'était-elle souvenue au moment où elle entamait la conversation avec ce jeune homme souriant, hâlé, si sûr de lui, qui se rapprochait d'elle de plus en plus pendant qu'elle s'efforçait de déterminer ce qu'il convenait de faire avec sa main gauche, celle qui ne tenait pas le gobelet en plastique contenant du chardonnay blanc), il lui avait dit qu'il avait essayé d'écrire un roman. Mais, frustré, il avait vite abandonné. L'écriture prenait trop de temps, cela n'avait rien de gratifiant, lui avait-il déclaré. Et puis, de toute façon, il n'avait rien à dire.

Il avait une foule de choses à lui raconter, à elle. Et Sara l'écoutait.

Les endroits dont il parlait, les soirées où il l'emmenait, les amis qu'il lui présentait, tout cela lui donnait l'impression d'avoir fait du chemin depuis l'Indiana.

Tout était si grandiose, si romantique avec lui. Elle avait parfois la sensation de vivre dans l'une de ces publicités vaporeuses et oniriques pour une marque de parfum. Obsession. Obsession pour hommes. Et pour moi donc! Mais Chip ne travaillait pas. Il avait vingt-quatre ans et il était rentier.

Était-ce son éducation provinciale qui la poussait à réagir ainsi? Fallait-il vraiment que tout le monde ait un métier?

Chip braqua subitement, sur le point de se glisser dans la file voisine, puis changea d'avis. Il soupira en frappant le volant du plat de la main.

— On arrivera tout de même à temps pour le bain de minuit.

Elle se pencha et lui effleura l'épaule.

— Ça va être super.

Un concert de klaxons se fit entendre. Une moto les dépassa en rugissant et se faufila entre les rangées de voitures. Sara aperçut une fille en jean délavé, cheveux noirs au vent, s'agrippant au dos d'un type tout en cuir, coiffé d'un casque noir.

— C'est quoi, ta nouvelle idée? demanda-t-elle.

Elle baissa les genoux et épousseta son jean tout en regardant fixement par la vitre.

— À propos de job, je veux dire.

Il hésita à répondre.

— Eh bien, commença-t-il, je crois que ce serait une galère de travailler pour mon père. Il refuserait probablement de m'avoir dans les pattes en plus et m'expédierait sûrement ailleurs. Je vois d'ici le tableau! Il me confierait un boulot de débutant dans l'une de ses sociétés de production. Mais comme ils sont tous à plat ventre devant lui, on ferait de moi un producteur-assistant. En d'autres termes, mon travail consisterait à m'assurer que la machine à café fonctionne! Tu peux être sûre que je ne ferais jamais rien d'intéressant.

— Alors, quelle est ton idée? insista-t-elle.

Il mit son clignotant, changea de file. Un camion-citerne les dépassa dans un bruit de tonnerre. Sara tressaillit. Elle se sentait toujours tellement minuscule et vulnérable dans la petite Porsche au ras du sol.

— Tu as vu cet autocollant, lança-t-il en désignant la Mercedes blanche qui les précédait.

Sara plissa les yeux et déchiffra le message dans la lueur blafarde des phares : MANGEMOI. Elle éclata de rire.

Chip secoua la tête.

— Y'a des gens qui ont vraiment de la classe, hein ? Tu te rends compte ! Collez un autocollant pareil sur une Mercedes qui vaut trente bâtons. Ça gâche tout.

— Alors, ta grande idée. C'est quoi ? persista-t-elle. Mets fin au suspense. Je n'en peux plus.

Chip haussa les épaules et esquissa un geste de la main droite tout en manœuvrant la voiture de l'autre main.

— Eh bien, je me suis dit que je pourrais peut-être monter ma propre boîte de production. Tu vois. Je pourrais commencer modestement en faisant des longs métrages peut-être ou des films à petits budgets — moins de cent millions — ou bien des documentaires pour la télé. Des choses de qualité. Controversées. Qu'on remarquerait.

Dans la lumière clignotante, elle le vit tout à coup comme un gamin. Un gamin tout excité. Maintenant je comprends pourquoi il ne travaille pas, se dit-elle. Il n'a pas encore trouvé le moyen de faire démarrer sa carrière en partant du sommet. C'est un petit garçon qui veut démarrer tout en haut de la pyramide.

La voiture fit un bond en avant. Chip appuya sur le champignon et ils foncèrent sur un bout d'autoroute dégagé. Sara se sentit perdue. Comme si elle avait laissé quelque chose derrière elle. Perdu quelque chose sur ce tronçon d'autoroute qu'il venait de parcourir à l'endroit où il lui avait révélé son nouveau plan.

Une partie des sentiments qu'elle éprouvait pour lui était restée là-bas derrière, elle le savait. Une partie de la magie, de la fascination de dieu-soleil qu'il exerçait sur elle, s'était envolée par la fenêtre. Elle se retrouvait assise à côté d'un petit garçon. Ces yeux bleus innocents. Ce petit bout de nez. Un gamin qui réfléchissait au parfum de la sucette qu'il allait s'acheter.

Elle s'éclaircit la voix.

— Mais pour monter une société de production... il faut beaucoup d'argent ?

Elle regretta d'avoir posé la question sur un ton si perçant.

— Évidemment, répondit-il avec un petit rire désagréable, méprisant. Il va me falloir un bon petit magot pour démarrer. Pas de doute. J'en parlerai à mon père dès qu'il reviendra de la côte Ouest.

Quel parfum de sucette vas-tu m'acheter, papa?

Sara le fixa d'un œil dur. Elle l'imaginait, un long bâton à la main, léchant avec application une grosse sucette à la menthe toute ronde.

9

Elle adorait faire l'amour au son de l'océan. Sentir le contact du drap humide et salé contre son dos. Chip si léger, sur elle.

Un grondement presque inaudible. Puis une vague venait se briser sur le sable. Une accalmie. Un autre déferlement. Le rythme idéal, pensa-t-elle. Les yeux grands ouverts, elle regardait son amant glisser au-dessus d'elle.

Déferlement. Accalmie. Déferlement. Accalmie. Le doux va-et-vient de son corps.

Les yeux grands ouverts. Essayer de penser aux vagues...

Flux... Reflux... Flux...

Mais penser à autre chose. Écouter... Penser...

Déferlement... Reflux... Déferlement..

Pourquoi est-ce que je pense?

— Ohhhhh.

Chip émit son gémissement avant-coureur en rejetant la tête en arrière.

Les vagues montaient hardiment à l'assaut de la plage et venaient exploser sur le sable. Elle imaginait les embruns blancs s'abattant en pluie sur la roche noire, éclaboussant le ciel nocturne. Il s'effondra sur elle, lui embrassant avidement les épaules et les seins.

Flux... Reflux... Flux...

Dehors, les vagues continuaient leur course intrépide.

Elle resta longtemps éveillée à écouter sa respiration régulière, presque imperceptible, tout en regardant la lumière argentée du clair de lune qui se glissait sous les rideaux de la fenêtre gonflés par la brise. Elle pensait à la mer qui roulait sur le rivage, si doucement, si discrètement, en tapinois, puis se soulevait avant de se briser violemment en écume, avec une force inattendue, comme une sombre pensée qui s'impose soudain à l'esprit.

Petit déjeuner sur la terrasse. Le soleil, voilé, déjà haut dans le ciel. Des petits pains aux raisins et de délicieuses tranches de pastèques en provenance d'une ferme voisine.

Chip, en string rouge, fourragea la toison blonde qui lui couvrait la poitrine, puis s'étira langoureusement.

— On a fait la grasse matinée.

Sara sourit en écartant une mèche de son visage.

— J'ai l'impression d'être en vacances, dit-elle.

Il se resservit du café avant de tendre la cafetière en porcelaine blanche dans sa direction. Elle secoua la tête en couvrant sa tasse.

— Tu as bien dormi?

— Comme une souche, mentit-elle.

— C'est grâce au bruit de l'océan.

Il se tourna vers la mer en prenant appui sur la balustrade en bois.

— Ici, je dors toujours comme un bébé.

Bébé veut sa sucette?

Que m'arrive-t-il? se demanda-t-elle en avalant une gorgée de café avec laquelle elle faillit s'étrangler. Pourquoi est-ce que je n'arrête pas de penser à ça?

Elle ajusta le haut de son bikini bleu en se regardant par-dessous ses lunettes noires. Je suis tellement blanche. De la même couleur que les mouettes.

Elle tourna son attention vers la plage, au-delà de la dune. Le sable formait comme un tapis bleu doré dans la clarté un peu opaque. Le ciel semblait s'achever au mur de nuages sombres qui s'amoncelaient à l'horizon.

Chip lui prit la main et tirailla dessus sans ménagement.

— Que dirais-tu d'un petit bain matinal? Allez! Viens!

Ces yeux bleu pervenche. Ce sourire étincelant.

— Ce n'est plus le matin. On est déjà l'après-midi, répondit-elle avant d'avaler sa dernière gorgée de café et de reposer sa tasse sur la table en verre.

— C'est encore mieux.

Il tira plus fort, la forçant à se lever.

— L'eau doit être chaude maintenant.

Elle rit en levant les yeux au ciel.

— Sans aucun doute. Elle doit faire au moins 35° !

Il parut froissé.

— Je croyais que tu aimais l'eau froide.

— Tiède seulement.

Cette réponse lui fit penser à Mary Beth, sa camarade d'université. C'était tout à fait le genre de choses qu'elle aurait répliquées. En revanche, cela ne lui ressemblait pas à elle. Elle nota mentalement qu'elle devait téléphoner à Mary Beth. Il y avait des semaines, peut-être même des mois, qu'elles ne s'étaient pas parlé.

Mary Beth... toujours à Moore State. Il y a des gens qui ne grandissent jamais!

Chip la saisit par le bras et l'entraîna vers les marches conduisant à la plage.

Il y a des gens qui ne grandissent jamais!

— Aïe!

Des aiguilles de pin lui piquaient la plante des pieds.

— Attends! Chip, je vais chercher mes sandales!

— Pas le temps. Cours. Il faut que tu te jettes à l'eau. Sinon tu n'y arriveras jamais.

Elle savait qu'il avait raison.

Au-delà de la dune, le sable était déjà sec et chaud. Une mouette plantée au bord de l'eau poussa un cri strident, guttural, en penchant la tête en arrière. Était-ce un avertissement? « N'y va pas! L'eau est glacée! »

Les vagues vert doré moutonnaient sur une longue distance avant de se briser. Les nuages noirs approchaient à toute allure, jetant une ombre menaçante sur la mer. Sara voyait distinctement la ligne de démarcation, là où l'éclat étincelant du soleil s'arrêtait. L'air se rafraîchit tout à coup.

Elle s'immobilisa, hésitante, à la lisière de l'eau. Une vague glaciale lui enveloppa aussitôt les pieds. En se retirant, elle laissa une lanière d'algues vertes et molles autour de sa cheville.

Sara frissonna.

Chip lui reprit la main.

— Viens! Pas question que tu te dérobes.

L'eau lui engloutit les chevilles. Elle recula et lutta pour se dégager.

— Remontons! C'est trop froid.

Il rit et se baissa pour la prendre dans ses bras. Elle battit furieusement des pieds, expédiant du sable en tous sens.

— Allons-nous-en, Chip! Allons-nous-en! Je ne plaisante pas.

Un sourire jusqu'aux oreilles, il se mit à courir à petits pas, esquivant ses moulinets, resserrant son emprise sur elle. Sa force l'étonna. Elle n'arrivait pas à croire qu'il puisse la porter avec autant d'aisance.

Elle allait devoir se baigner, qu'elle le veuille ou non.

Il continuait à avancer dans un tourbillon d'éclaboussures. Elle sentit les gouttes froides sur son dos, ses jambes.

— Remontons! Remontons! Non! Chip! Ne fais pas ça!

Les hommes préhistoriques qui vivaient au bord de la mer jouaient-ils déjà à ce jeu imbécile?

Elle commença à crier, mais le choc de l'eau glaciale, au moment où il la lâcha, lui coupa le souffle. Elle ferma les yeux lorsque la première vague déferla sur elle, puis se redressa tant bien que mal, toute tremblante, ses cheveux mouillés plaqués sur son visage. Elle brandit le poing dans la direction de Chip. Pour rire. Mais il plongea et elle le rata.

— Ohh! Je suis frigorifiée! Je te revaudrai ça, Chip, crois-moi!

Il piqua une tête dans une vague et resurgit en nageant avec application. Plusieurs mètres plus loin, juste au-delà de l'endroit où les lames se brisaient, il lui fit signe de le rejoindre.

— Je... je n'arriverai jamais à me réchauffer!

Une goulée d'eau s'engouffra dans sa bouche. Elle sentit le goût du sel, essaya de recracher. En secouant la tête pour écarter ses cheveux de son visage, elle prit une profonde inspiration, se propulsa en avant, donna un coup de pied et s'élança à la nage à la poursuite de Chip.

Au bout de quelques secondes, elle releva la tête et vit qu'il faisait la planche en l'attendant. Elle se sentit attirée vers lui, irrésistiblement, et cette sensation lui déplut. Le ressac était plus fort qu'elle ne le pensait.

C'était une bonne nageuse. Elle avait décroché son diplôme de maître nageur à quatorze ans. Mais elle n'aimait guère cette impression d'être entraînée contre son gré, de ne pas être libre de ses mouvements.

— Je veux sortir de l'eau, Chip, brailla-t-elle en jetant un coup d'œil vers le rivage, plus loin qu'elle ne se l'était imaginé.

Les nuages violets se faisaient de plus en plus menaçants. La mer était en train de prendre une couleur sinistre.

— Je retourne là-bas. Le ressac...

— Ce n'est pas très profond ici, Sara. On a pied, dit-il en pointant son index vers le bas. Je suis sur un banc de sable.

Il tendit la main lorsqu'elle l'atteignit et l'attira vers lui. Elle chercha le fond lentement, avec prudence. Ses pieds se posèrent sur le banc de sable; elle se mit debout. La surface de l'eau ondulait au niveau de ses épaules.

Chip lui décocha un grand sourire, sans la lâcher. Elle vit un ruban d'algue verte enchevêtré dans ses cheveux. Ils sautèrent tous les deux en même temps pour éviter une grosse vague avant d'atterrir de nouveau sur le sable.

— C'est super, non?

— Ça fait du bien, reconnut-elle. Mais le ressac... Je me sentais entraînée par là, dit-elle en pointant l'index.

— Il n'est pas si fort que ça, répondit-il en embrassant l'océan du regard.

Un gros cargo rouge et noir scintillait au large, près de l'horizon qui s'obscurcissait de minute en minute.

— Je me demande où il va.

Elle se mit sur le dos en battant des pieds et essaya de libérer sa main, mais il ne voulait pas la lâcher. Un frisson lui parcourut l'échine.

— J'ai froid, Chip. Je veux sortir de l'eau.

Il ne semblait pas l'avoir entendue.

— Est-ce que tu trouves que la mer est romantique?

Il continuait à fixer le navire, minuscule rectangle au point de rencontre entre le ciel et l'océan.

— Hein?

Une giclée lui éclaboussa la figure. Elle essaya de continuer à flotter en dépit d'une grosse vague qui la soulevait irrésistiblement.

— Lâche-moi. Je n'arrive pas à nager.

Chip l'attira de nouveau à lui et plongea son regard bleu ciel dans le sien. Elle vit les nuages menaçants se refléter dans ses iris.

— C'est romantique, l'océan, non?

Où voulait-il en venir? Pourquoi se comportait-il de manière si bizarre?

— Oui. Bien sûr. Bien sûr.

L'un de ses pieds glissa de l'étroit banc de sable. Elle retrouva l'équilibre au dernier moment après s'être démenée contre le courant.

— Ce serait un endroit idéal pour une demande en mariage, tu ne trouves pas? poursuivit-il.

— Une quoi?

— Une demande en mariage.

— En mariage?

Il hocha la tête, sans sourire, d'un air solennel. Ils surmontèrent une nouvelle vague, leurs têtes sautillant sur l'onde.

Elle écarta ses cheveux de son visage. Les frissons qui la secouaient n'avaient rien à voir avec la température de l'eau. Pas plus que la chair de poule qui lui hérissait la peau.

— Épouse-moi, Sara, murmura-t-il, des nuages sombres dans les yeux.

Je n'en ai pas la moindre envie, songea-t-elle en grelottant sous l'effet d'un courant glacial. Les vagues s'abattaient sur elle, l'une après l'autre, avant de filer vers la plage. Filer, filer, inlassablement. Comme le temps.

— On s'amuse bien tous les deux, Chip, mais...

Mais tu n'es qu'un gros bébé.

Est-il possible que je m'en sois rendu compte hier soir, dans la voiture? Ou bien est-ce que je le sais depuis toujours? En tout cas, je ne t'aime pas, Chip!

— J'ai pensé à une foule de choses ces derniers temps, dit-il en retirant l'algue qu'il avait dans les cheveux de sa main libre, celle qui ne la retenait pas prisonnière. Tu sais. L'histoire de la société de production dont je dois parler à mon père. Mon avenir. *Notre* avenir.

On n'en a pas, Chip!

Je l'ai compris hier soir. Même si j'en avais déjà plus ou moins conscience depuis un moment. Nous avons du plaisir à dîner ensemble. On va dans des soirées sympa. On passe de bons moments au lit. On s'apprécie l'un et l'autre sur le moment. Au présent.

Au passé...

— Je veux partager ma vie avec toi, Sara, reprit-il en s'emparant de son autre main. Pressant les deux dans les siennes.

Cucu, pensa-t-elle. Une réplique *cucu*. Comme dans un mauvais film d'amour.

Quelle cruauté, tout de même!

Pourquoi est-ce qu'il gâche le week-end?

Un coup de tonnerre retentit au loin. Sara se tourna vers l'horizon. Le cargo avait disparu derrière un rideau de brume grise.

Lâche-moi, Chip. Je veux disparaître avec ce bateau. M'éclipser. Me dissiper dans un doux brouillard.

— Épouse-moi, Sara.

— Ce n'est pas possible, Chip, dit-elle en bondissant pour éviter une autre vague.

Elle s'aperçut tout à coup que la mer montait.

— Je tiens beaucoup à toi. Je suis très flattée. Peut-être plus tard...

— Non, Sara, je t'assure...

Sa voix tout à coup bizarrement aiguë se faisait entendre par dessus le fracas des vagues.

— Je suis sérieux...

— Je sais, Chip. Je ne veux pas te faire de mal, mais...

— Épouse-moi, Sara.

— Non, s'il te plaît. Lâche-moi. Je ne peux pas.

— Épouse-moi, Sara.

— Arrête, Chip. Écoute-moi. Non! Ce n'est pas possible. Pas maintenant! Non!

Il ferma les yeux. Lorsqu'il les rouvrit, elle se rendit compte qu'il l'avait finalement entendue. Et perçu son refus.

— Épouse-moi, Sara.

Il lui libéra enfin les mains pour plonger les doigts dans sa chevelure trempée.

— Il faut absolument que je sorte de l'eau, dit-elle. Je suis morte de froid.

Elle s'attendait à une caresse. Mais il la saisit violemment par les cheveux.

— Épouse-moi, Sara, répéta-t-il une fois encore d'une voix stridente.

— Non. Lâche-moi !

Il s'empara de sa tête. La poussa avec force. Sous l'eau.

Tellement inattendu. Elle en eut le souffle coupé, but la tasse, s'étouffant à demi.

— Épouse-moi, Sara, fit-il d'un ton dur, insistant.

Il hurlait à présent. Et ses mains qui la serraient si fort et la maintenaient sous l'eau d'une pression irrésistible.

— Épouse-moi, Sara.

Elle se débattit en donnant des coups de pied, tournant la tête en tous sens. Sans réussir à lui échapper.

Il l'extirpa de l'eau en la tirant par les cheveux. Toussant, crachant, elle essaya désespérément de reprendre son souffle.

— Épouse-moi, Sara.

— Non, non, s'il te plaît.

— Épouse-moi, Sara.

Il lui plongea de nouveau la tête sous l'eau. Plus bas. Toujours plus bas.

— Épouse-moi, Sara.

Lâche-moi ! Lâche-moi !

Battant des pieds, des mains, elle lutta pour se libérer.

— Va te faire foutre, Sara.

Il la ramena à la surface.

— Épouse-moi, Sara.

La repoussa sous l'eau.

— Va te faire foutre, Sara.

Lui ressortit la tête.

— Épouse-moi, Sara.

La submergea de nouveau.

— Va te faire foutre, Sara.

L'empêchant de remonter. La maintenant sous l'eau.

Son dernier souffle sortit de sa bouche sous forme de bulles.

— Épouse-moi, Sara. Va te faire foutre, Sara.

Ce furent les derniers mots qu'elle entendit avant de replonger pour la dernière fois.

10

— Que s'est-il passé ensuite? demanda Mary Beth en baissant les mains. Durant tout le récit de Sara qu'elle avait écoutée, bouche bée, sans l'interrompre une seule fois, elle n'avait pas cessé de malmener ses mèches décolorées.

Sara eut un petit rire amer.

— Eh bien, comme tu le vois, j'ai évité la noyade.

Mary Beth scruta le visage de son amie, comme si c'était la première fois qu'elle la voyait. Sara sauvée des eaux! Sa troisième cigarette s'était consumée toute seule dans la soucoupe qui faisait office de cendrier.

— Continue, Sara. Comment as-tu réussi à lui échapper?

— Je n'ai pas pu lui échapper.

Elle frotta ses mains moites contre son jean. L'évocation de cette sinistre journée la mettait encore dans tous ses états. Elle tremblait et se sentait oppressée.

— C'est lui qui m'a tirée hors de l'eau, balbutia-t-elle en changeant de position sur le canapé. Il a brusquement retrouvé ses esprits.

— Eh ben dis donc! s'exclama Mary Beth en secouant la tête.

Sara baissa les yeux.

— J'ai cru que j'allais m'évanouir. Je ne savais plus où était le ciel, où était la mer. J'avais la poitrine en feu et l'horrible impression que mes poumons allaient exploser. J'aspirais péniblement une goulée d'air après l'autre.

— Et Chip? Qu'est-ce qu'il a fait?

— Il m'a tenue dans ses bras. Un long moment. Et puis il a poussé une sorte de cri rauque, étrange, et m'a serrée à m'étouffer. Je n'arrivais pas à reprendre mon souffle. Je n'avais qu'une seule envie : respirer, mais il me serrait si fort que j'avais du mal à inspirer. Alors j'ai pensé que j'allais mourir asphyxiée, non pas dans l'eau, mais hors de l'eau.

« J'avais tellement froid. Lui n'en finissait pas de s'excuser. Tout en me pressant contre lui. Pardon, pardon, pardon, répétait-il. C'était comme une incantation.

— C'est épouvantable, murmura Mary Beth en secouant la tête.

Elle prit la main de son amie dans la sienne.

— Il est malade. Je n'arrive pas à le croire.

Mal à l'aise, Mary Beth s'agita sur le tapis.

— Tu as regagné le rivage à la nage ?

— Chip m'a aidée. J'étais si faible, si secouée. Il a continué à me demander pardon tout le long du chemin. Ainsi que dans la maison. Il n'arrêtait pas. Il ne savait pas ce qui l'avait pris. Il avait perdu la tête. Il me promit que ça ne se reproduirait jamais.

« Mais j'avais compris que cette fois-ci, tout était fini entre nous. Je ne voulais plus jamais le revoir. Il me faisait trop peur. Il n'était pas maître de lui.

Elle regardait fixement le mur, droit devant elle.

— Je lui avais toujours trouvé des excuses jusque-là. Je croyais le comprendre. C'était si bête de ma part. Je me disais : c'est un gosse de riche. Un enfant gâté. Un fils unique. Ses parents sont divorcés. Son père ne vit que pour son travail. Il a l'habitude d'avoir tout ce qu'il veut.

« Il n'a pas grandi comme toi avec trois frères plus âgés que lui. Il n'a jamais eu besoin de se défendre. Ni de rivaliser avec qui que ce soit. Il ne sait pas ce que c'est de perdre. Voilà ce que je me disais. Ce n'étaient que des bêtises. Des bêtises.

— Il est fou, c'est tout, décréta Mary Beth en écrasant sa cigarette délaissée.

— Oui. Complètement fou.

Sara soupira.

— Après ça, il voulait qu'on reste au bord de la mer jusqu'à la fin du week-end. Comme s'il ne s'était rien passé. Je l'ai obligé à me reconduire en ville. Il m'a suppliée de ne pas le quitter. Voyant que je ne céderais pas, je crois qu'il a vraiment perdu l'esprit. Il ne pouvait pas admettre que les choses ne se déroulent pas exactement comme prévu.

« Nous n'avons pas échangé un mot, ni même un

regard, durant tout le trajet jusqu'à New York. Ce furent les trois heures les plus atroces de mon existence, acheva-t-elle en frissonnant.

— Tu ne l'as jamais revu depuis?

Sara leva les yeux au ciel.

— Tu plaisantes? Il ne voulait pas me laisser tranquille. Il refusait d'accepter que ce soit fini entre nous. Il m'appelait dix fois par jour. M'envoyait des fleurs. Des cadeaux. Il se pointait à l'improviste au bureau. Chez moi. Plusieurs fois, je me suis aperçu qu'il me suivait dans la rue.

— Il te *traquait*? s'exclama Mary Beth, interloquée.

— Je crois qu'on peut appeler ça comme ça. Il est zinzin, Mary Beth. Complètement zinzin. Un moment, j'ai même pensé appeler la police. Je t'assure.

— Et ensuite?

Sara haussa les épaules.

— J'ai perdu mon travail. La fameuse fusion a eu lieu en définitive. La maison d'édition Concord a été vendue. La moitié du personnel fut remercié. Dont moi. J'étais là toute seule dans mon appartement de la 82ᵉ Rue. Pas de boulot. Un ex-petit ami psychopathe qui me suivait à la trace. Et... et...

— Et puis je t'ai appelée?

Mary Beth s'adossa de nouveau au futon en souriant, manifestement soulagée que ce long récit pitoyable touche à sa fin.

— Mary Beth Logan à la rescousse! lança Sara, contente elle aussi d'arriver au bout de son histoire.

Elle savait que le moment viendrait où il lui faudrait la relater en détail à son amie. Maintenant que c'était chose faite, elle n'aurait plus jamais besoin de revenir sur cette terrible période de sa vie. Elle se sentait cent fois plus légère.

À présent je peux clore ce chapitre une fois pour toutes, se dit-elle.

Le clore et en entamer un autre : *Chapitre cent vingt : L'Étudiante en maîtrise.*

— Me revoilà à l'université, reprit-elle d'un ton plus joyeux. Adieu, New York. Adieu, monde glorieux de l'édition. Bonjour, petite ville endormie de Freewood. Bonjour, département de psychologie. Je n'arrive pas à croire que je suis de retour ici pour faire ma maîtrise.

Mary Beth sourit.

— Tu passes ton temps à analyser les gens de toute façon. Autant devenir psychologue et te faire payer pour tes lumières.

Sara soupira.

— En attendant, j'aimerais bien toucher quelques sous. Je n'ai plus un centime en poche.

Elle leva les yeux vers Mary Beth.

— Tu es vraiment une amie hors pair. La date des inscriptions était largement passée. Je ne sais pas comment tu t'es débrouillée pour me faire admettre quand même.

— Hé, on est responsable des relations publiques ou on ne l'est pas ! Je peux tirer quelques ficelles de temps à autre.

— Je ne pourrai jamais te remercier assez. Tu m'as sauvé la vie. Je t'assure.

— Écoute...

Mary Beth rougit légèrement. La reconnaissance de Sara la mettait mal à l'aise. Son sourire se dissipa tout à coup.

— Alors Chip ignore où tu es ?

Sara hocha la tête.

— Je me suis bien gardée de le lui dire et je n'ai pas laissé d'adresse. Il passe probablement les rues de Manhattan au peigne fin à ma recherche. Enfin, j'espère que non. J'espère qu'il trouvera quelqu'un d'autre et qu'il m'oubliera. Mais...

Mary Beth fronça les sourcils d'un air songeur.

— À ton avis, il n'a aucun moyen de se douter que tu es revenue à Freewood pour reprendre tes études ?

Au moment où Sara s'apprêtait à répondre, on sonna à la porte. Elles sursautèrent toutes les deux. Mary Beth se leva d'un bond et se dirigea vers la petite entrée en lissant son sweat-shirt bleu marine.

— Je me demande bien qui ça peut être. As-tu commandé une pizza ?

Sara éclata de rire.

— Non. Mais si le livreur est mignon, fais-le entrer.

Mary Beth s'appuya contre la porte blanche.

— Qui est-ce ?

Sara entendit une réponse étouffée. Une voix d'homme.

— Oh, c'est toi.

Mary Beth ouvrit la porte. Un jeune homme aux cheveux poil de carotte entra en traînant les pieds. Il embrassa Mary Beth sur la joue en posant la main sur son épaule.

Elle s'écarta légèrement de lui.

— Éric, salut. Je ne m'attendais pas à te voir.

Elle désigna Sara d'un geste.

Il se retourna et parut surpris en apercevant Sara sur le divan.

— Oh! Bonjour.

— C'est mon amie Sara, annonça Mary Beth en refermant la porte derrière lui. Sara, je te présente Éric.

Sara le salua. Il avait l'air d'avoir dix-huit ans.

Éric pénétra dans la pièce d'une démarche raide, les mains enfouies dans les poches de son jean trop grand. Le col de son pull gris était déchiré. Il avait une boucle argentée à une oreille et des taches de rousseur sur le nez et les joues.

À propos de refuser de grandir! Mary Beth les prend au berceau, songea-t-elle, cruelle.

Elle va probablement me dire que c'est juste un ami. Mais cette main posée sur son épaule l'a trahie.

Il s'arrêta au milieu de la pièce, à mi-chemin entre les deux futons, et se retourna vers Mary Beth qui se tenait toujours dans l'entrée.

— J'étais au gymnase au bout de la rue en train de faire des haltères. J'ai eu envie de passer.

Mary Beth garda les yeux rivés sur lui, évitant prudemment le regard de Sara.

— Alors, ça se passe bien?

— Oh, pas trop mal, répondit-il en haussant les épaules. L'entraîneur m'a dit qu'il fallait que je prenne encore un peu de poids.

Mary Beth fit la moue.

— J'aimerais bien qu'on m'en dise autant à moi!

Elle se tapota l'estomac, puis se tourna vers Sara en ajoutant :

— Éric fait partie de l'équipe des lutteurs.

— Génial!

Quelle réponse idiote! Mais elle ne voyait pas comment réagir autrement. Elle coula un regard vers les larges épaules d'Éric, son cou épais. Sa jeunesse l'avait tellement étonnée qu'elle n'avait pas remarqué sa carrure d'athlète, pourtant flagrante en dépit de son pull-over trop grand.

— Sara vient juste de s'installer à Freewood. Elle habitait New York avant.

— Oui, je sais. Tu me l'as déjà dit.

Puis, se tournant vers Sara :

— J'y suis allé une fois, à New York. J'avais douze ans, il me semble. J'ai eu la trouille.

Sara hocha la tête.

— Oui, c'est une ville qui fait peur. Même quand on n'a plus douze ans.

Mary Beth rit. Un peu trop fort.

Éric eut un geste gauche.

— Je ne voulais pas vous déranger. Si vous êtes occupées toutes les deux...

— Non, non.

Sara se leva d'un bond et posa sa canette de soda sur la table.

— De toute façon, il faut que je m'en aille. Je dois me lever de bonne heure demain matin pour aller travailler à la bibliothèque.

— Tu es sûre ? intervint Mary Beth en venant se planter à côté d'Éric, les bras croisés sur sa poitrine. On pourrait commander une pizza.

— Non, vraiment. Je n'ai pas faim. À propos, merci pour le dîner, Mary Beth. C'était délicieux.

Mary Beth roula les yeux.

— Tu parles. Une salade de thon. Un vrai festin.

— Tu avais mis juste ce qu'il fallait de mayonnaise, répondit Sara en souriant.

Ils rirent tous les trois.

Sara prit son cardigan noir et se hâta de gagner la porte. *Mary Beth et ses petites cachotteries*, pensa-t-elle. *Elle a toujours été comme ça depuis que je la connais. On a beau être proches, elle garde certaines choses pour elle. Son petit jardin secret.*

Elle s'arrêta un instant sur le seuil et jeta un dernier coup d'œil dans la direction d'Éric. *Charmant secret, à vrai dire. Un petit étudiant à elle toute seule pour prendre du bon temps. Eh bien... Ne disait-elle pas elle-même qu'elle se sentait comme une collégienne !*

— Ravie d'avoir fait votre connaissance, lança-t-elle.

— Moi aussi. Mary Beth parle de vous sans arrêt.

Il rougit légèrement et ébaucha un sourire avant d'ajouter :

— Mais je ne crois pas un mot de ce qu'elle dit.

Mary Beth lui décocha un coup de coude en riant.

— Tais-toi, Éric ! Je t'appelle demain, Sara. Prends soin de toi. Et puis écoute, ne coupe pas par le campus, d'accord ? Fais le grand tour. Il y a plus de lumières par là.

— Oui, d'accord. Ne t'inquiète pas. Je ne risque rien.

Elle sortit, longea à grandes enjambées l'étroit couloir carrelé et franchit la porte d'entrée de l'immeuble baptisé La Tour du campus. Quelle idée saugrenue d'appeler Tour un immeuble de deux étages !

Le vent était frais. Le croissant de la lune se cachait encore derrière les arbres aux branches dénudées qui s'agitaient au-dessus du trottoir. Des feuilles mortes charnues couraient en tous sens autour de ses Doc Martens.

Elle traversa la rue en pensant à Éric. Le petit ami de Mary Beth au visage criblé de taches de rousseur. *Je parie qu'il est encore imberbe.*

Elle pénétra dans une zone d'ombre, et leva les yeux vers le réverbère. L'ampoule avait sauté. Elle frissonna et fit passer son sac en toile sur son épaule gauche.

Le dome vert illuminé du bâtiment de l'administration étincelait au-dessus de la masse sombre de l'édifice, telle une soucoupe volante prête à se poser. Sara hésita un instant avant de s'engager sur le campus en suivant l'allée pavée qui se faufilait sous les arbres.

Tout ira bien. Je suis trop fatiguée pour faire le grand tour.

Le regard aux aguets. Une chaussure de tennis blanche couchée sur le côté près d'un buisson. Des feuilles du journal du campus dérivaient sur l'herbe, semblables à un cerf-volant sans ficelle emporté par le vent.

Je ferais peut-être bien de dénicher un appartement du même côté du campus que celui de Mary Beth, songea-t-elle en accélérant le pas. Ses semelles dérapaient sur les feuilles mouillées. *A-t-elle fait exprès de m'en trouver un à l'autre bout ?*

Une bourrasque aplatit l'herbe. Les arbres gémirent.

Pourquoi suis-je si dure avec elle ? Parce qu'elle ne m'a pas parlé d'Éric ? Parce qu'elle a choisi délibérément de me taire une partie de sa vie ?

Depuis quand suis-je devenue si exigeante ? Pourquoi est-ce que je m'accroche à elle comme ça ?

J'ai besoin de quelqu'un à qui me fier, se dit-elle, répondant à sa question. Je crois bien que c'est ça. J'ai besoin de pouvoir faire confiance à quelqu'un.

Les formes obscures des bâtiments en brique qui entouraient le Cercle disparurent de sa vue dès qu'elle pénétra sous les arbres. Une nouvelle rafale de vent la fit frissonner.

Elle entendit un grincement métallique.

Puis un raclement.

Des bruits de pas lourds.

Une haleine tiède, fétide, s'abattit sur son visage au moment où la créature surgit de derrière les arbres et la saisit brutalement par la taille.

11

Sara bascula en arrière sous la charge de l'énorme monstre.

Elle inhala son haleine nauséabonde, comme de la vapeur tiède sur sa figure. Des yeux rouges la fixaient tandis que la bête redoublait d'assaut.

— Viens ici ! Viens ici !

Une voix d'homme. Frénétique, mais déterminée. Sortie de l'obscurité.

— Au pied, King !

Les grosses pattes glissèrent de sa taille.

Le cœur battant, Sara recula dans l'herbe et parvint peu à peu à retrouver son équilibre.

— King, laisse-la tranquille ! Viens ici tout de suite !

Le chien émit un bref grognement avant de se tourner vers son maître, un homme d'âge moyen vêtu d'une veste en cuir marron. Une casquette de base-ball blanche enfoncée sur le front.

— Je suis désolé. Il vous a fait peur ?

— Euh... oui, fit-elle sans quitter des yeux l'énorme molosse jaune. Qu'est-ce que c'est ? Un labrador ?

Pourquoi est-ce que je pose la question ? Qu'est-ce que ça peut bien faire ?

— C'est la première fois qu'il fait ça. Je suis vraiment navré. Ça va ? Vous n'avez rien ?

L'homme la suivit dans le cône de lumière pâle que répandait un réverbère vert. Il était plus âgé qu'elle ne l'avait cru au premier abord. La cinquantaine. Peut-être un peu plus. Un duvet blanc couvrait ses joues mal rasées. Il avait remonté le col de sa veste en cuir.

— Il m'a terrorisée, déclara-t-elle, la peur cédant soudain la place à la colère.

— Je vous prie de m'excuser. Vraiment.

Il fusilla du regard son chien parti renifler le pied d'un arbre. L'animal fit un pas en avant, leva la patte et émit un long jet d'urine.

Charmant, pensa Sara, furieuse.

— Un chien comme celui-ci devrait être tenu en laisse, dit-elle. Il aurait pu me casser le bras.

— Je vous répète qu'il n'a jamais fait ça de sa vie. Je vous assure. Il est très docile d'habitude.

L'homme baissa les yeux.

— Est-ce qu'il vous a salie ? Je suis prêt à payer le pressing, si vous le souhaitez.

— Ce ne sera pas nécessaire, répondit-elle.

Son cœur avait retrouvé sa cadence normale, mais elle était très secouée et tremblait des pieds à la tête. Elle sentait encore le poids des grosses pattes la meurtrissant tout en la poussant irrésistiblement en arrière.

King regagna l'allée à petits pas en remuant la queue. Son propriétaire tendit vers lui une main gantée et lui tapota la tête. Il s'excusa encore cinq fois avant de souhaiter bonne nuit à Sara et de s'éloigner, son chien bondissant lourdement à côté de lui.

Sara se détourna rapidement et se dirigea vers son appartement à grandes enjambées.

Mary Beth a raison, se dit-elle. À partir de maintenant, je ne passerai plus par le campus. Jusqu'à ce qu'on ait trouvé l'assassin.

On n'arrivera jamais à mettre la main sur ce type, pensa tristement Garrett.

Il ferma les yeux, et se frotta les paupières avec les pouces. La vision de la jeune femme lui revint à l'esprit. Une gamine, en fait. Il revoyait le corps disloqué, son crâne écorché, imprégné de sang. Comme un œuf cassé.

Trois jours et pas le moindre indice. Rien.

Trois jours et son estomac chavirait toujours quand il songeait à elle. Charlotte Wilson. Jadis un bébé. Comme Martin.

Maintenant morte, brisée, réduite en lambeaux.

Le coroner venu expressément de Medford le lendemain, perplexe, atterré.

— Je n'ai jamais rien vu de pareil. Un camion a dû lui passer dessus.

Mais il n'y avait pas de traces de pneus, lui avait-il expliqué. Et un camion ne peut pas fendre un ventre en deux ou arracher le scalp de quelqu'un, si ?

— Aucun homme n'a la force de le faire non plus, soutint le coroner en se grattant le cou jusqu'à ce qu'il fût rouge cerise.

C'était un homme de haute taille, efflanqué, vêtu d'un costume gris brillant, bon marché, agrémenté d'une mince cravate bleu marine, distendue autour de son col ouvert.

— À moins qu'il ne se serve de je ne sais quel instrument.

— Pour lui fracasser le crâne, vous voulez dire ?

— Pour lui briser la colonne vertébrale comme ça.

— Il s'est peut-être servi d'un couteau pour lui couper les cheveux, suggéra Walter, les coudes sur son bureau, son visage rond et blême calé entre les paumes de ses mains. Non, on lui a arraché les cheveux.

Il se gratta la joue.

— Pas coupés.

Garrett s'approcha de la fenêtre. Tous ces grattages lui donnaient des démangeaisons. Son regard alla se perdre dans le brouillard. La pluie tambourinait contre la vitre crasseuse.

— Vous avez fait l'autopsie?

— On s'en occupe en ce moment. Vous voudriez que je vous donne le motif de sa mort? Elle ne s'est pas noyée en tout cas.

Ce type est un comédien né, pensa Garrett.

— Elle avait fait l'amour moins d'une heure auparavant.

Garrett se retourna brusquement.

Walter leva la tête.

— Ah bon! Avec le meurtrier?

L'homme ricana.

— Vous avez déjà eu affaire à un homicide, les gars? En tout cas, on dirait pas. Vous devriez peut-être aller vous documenter à la bibliothèque.

Garrett sentit une vague de colère monter en lui.

— Arrêtez de nous appeler les gars.

Le visage en lame de rasoir du coroner s'empourpra.

— Je ne voulais pas vous offenser. Okay. Du calme. Du calme. Vous êtes dans une drôle de situation. Mieux vaut garder la tête froide. Si vous voyez ce que je veux dire.

— On est des flics. Pas des agents de la circulation chargés de faire traverser les écoliers, lui rétorqua Garrett.

Un peu trop sur la défensive. Il s'en voulut. Tu te sens impuissant et tu prends ta revanche sur un type que tu ne connais pas et qui éprouve la même chose que toi.

— En tout cas, elle avait couché avec quelqu'un moins d'une heure auparavant.

Il glissa les doigts sous ses verres épais pour se gratter les paupières.

— C'est peut-être un indice. Ou un petit secret cochon que nous avons le plaisir de partager.

Walter secoua la tête. Ses yeux gris s'embuèrent.

— C'est moi qui ai appelé ses parents. Je n'avais jamais entendu quelqu'un pleurer comme ça. Je crois bien que je n'oublierai jamais. Pauvres gens! Ils braillaient comme des bêtes. On aurait dit des chevaux quand ils lèvent le museau et hennissent. Vous voyez ce que je veux dire?

Le coroner le regarda fixement sans réagir.

— Je vous ferai parvenir mon rapport complet demain.

Il enveloppa sa charpente fragile dans son imperméable gris et sortit précipitamment du commissariat.

— Il est froid comme un glaçon ce type-là, commenta Walter.

Garrett soupira.

— Forcément. Je ne vois pas comment on pourrait être coroner autrement.

MILTON R. COHN.
DOYEN.

Sara s'arrêta pour déchiffrer les lettres noires peintes à la main sur la vitre en verre dépoli. Elle fit glisser la bandoulière de son sac rempli de livres le long de son bras et posa le sac par terre. Puis elle remit un peu d'ordre dans sa chevelure tout en essayant de distinguer son reflet dans la vitre et lissa la petite jupe noire qu'elle portait sur des collants foncés.

Elle jeta un coup d'œil dans le couloir. Deux étudiants en jean étaient assis sur le sol en marbre devant l'un des bureaux, les genoux repliés, une cigarette au coin des lèvres, leur sac à dos entre les jambes. Deux jeunes femmes blondes, des secrétaires probablement, chargées de piles de papiers et de chemises multicolores, approchaient d'un pas pressé, marchant côte à côte en faisant résonner leurs talons.

Sara se retourna. Elle plaqua son visage contre la vitre pour tâcher de voir s'il y avait quelqu'un à l'intérieur. Milton devait être de retour. *Pourvu qu'il se souvienne de moi. Sinon, je ne vais pas savoir où me mettre.*

Elle s'imaginait faisant irruption dans le bureau.

— Euh... docteur Cohn, je suis ravie que vous m'ayez fait cette proposition. C'est exactement le genre de travail que je cherchais. Je suis prête à commencer quand vous voulez.

Et Milton Cohn la dévisageant en faisant la moue et lui répondant d'un ton glacial : Nous nous connaissons ?

Sara effleura les lettres noires composant son nom. Elle avait l'impression que l'encre allait lui rester sur les doigts.

Tu vas y aller, oui ou non ? Il t'a proposé un travail. Pourquoi te comportes-tu comme une adolescente ?

Elle frappa doucement à la vitre. Des coups à peine audibles. Elle eut de la peine à les entendre elle-même.

Elle leva la main, prête à toquer de nouveau, mais son

geste resta en suspens lorsque deux hommes apparurent au bout du couloir. L'un d'eux portait un costume brun foncé. L'autre un pantalon en coton ample, une chemise blanche à manches courtes et une cravate noire. Sara retint son souffle, persuadée que celui en costume était Liam. Quand ils passèrent à côté d'elle, elle se rendit compte qu'elle s'était trompée.

— Et si la titularisation n'existait pas? fit l'homme aux manches courtes d'une voix nasillarde, haut perchée. Que feriez-vous alors?

— Je me flagellerais! Je siège au comité qui plus est. Voudriez-vous en faire partie vous aussi?

— Non merci. J'ai déjà dépassé la limite légale en matière de comités.

— Vous devriez être des nôtres. On ne se réunit jamais de toute façon. Ça ne vous prendrait guère de temps.

Sara s'aperçut qu'ils la reluquaient tous les deux au passage. Elle les vit disparaître dans un autre bureau, quelques portes après celle devant laquelle les deux étudiants étaient vautrés.

Elle jeta un coup d'œil à sa montre. Trois heures et demie. Lundi après-midi.

Son séminaire avec le professeur Barbant venait de s'achever. Elle avait été distraite pendant tout le cours, incapable de se concentrer, ne pensant qu'à sa visite chez le doyen.

Que peut-il m'arriver de pire? se demanda-t-elle. Qu'il me dise qu'il a changé d'avis ou qu'il a embauché quelqu'un d'autre.

Et alors!

Il y a des gens qui naviguent allégrement dans la vie, comme s'ils flottaient sur un de ces deltaplanes que son frère Gary adorait piloter, prenant son envol depuis la colline la plus élevée sans savoir où le vent l'entraînerait, ravi de se laisser porter.

Sara n'était pas du genre à se laisser porter. Elle avait l'art de compliquer les choses. « Il faut toujours que tu n'en fasses qu'à ta tête », lui avait reproché Gary après qu'elle eut perdu son travail à New York, quand elle lui avait confié qu'elle n'avait pas le moindre projet. Ce n'était pas exactement ce qu'elle avait envie d'entendre. Mais elle n'avait pas oublié ses paroles.

Elle passait plus de temps à réfléchir qu'à agir. Autre remarque pertinente de Gary. Gary, journaliste indépendant. Gary, le voyageur. Le roi de la voltige.

C'est vrai que j'ai l'esprit d'analyse, se dit-elle. Sinon je ne me serais pas lancée dans des études de psychologie. On ne peut certainement pas me reprocher d'être trop spontanée, impulsive ou désinvolte. Mais les gens désinvoltes ne sont pas nécessairement plus heureux.

Elle s'enhardit à frapper un peu plus fort.

Pas de réponse.

Les lampes étaient allumées. Elle s'éclaircit la voix, tourna la poignée en verre, poussa la porte et guigna à l'intérieur. Une table en chêne encombrée de papiers. Un ordinateur et une imprimante sur une console basse, derrière le bureau. Un mur tapissé de livres, reliés pour la plupart. Un portemanteau en cuivre dans le coin, vide en dehors d'un parapluie noir suspendu sur le crochet du haut. Une rangée de classeurs gris métallique.

Personne. L'ordinateur était éteint.

— Il y a quelqu'un ? cria-t-elle d'une voix fluette.

Une lumière tamisée se déversait par la croisée ouverte. Sara fit quelques pas dans la pièce après avoir refermé discrètement la porte derrière elle. En jetant un coup d'œil dehors, elle aperçut les fenêtres du département des Sciences humaines dont les vitres reflétaient le soleil comme de l'or.

Elle entendit des pas dans le couloir. Des éclats de rire. Comme elle se retournait, son regard fut arrêté par deux longues lames rutilantes suspendues comme des épées d'escrimeur sur le mur vert pâle du bureau adjacent. Ce n'étaient ni des couteaux de cuisine, ni des couteaux à découper, mais bel et bien des armes.

— Docteur Cohn ? Vous êtes là ?

Elle avança encore d'un pas. La porte était ouverte. Elle aperçut des rayonnages couverts de livres, un tapis lie-de-vin.

Des chaussures marron.

Deux souliers marron, pointés vers le plafond, d'où dépassaient des chaussettes foncées. Des jambes de pantalon.

— Oh !

Elle cligna plusieurs fois les yeux avant de comprendre qu'il s'agissait d'un homme. Couché par terre. Immobile.

Le docteur Cohn, mort sur le tapis de son bureau.

— Oh!

Elle eut un coup au cœur. Paniquée, elle fit volte-face, prête à partir, mais se rendit compte que c'était impossible. Elle inspira profondément, retint son souffle, fixa longuement les deux couteaux jumeaux accrochés au mur en s'efforçant de retrouver un semblant de calme. Pour finir, elle pénétra dans le bureau.

— Oh, bonjour!

C'était Milton Cohn, étendu de tout son long sur le sol. La chemise déboutonnée. Un haltère gris dans chaque main. Un-deux. Un-deux. En haut. En bas.

Il grogna, lui sourit, rouge comme une écrevisse. Il avait des bras puissants. Des bras de boxeur. Elle se souvenait de lui comme de quelqu'un de gros. Elle voyait à présent qu'il était tout en muscles. Une poitrine massive. Le ventre dur. L'épaisse toison grise qui lui couvrait la poitrine étincelait de sueur.

Il posa finalement ses haltères et commença à se redresser.

— Désolé. Je ne vous ai pas entendue entrer, fit-il d'une voix profonde, le souffle court.

Une fois debout, il s'approcha d'un pas pesant de la grande table en acajou, prit une serviette blanche sur le dossier d'un fauteuil en cuir vert et entreprit de s'éponger le front.

Sara toussota.

— Navrée de vous avoir interrompu. J'ai frappé, mais...

Je n'arrive pas à croire que je l'ai cru mort. Pourquoi ai-je l'esprit si morbide en ce moment?

Milton frictionna sa tignasse blanche avant de jeter négligemment la serviette sur le rebord de la fenêtre. Il ne se donna même pas la peine de lisser ses cheveux qui se dressaient tout droit au-dessus de son visage rubicond. Il se tourna vers elle tout en reboutonnant sa chemise.

Il a les yeux rivés sur ma poitrine, se dit-elle, se sentant rougir. Elle se souvenait de la manière dont il l'avait déjà reluquée au restaurant le soir de leur rencontre.

— Claire n'est pas venue aujourd'hui. Elle accouche le

mois prochain et commence à avoir de la peine à se dépla-
cer.

Il grimaça un sourire et son regard se posa finalement
sur elle.

— Si le moment est mal choisi..., balbutia-t-elle.

Ses gros doigts se démenaient avec les boutons de sa
chemise dont l'un des pans dépassait de son pantalon,
l'autre étant rentré.

— Non, non. Je profitais d'un instant de solitude, voilà
tout. J'essaie de faire un peu d'exercice deux fois par jour.
Cela fait partie de mon travail.

Il recula vers le bureau en lui faisant signe de prendre
place dans le fauteuil vert.

— De votre travail?

— Eh oui! Il faut être costaud pour affronter des étudiants.

Sara n'arrivait pas à décider s'il plaisantait ou non.
Lorsqu'elle s'assit, le regard de Milton était posé sur ses
jambes. Elle tira sur sa jupe courte en regrettant de ne pas
avoir mis quelque chose de plus sobre et posa son sac sur
ses genoux.

— Ils n'osent pas être insolents avec moi, poursuivit-il
d'une voix rauque.

On avait toujours l'impression qu'il avait besoin de se
racler la gorge. Puis il gonfla ses biceps en souriant.

Sara rit. Il plaisantait, Dieu merci.

— La forme physique est l'une de mes obsessions,
ajouta-t-il en s'asseyant au bord de son bureau, sur une pile
de dossiers, sans cesser de loucher sur ses genoux. J'ai de
nombreuses obsessions. Et vous, vous en avez?

Il l'enveloppa d'un regard concupiscent comme s'il
venait de dire quelque chose de très profond.

— Non, je ne suis pas du genre obsessionnel, répondit-
elle gauchement. Je ne sais pas si vous vous souvenez de
moi, reprit-elle non sans peine, avide de changer de sujet,
d'en venir aux faits. Je m'appelle Sara Morgan. Nous nous
sommes rencontrés chez Spinnaker. Je...

Il se pencha vers elle et lui tapota la main. La sienne lui
fit l'effet d'une grosse patte d'animal poilue et rugueuse.

— Bien sûr que je me souviens de vous, Sara.

— Ah bon? Eh bien, je...

— Liam parlait justement de vous l'autre jour...

— Vraiment?

Elle tripota sa frange. Qu'est-ce que c'était que ce ton aigu de petite fille? Elle résolut de baisser la voix.

— Il m'a demandé si vous étiez venue me voir à propos du job.

— Eh bien... me voilà, déclara-t-elle en agrippant son sac des deux mains. Je suis toujours intéressée, docteur Cohn. Si vous...

— Milton. Je vous en prie, Sara. Appelez-moi Milton. D'accord?

— Entendu... Milton.

Il s'absorba de nouveau dans la contemplation de ses genoux. Est-ce que je fais une erreur? se demanda-t-elle. Serait-ce un pervers?

— C'est cela. Milton. C'est beaucoup mieux ainsi, fit-il en lui pressant le bras.

Sara se força à ne pas faire la grimace. Il est franchement repoussant, pensa-t-elle. Avant de se corriger : Non pas vraiment. Juste monumental.

— En m'appelant docteur Cohn, vous me donnez l'impression d'être un vieux schnock.

Sara s'esclaffa, mal à l'aise.

— Je vais commencer par vous poser quelques questions si vous n'y voyez pas d'inconvénient, dit-il en la gratifiant d'un sourire béat.

Il avait une dent en or étincelante sur le côté. Il se leva et alla se placer derrière son bureau. Son fauteuil en cuir émit un long sifflement quand il s'y laissa tomber.

— Avez-vous déjà été secrétaire, Sara?

— Euh... oui.

Elle souleva son sac pour pouvoir croiser les jambes.

— J'ai été assistante d'édition. Chez Concord. À New York.

Il prit un presse-papiers, une pyramide en métal, et le fit rouler dans sa main sans la quitter des yeux.

— Ça devait être un boulot intéressant.

— Je faisais du travail de secrétariat malgré ce titre ronflant, répondit-elle. Les secrétaires proprement dites étaient d'ailleurs bien mieux payées que nous.

Cette remarque le fit sourire. Il fit passer la petite pyramide dans son autre main.

— Pourquoi êtes-vous partie ?

— Eh bien, Concord a fusionné avec une autre société et mon poste a été supprimé. Alors...

— Ce n'est pas ce que je voulais dire. Pourquoi avez-vous quitté New York ? Pour fuir un homme ?

Comment le sait-il ? s'étonna-t-elle. Puis une autre pensée lui vint à l'esprit : *Pourquoi me pose-t-il des questions aussi personnelles ? Je croyais qu'il s'agissait d'un rendez-vous de travail.*

— À vrai dire... oui, convint-elle, affreusement gênée.

Sa réponse sembla plaire à Milton. Il se pencha un peu plus vers elle. Elle vit clairement des perles de sueur, grosses comme des gouttes de pluie, dans la raie qui séparait la masse blanche de ses cheveux.

— Vous êtes très jolie, Sara.

— Merci.

De plus en plus mal à l'aise, elle fixait obstinément les rayonnages derrière le bureau.

— Vous aimez aller au cinéma ?

— Bien sûr. De temps en temps.

Ce n'est pas vraiment le genre d'interview auquel je m'attendais, pensa-t-elle.

Elle s'agita un peu dans son fauteuil.

Un long silence. Pesant.

Puis Milton s'éclaircit la voix.

— Claire n'est pas mariée, mais elle est quand même enceinte, dit-il à brûle-pourpoint en levant les yeux vers la fenêtre.

Des nuages défilaient devant le soleil, plongeant soudain la pièce dans une semi-obscurité. Sara sentit un souffle d'air rafraîchissant sur son visage brûlant.

— J'ai toujours cru qu'elle était lesbienne. Elle l'est peut-être au fond. Je ne sais pas. C'est difficile d'y comprendre quoi que ce soit de nos jours, vous ne trouvez pas ?

Était-ce une question ?

— Vous devez avoir raison.

Il lâcha la pyramide dans le creux de sa main. Les gouttes de transpiration entamèrent un long périple sur son front.

— C'est vrai, comment savoir si une femme est homosexuelle ou pas? poursuivit-il d'un ton âpre tandis que son regard cherchait le sien.

Sara haussa les épaules.

— Il faut leur poser la question, j'imagine.

Il éclata d'un gros rire en basculant la tête en arrière, comme si ce qu'elle venait de dire était d'un humour irrésistible.

Il est franchement bizarre, pensa-t-elle. Je ferais bien de me lever et de filer d'ici au plus vite. Elle serra son sac contre elle. Mais j'ai besoin de ce travail. Je n'ai plus d'argent. Je ne peux pas continuellement en emprunter à mes frères. Ce job serait idéal. Si seulement...

Un autre coup de vent s'engouffra par la fenêtre en faisant tomber un petit cadre en plexiglas posé sur le bureau. Lorsque Milton le redressa, Sara vit qu'il s'agissait de la photographie d'une jeune femme radieuse au visage rond encadré de boucles blondes.

— C'est votre épouse?

Il tapota la figure de la jeune femme d'un doigt en souriant.

— Non. C'est Jennifer. Ma fille.

Son sourire s'effaça.

— Je n'ai plus de femme, ajouta-t-il à voix basse, d'un ton triste, en détournant le regard.

— Je vois, bredouilla Sara en baissant la tête.

Décidément, cette conversation est beaucoup trop intime. Je ne demande qu'à être sa secrétaire. Pas son amie. Ni sa... Elle ne parvint même pas à formuler l'autre alternative.

— Quel est votre emploi du temps? demanda-t-il, soudain très professionnel, comme s'il avait lu dans ses pensées. Voyons dans quel créneau horaire vous pourriez travailler pour moi.

Sara lui expliqua ce qu'il en était. Milton sortit un mouchoir blanc de la poche de son pantalon pour s'essuyer le front. Après l'avoir remis en place, il reprit la pyramide.

— Vous serait-il possible de venir le mardi matin ainsi que le mercredi et le vendredi après-midi?

Sara hocha la tête.

— Cela me convient très bien.

Ils parlèrent ensuite de son salaire. Milton lui proposa un taux horaire plus avantageux qu'elle n'avait osé l'espérer.

— J'ai deux laïus à écrire, l'informa-t-il ensuite. Un pour une collecte de fonds à l'intention d'un groupe d'anciens élèves. L'autre destiné à encourager nos conseillers pédagogiques. Vous pourriez peut-être m'aider à les rédiger ?

— Ça m'amuserait beaucoup.

Elle se leva, pressée de partir, prit son sac à bout de bras et tira sur sa jupe de sa main libre.

— Avez-vous déjà écrit des discours ?

Il lorgnait ses jambes. Faisait-il exprès de la mater aussi ouvertement ? Ou s'imaginait-il vraiment qu'elle n'avait rien remarqué ?

— Eh bien... non. Là où je travaillais à New York, j'écrivais surtout des lettres. Des lettres de refus.

Il hocha la tête.

— Bon. Très bien. Je suis ravi d'avoir mis la main sur vous, Sara. Pouvez-vous commencer demain matin ? À neuf heures ?

— Entendu, Milton. À demain. Et merci.

Elle se détourna, puis fit brusquement volte-face, et fixa l'objet qu'il tenait dans la main. La pyramide en métal. Il venait de l'écrabouiller complètement !

Milton suivit son regard.

— Pardonnez-moi, dit-il, un sourire étrange, coupable, flottant sur ses lèvres. Parfois je ne me rends pas compte de ma force.

En sortant du bâtiment de l'administration, elle tomba sur Liam.

— Oh ! Bonjour.

À l'unisson. Ils rirent tous les deux.

Son pardessus était dégrafé, révélant un pull à col roulé noir assorti à son pantalon. La lumière déclinante de la fin d'après-midi se reflétait dans ses yeux bruns.

— Il faut que nous cessions de nous rencontrer ainsi en coup de vent, lança-t-il en plaisantant.

J'adore son sourire, pensa-t-elle.

— J'étais juste..., commença-t-elle en désignant la porte d'un signe de tête.

— C'est le destin. À mon avis, c'est le destin qui nous fait nous croiser, l'interrompit-il.

Son sourire se dissipa.

— Croyez-vous au destin, Sara?

Son sérieux la prit au dépourvu.

— Je... je ne sais pas.

Réponse idiote. Tu ne pourrais pas trouver quelque chose d'un peu plus intéressant à dire?

Il ne s'en était pas aperçu, semblait-il.

— Moi je crois au destin, dit-il en riant. Il faut dire que je crois à peu près à tout.

Sara leva les yeux vers lui d'un air étonné.

— À tout?

Il hocha la tête. Il ne plaisantait plus apparemment. Il cala son attaché-case en cuir sous sa manche et lui tendit la main. Elle la trouva chaude par rapport à la sienne. Contre toute attente, il se mit à lui examiner les lignes de la main.

— Excellente ligne de vie.

Sara ne put s'empêcher de rire.

— C'est vrai que vous croyez à tout!

Son expression resta inchangée. Il plongea son regard dans le sien sans lui lâcher la main.

— Vous avez un rire merveilleux, murmura-t-il.

Elle détourna les yeux, sentant que son cœur commençait à s'affoler.

Il recommença à scruter la paume de sa main.

— J'essaie de voir s'il y a une raison pour que nous nous rencontrions si souvent, déclara-t-il d'un ton ironique. Parfois deux lignes se croisent...

— Vous me chatouillez! fit-elle en retirant sa main.

Liam s'excusa. Il repoussa ses cheveux en arrière sans la quitter des yeux.

— Si nous allions boire un café, Sara?

Il m'aime vraiment bien, se dit-elle. Il ne se contente pas de flirter avec moi.

Bien sûr que si, il flirte avec toi.

Elle maugréa de nouveau contre elle-même. Arrête de te monter la tête. Tu ne vas pas te mettre dans tous tes états parce qu'il te propose de prendre un café avec lui!

— Oui, je..., commença-t-elle.

À cet instant, un jeune homme et une jeune fille accoururent. Ils se mirent à parler tous les deux en même temps d'une voix excitée. Quelque chose à propos d'une réunion du département des sciences humaines. Sara comprit que Liam était censé s'y rendre, qu'on le cherchait partout depuis un moment.

Liam se tourna vers elle en ébauchant un haussement d'épaules en signe d'impuissance.

— Je suis vraiment désolé. Il semble que je fasse attendre mes collègues. Une autre fois peut-être?

— Oui, avec plaisir, répliqua-t-elle avec un peu trop d'empressement.

Elle le regarda partir, encadré par les deux autres. Il se retourna une fois et haussa de nouveau les épaules. Puis il se laissa entraîner vers le bâtiment des sciences humaines.

Le destin. Ce n'était pas un mot qu'elle utilisait très souvent. Elle n'y pensait guère à vrai dire. À partir de cet instant, pourtant, il lui revint constamment à l'esprit, pareil à une incantation pleine de promesses.

Ce soir-là, Mary Beth la remit à sa place.

Elle l'avait appelée après le dîner.

— Liam t'a-t-il trouvée?

— Comment? Que veux-tu dire?

— Il te cherchait, lui répondit Mary Beth d'un ton désinvolte, sans se rendre compte de l'effet que ses mots pouvaient avoir sur son amie. Il m'a téléphoné au bureau cet après-midi.

— Liam? s'exclama Sara d'une voix perçante.

— Il m'a dit qu'il te cherchait, répéta Mary Beth. Il voulait savoir si je connaissais ton emploi du temps de la journée. Je lui ai répondu que je pensais que tu étais allée voir le doyen Cohn. À propos du job. Alors il t'a trouvée à la fin?

— Euh... oui, balbutia-t-elle, les tempes bourdonnantes. Mais il... il m'a dit que c'était le destin.

— Pardon?

— Il a prétendu que c'était un accident. Que nous étions tombés l'un sur l'autre par hasard.

Silence à l'autre bout du fil.

— C'est bizarre.

Ça n'a rien de bizarre. C'est merveilleux, pensa Sara.

— Bizarre, répéta Mary Beth.

12

Andrea DeHaven se replia dans l'ombre d'une haie et fixa son attention sur la fenêtre de l'autre côté de la rue. Elle aperçut une lueur prometteuse entre les rideaux.

Es-tu chez toi ce soir, Liam?

Est-ce que tu penses à moi, Liam?

Elle releva le col de son manteau de fourrure, du lapin teint en gris, au moment où les faisceaux de deux phares glissèrent sur elle. Une fourgonnette passa avec fracas. Quatre jeunes gens se profilaient derrière les vitres, parlant tous en même temps, gesticulant, tapant sur les banquettes.

Elle remit de l'ordre dans sa chevelure orange en tirant une mèche de manière qu'elle lui retombe sur l'œil. Plus sexy. Chez elle, elle l'avait plaquée en arrière et attachée, puis elle avait changé d'avis et l'avait libérée.

Sauvage! Pour toi, Liam.

Elle avait pensé à lui toute la semaine. De l'obsession? Oui, peut-être. Mais à quoi d'autre penser? À l'immobilier? À faire visiter des appartements et des maisons à tous ces étudiants et leurs tocards de professeurs qui n'avaient pas un sou ni les uns ni les autres? À compter l'argent du loyer que lui rapportaient les trois maisons que son père lui avait léguées?

En fait, elle en avait hérité de cinq. Mais ce vaurien de Scott en avait vendu deux pour rembourser ses dettes avant de prendre la poudre d'escampette avec sa secrétaire.

Andrea soupira. Elle leva les yeux vers le ciel sans étoiles en essayant de réprimer ses larmes.

Ton rimmel va couler, ma chérie.

La coke n'est pas supposée faire pleurer, mais remonter le moral.

Elle se frotta le nez. Je n'en ai peut-être pas pris assez...

Elle secoua la tête, se mordit la lèvre, goûtant la saveur sucrée de son rouge à lèvres.

Fais-toi une vie.

Cette chanson a été écrite pour moi, songea-t-elle amèrement. Ça pourrait être le titre de mon autobiographie.

Il n'y aurait pas beaucoup de pages!

Quelle drôle d'existence j'ai menée! Un mari qui fiche le camp avec une traînée. Un autre qui tombe raide mort le nez dans son assiette. Il aurait au moins pu attendre le dessert.

J'ai quarante-deux ans, mais j'ai l'impression d'en avoir soixante.

Au moins, j'ai des amies. Delia qui découpe les recettes dans les magazines comme une ménagère des années cinquante, mais ne fait jamais la cuisine. Ce qui ne l'empêche pas de peser plus de cent kilos. Toute mouillée.

Toute mouillée? Quelle vision! Je préférerais te voir toi, Liam, tout mouillé.

Et puis il y a Esther. Ma pharmacienne. Que ferais-je sans elle?

Andrea renifla. Décidément. Je n'en ai pas pris assez.

Que diraient Delia et Esther si elles me voyaient ici, sur le point de me jeter au cou du beau professeur? Qu'est-ce que ça peut me faire, après tout?

De toute façon, c'est lui qui m'a fait des avances en premier.

J'ai tout de suite compris. Ce premier jour, à la fin du mois d'août, quand je lui ai fait visiter la maison. Il me couvait des yeux. Je savais très bien ce qu'il avait en tête. Il faut dire qu'il n'était pas très subtil.

La manière dont il s'est frotté contre moi sur le seuil de la salle à manger. Il a osé prétendre que c'était un accident. Tu parles d'un accident! C'est tout juste s'il ne m'a pas pelotée. Ce regard sombre, plein d'âme, m'enveloppant, reluquant ma poitrine.

Il me parlait à voix basse, avec cette pointe d'accent irlandais ou je ne sais quoi. Tellement sexy. Me taquinait, flirtait avec moi. En entrant dans la cuisine, il a effleuré ma main au passage.

Je me souviens de toutes les fois où il m'a touchée. Toutes les fois.

Quand je l'ai précédé dans l'escalier, j'ai senti qu'il continuait à me manger des yeux. Pas de doute sur ce qu'il lorgnait. Et il était clair qu'il appréciait ce qu'il voyait.

Il faisait tellement chaud là-haut. Cette chaleur entre lui et moi. Palpable. Je voyais bien à son sourire qu'elle faisait son effet sur lui aussi.

Je l'ai entraîné dans la chambre. Si seulement il y avait eu un lit...

Et puis la semaine dernière. Le soir où je suis passée chez lui... à l'improviste. Il m'a clairement fait comprendre que nous étions sur la même longueur d'onde.

Une attirance mutuelle. C'est ce que dirait un professeur. Il n'est pas comme ses collègues, froids comme des glaçons. Des larves, des fouines, avec leurs poignets tout mous et leurs visages blêmes. Liam a le sang chaud. Comme moi.

Moi aussi, j'ai du sang irlandais. Du côté de ma mère. Il me semble que c'est ce qu'elle m'a dit en tout cas.

Ce soir, je veux un peu d'irlandais en moi, Liam.

Oh là là! Tu me donnes de vilaines pensées. Très vilaines. Et j'adore ça!

Chatte en chaleur! Ce serait peut-être un meilleur titre pour mon livre.

Toi aussi tu avais de vilaines pensées l'autre soir. Ça se voyait sur ton visage, Liam. C'était charmant. Je ne suis pas près d'oublier la façon dont tu as plongé ton regard dans le mien en pressant longuement ma main quand tu m'as raccompagnée à la porte.

Je me souviens de chaque caresse.

Et toi, tu t'en souviens?

Je n'arrête pas de penser à toi. Ce soir, je ne pouvais plus supporter de rester seule à la maison. J'en ai tellement marre des feuilletons, Liam. Ils ne me font jamais rire. Qui sont ces gens du public qui s'esclaffent comme des imbéciles?

Je veux que toi, tu me fasses rire, Liam. C'est pour ça que j'ai décidé de me mettre sur mon trente et un. J'ai choisi mon pull le plus sexy. Je sais que tu le trouves joli. Que tu aimes mes seins moulés dedans. Je t'ai vu les manger des yeux, les caresser du regard. Et ce sont des vrais, Liam. Pas de La Perla spécial soutien pour Andrea. Ça non! Pas de soutien-gorge du tout. Tu vas vite t'en apercevoir.

Je me suis faite chic pour toi, Liam. J'y songeais depuis la semaine dernière. La coke m'a éclairci les idées.

Les rideaux ont-ils bougé? Tu me cherches, Liam? Je suis là. Sur le trottoir d'en face. J'attends. J'attends le bon moment. Je me mets en condition. Dans l'ambiance, comme disent les lycéens.

Andrea chancela contre la haie au moment où la porte de chez Liam s'ouvrait brusquement, jetant un rectangle de lumière jaune sur le porche.

Elle agrippa son col de fourrure des deux mains. Était-il sur le point de sortir?

Non, c'était sa sœur. Comment s'appelait-elle déjà? Elle n'arrivait plus à s'en souvenir. Un prénom qui commençait par un B. Barbara? Non.

Son cœur se mit à battre quand la jeune femme referma la porte derrière elle. Elle enfouit les mains dans les poches de son trench-coat, descendit à la hâte les trois marches du perron et s'éloigna d'un bon pas, ses chaussures raclant le trottoir.

Oui! Merci.

Andrea brandit les deux poings en un geste de triomphe. Son sac en cuir noir tomba sur le trottoir. Lorsqu'elle se pencha pour le ramasser, le vertige la saisit.

Du calme, ma petite.

Ne rate pas ta chance! Ce n'est pas le moment.

Elle attrapa son sac des deux mains, se releva et traversa prudemment la chaussée. Ta sœur a eu la gentillesse de nous laisser seuls, Liam. Quand le chat n'est pas là...

Elle appuya le doigt sur le bouton de la sonnette qu'elle entendit retentir à l'intérieur. Puis des bruits de pas lui parvinrent.

Elle rabattit sa mèche sur ses yeux. Se racla la gorge en se demandant si son haleine était convenable. Regretta de ne pas avoir mis un peu plus d'eau de Cologne. *Poison*. Elle aimait ce parfum enivrant, même si le nom ne lui plaisait pas beaucoup.

— Qui est là? Margaret? Tu es déjà de retour?

Elle s'appelait donc Margaret?

La porte s'ouvrit avant qu'elle ait eu le temps de répondre. Et il était là, devant elle, si grand. Ses cheveux noirs plaqués en arrière, mouillés, comme s'il venait de prendre une douche. Un pull blanc sur un ample pantalon en velours brun. Il la dévisagea par-dessus ses lunettes de lecture à monture transparente.

— Andrea?

— Ma visite vous surprend?

Elle s'efforça de susurrer en donnant à sa voix une inflexion sexy, mais un ricanement nerveux lui échappa. La manche de son manteau effleura la joue de Liam.

— Andrea, répéta-t-il. Voulez-vous entrer?

Il enleva ses lunettes sans cesser de l'observer d'un œil curieux. Quel regard pénétrant!

Sois aimable, Liam. Sois gentil avec moi. Dis-moi que tu es content de me voir.

Mais il n'avait pas encore souri.

Avait-elle commis une erreur?

Il s'écarta pour la laisser passer. Elle s'introduisit dans le couloir en se heurtant à lui, son gros manteau le poussant contre le mur.

— Je pensais à vous.

Elle avait voulu dire cela d'un ton taquin, mais s'aperçut qu'elle avait une voix raisonnable, presque grave.

Il sourit enfin. Ses yeux bruns étincelaient dans la lumière blafarde.

— C'est déjà le jour du loyer? Je suis sûr que je vais pouvoir dénicher l'argent quelque part, fit-il en riant.

Je le prendrai en nature, pensa-t-elle.

— Non, vous ne comprenez pas, balbutia-t-elle.

L'éclairage du couloir était si fort. Elle ne voyait plus que sa silhouette. Les choses ne se déroulaient pas du tout comme prévu. Elle avait besoin de s'asseoir. De rassembler ses esprits.

— Pourrais-je avoir quelque chose à boire?

Il s'écarta du mur et la précéda dans le salon.

— Voulez-vous un verre d'eau?

De l'eau! Grands dieux! Non! Quel romantisme!

Quel est ton problème, Liam?

— Vous n'auriez pas un peu de vin? demanda-t-elle en lui emboîtant le pas.

Il fallait à tout prix qu'elle s'éloigne de cette lumière aveuglante.

Des piles de bouquins sur le canapé. La lampe du

bureau éclairait un livre ouvert. Une musique douce provenant du lecteur de CD flottait dans la pièce.

— C'est Van Morrison, n'est-ce pas, Liam? Vous aussi
vous adorez?

Il hocha la tête.

— J'aime ses premiers disques. Avant qu'il ne devienne
mystique. Je viens juste d'ouvrir une bouteille de chardonnay, ajouta-t-il en traversant la pièce. Puis-je vous en offrir
un verre?

Déjà beaucoup mieux, mon cœur, pensa-t-elle en s'extirpant de son manteau. Il lui tenait tellement chaud. Insupportable.

— Oui, merci.

Elle étala le vêtement sur la partie non encombrée du
canapé et s'assit dessus.

— C'est de la vraie fourrure? demanda-t-il en s'approchant d'une petite table voisine de la salle à manger pour
prendre la bouteille de vin.

— Du petit lapin, répondit-elle d'une voix enfantine.

Il ricana.

— Il doit en falloir une quantité pour faire un manteau
pareil. Arrangez-vous pour que Phoebe ne le voie pas, dit-il
en pointant le verre qu'il tenait à la main vers un coin de la
pièce.

Phoebe? Je croyais que sa sœur s'appelait Barbara. Ou
quelque chose comme ça.

Elle mit un moment à identifier la créature enfermée
dans la cage.

— Vous avez un lapin?

Il cessa de remplir le verre.

— Je suis désolé. Le règlement interdit-il la présence
d'animaux domestiques dans la maison?

Elle se rendit compte qu'il plaisantait. Mais cela lui fit
mal quand même. Pourquoi est-ce qu'il me considère uniquement comme sa propriétaire?

— Peut-être qu'un jour, je ferai un manteau avec
Phoebe, reprit-il gaiement. Un tout petit habit. Pour un
lutin.

Il surgit tout à coup derrière le canapé et lui glissa un
verre dans la main. Puis il leva le sien tout en se dirigeant
vers le bureau.

— À votre santé.

— À la vôtre.

Andrea but une longue gorgée. Un vin excellent. Fruité. Moelleux. Il avait dû le payer cher, décida-t-elle en avalant une deuxième goulée.

— Croyez-vous à l'existence des lutins, Liam?

Il gloussa de rire.

— Tout le monde y croit, non?

Elle secoua sa tignasse. Bomba le torse. Pourquoi est-ce qu'il ne me regarde pas?

Il était planté au milieu de la pièce, entre le canapé et le bureau. Les yeux rivés sur son verre.

Elle eut envie de tapoter le coussin à côté d'elle pour l'inviter à venir s'asseoir. Mais son air glacial l'en dissuada.

— *Tupelo Honey*, murmura-t-elle. Ouah! Je me souviens du jour où j'ai acheté le 45 tours.

Puis, levant les yeux vers lui:

— J'aime beaucoup votre pull.

Il sourit en se frottant la manche.

— C'est de la laine irlandaise. Provenant des bons vieux moutons de ma terre natale.

— Vous étiez en train de travailler? Je vous dérange?

— Je lisais des contes dont je dois parler demain dans mon cours.

Il alla prendre le livre sur la table.

— Un vrai régal, à vrai dire. Ils sont tellement merveilleux. Je crois les avoir tous lus, mais j'en découvre toujours un qui m'est inconnu.

— Merveilleux, murmura-t-elle en fixant son verre presque vide.

Elle décida de changer de sujet.

— À quel moment votre famille est-elle venue en Amérique, Liam?

Il fronça les sourcils, ce qui la surprit.

— Ma famille n'a jamais émigré. Je suis venu tout seul.

— Et votre sœur?

— Avec ma sœur. Bien sûr.

Son ton était si sec qu'elle émit un petit sifflement, qui passa inaperçu. L'expression de Liam s'adoucit peu à peu tandis qu'il feuilletait le livre.

— Je pense que cette histoire vous plairait, Andrea. Il est question d'argent.

Encore un coup au cœur. Voilà qu'il remet ça! Je ne suis pas là pour lui réclamer le loyer! Qu'est-ce que je fais ici? C'est ridicule?

À cet instant, pourtant, il se laissa tomber sur le canapé et se pencha vers elle pour trinquer en lui décochant enfin le sourire cajoleur qu'elle attendait, celui dont elle avait si souvent rêvé depuis cet après-midi torride d'août.

Il sentait le propre. Elle inhala l'odeur de son shampooing à la noix de coco. Pourquoi prenait-il une douche au milieu de la soirée?

Il posa son verre par terre en parcourant le texte des yeux.

— Il est question d'une fée.

Les fées ne m'intéressent pas, mon chou. Elle s'efforça néanmoins de prendre un air inspiré. Pourquoi ne lâches-tu pas ce fichu bouquin pour me fourrer ta langue dans la bouche?

Elle songea aux deux homosexuels auxquels elle avait loué un appartement l'après-midi même. Leurs visages lisses lui revinrent brusquement à l'esprit. Enfin! Au moins, c'étaient des gens soignés.

Liam posa le livre sur ses genoux en lui souriant d'un air enthousiaste.

Ce conte imbécile l'excite plus que moi, pensa-t-elle tristement. Comment un adulte peut-il se mettre dans un état pareil pour des fées et des lutins?

Son manque d'enthousiasme ne l'avait pas effleuré. Après avoir plongé son regard dans le sien, il se lança dans son récit avec cette passion qui faisait le bonheur de ses étudiants.

— Il était une fois un homme appelé Sean O'Doole qui vivait il y a de nombreuses années dans un bourg baptisé Carrick. En bon catholique, Sean allait à la messe toutes les semaines. Mais un dimanche, durant l'office, il se sentit mal. Il sortit de l'église pour aller marcher un peu dans la rue.

« Il n'avait toujours pas récupéré quand un vieil homme tout de noir vêtu passa près de lui. "Vous n'avez pas bonne mine", remarqua-t-il. Sean lui expliqua que, pris d'un malaise, il avait dû quitter l'église au milieu de la messe.

« L'inconnu lui glissa un florin d'or dans la main. "Allez

au pub Muldoon et buvez donc une bonne rasade de whisky. Ça vous fera du bien, mon brave. Vous aurez vite fait de retrouver votre entrain."

Andrea étouffa un bâillement. Le vin lui donnait envie de dormir et le conte n'arrangeait pas les choses. Elle ferma les yeux tandis que Liam poursuivait son récit avec zèle.

— Après avoir remercié le vieil homme, Sean se rendit au pub où il se fit servir le meilleur whisky de l'établissement. Il en but un bon verre et paya avec le florin d'or que le vieux monsieur lui avait si généreusement donné. Quelques instants plus tard, il se sentit de nouveau en pleine forme.

« Le lendemain, il s'aperçut qu'il n'avait plus de tabac. Il alla à l'épicerie en acheter. Quand il fourra la main dans sa poche pour payer, devinez ce qu'il y trouva ? Le florin que le vieil homme lui avait offert !

« Il régla donc ce qu'il devait et s'en alla pêcher sur son bateau. Ce soir-là, il revint transi, fatigué, courbaturé. Sur le chemin du retour, il s'arrêta chez Muldoon et but un whisky pour se réchauffer. Au moment de payer, il trouva de nouveau le florin dans sa poche.

« Sean commença alors à se poser des questions sur le vieil homme qui lui avait fait don de cette pièce. Se pourrait-il que ce soit un être surnaturel venu d'un autre monde ? Faisait-il bien d'utiliser cette pièce ? Il s'en servit encore des jours et des jours, la récupérant chaque fois qu'il la dépensait.

« L'inquiétude le gagna peu à peu. Un jour, pour finir, il décida qu'il ne pouvait plus supporter cette angoisse. Il commanda un whisky chez Muldoon et jeta la pièce sur le comptoir en s'écriant "Que le diable vous emporte !"

« Muldoon rangea le florin dans son tiroir-caisse et demanda à Sean ce qui l'avait mis dans cet état. Alors Sean lui raconta toute l'histoire.

« "Tu es fou ! s'exclama Muldoon. Garde ta pièce. Tu es un homme riche !"

« Quand il voulut récupérer la pièce pour la lui rendre, le tavernier s'aperçut qu'elle avait disparu. Personne ne la revit jamais. Pas plus que le vieil homme.

En ouvrant les yeux, Andrea vit le regard de Liam fixé sur elle. Qu'est-ce qu'il attendait ? Était-elle supposée rire ? Ou pleurer ? Ou quoi ?

La voix de Van Morrison monta, puis redescendit en flèche comme s'il dérivait sur les vagues de l'océan. Andrea se redressa en prenant appui sur les coussins. Sa main effleura la manche de Liam, s'y attarda.

— Je ne suis pas sûre de comprendre, fit-il en scrutant son visage.

C'était tellement difficile de se concentrer. Pourquoi les lumières étaient-elles si éblouissantes? Pourquoi n'avait-il pas mis la musique un peu plus fort?

Liam éclata de rire.

— Typiquement irlandais. On ne supporte pas quand les choses vont bien.

— Mais pourquoi est-ce qu'il a rendu la pièce? insista-t-elle. Il était pauvre, non? Il avait besoin d'argent?

— Certes, mais il se pouvait que ce soit une malédiction, comprenez-vous?

Une lueur d'excitation illumina ses prunelles, l'excitation du professeur qui vient de prendre un élève dans les mailles de son filet.

— Sean ignorait qui était ce vieil homme. Était-ce le diable? Un magicien? Le plus beau des cadeaux peut se révéler une malédiction si l'on ne sait pas d'où il vient, insista-t-il. Cette pièce risquait de porter malheur. Sean n'avait aucun moyen de le savoir.

Andrea secoua la tête. Elle ne comprenait décidément rien à cette histoire. Pourquoi Liam la trouvait-il si géniale?

— Pensez-vous que les Irlandais soient plus superstitieux que les autres? demanda-t-elle d'un ton détaché.

Il parut surpris et s'empourpra brusquement. Deux taches vermillon se dessinèrent sur ses joues.

— Pourquoi me posez-vous la question?

— Eh bien... le type de l'histoire. Il était superstitieux, non? Il croyait aux malédictions et à la malchance.

Liam hocha la tête d'un air pensif.

J'en ai assez de ces conneries, se dit-elle. Tu vas te décider, oui ou non?

C'est maintenant ou jamais.

Elle tendit les bras et prit son visage entre ses mains. Il avait les joues brûlantes. Tout doucement, elle l'attira à elle en fermant les yeux, les lèvres entrouvertes.

Une toux étouffée se fit entendre derrière le canapé, suivie de bruits de pas et d'un raclement de gorge.

Andrea en eut le souffle coupé.

Liam se dégagea prestement, se retourna.

— Margaret! Tu es de retour!

En jetant un coup d'œil par-dessus son épaule, Andrea aperçut la sœur de Liam tout près du canapé, un sac en papier brun sous le bras, les yeux braqués sur Liam. La désapprobation se lisait sur son visage. Elle brandit le sac dans sa main gantée.

— J'ai rapporté de la glace. J'ignorais que nous aurions de la visite, commenta-t-elle sans le quitter du regard.

Andrea se redressa d'un bond, gauchement, en suçant la salive qu'elle avait sur les lèvres. Ils ne s'étaient même pas embrassés. Il aurait bien voulu. Mais sa sœur... La pièce chavira.

— Je suis juste passée une seconde. Vraiment. Je...

Pourquoi éprouvait-elle le besoin de s'expliquer devant sa sœur?

Un sourire détendit les traits de la jeune femme. Un sourire amusé. Narquois.

Je lui mettrais volontiers mon poing sur la figure pour faire disparaître ce sourire, pensa Andrea.

— Ça fait plaisir de vous voir, Andrea, dit Margaret en détournant finalement son attention de son frère pour la fixer sur elle. Ne partez pas, je vous en prie.

— Si, si, je vous assure, il faut que je rentre.

Liam aussi lui souriait. Elle chercha une trace de chaleur dans ses yeux. Se moquait-il d'elle lui aussi? Ou bien souriait-il à cause de ce qu'ils partageaient désormais tous les deux? Un secret. Une conspiration.

Je ne suis pas une adolescente en mal d'amour. Pourquoi est-ce que je me sens comme une gamine prise sur le fait par sa mère?

Sa tempe droite bourdonnait. Elle se la frotta vigoureusement pour tâcher de dissiper cette sensation désagréable tout en prenant son gros manteau et en se dirigeant vers l'entrée. Liam la rattrapa par le coude quand elle se prit les pieds dans le tapis.

— Faites attention, murmura-t-il en plongeant son regard dans le sien.

Elle n'arrivait toujours pas à interpréter son sourire. Il me serre le bras avec tellement de tendresse. Il tient à moi. C'est sûr.

— Je vais mettre la glace dans le congélateur. Ensuite je monte dans ma chambre.

Elle était toujours derrière le canapé.

— Ne vous pressez pas pour moi en tout cas.

Mais Andrea avait déjà la main sur la poignée de la porte. L'éclairage de l'entrée était si violent. Comme le soleil matinal. Cela lui faisait mal aux yeux et ses tempes se mirent à vibrer de plus belle.

— Je suis si contente que vous aimiez la maison tous les deux.

Quelle remarque à la noix! Mais qu'est-ce que j'ai à la fin? Ça doit être le vin. Le vin et la coke.

Pas assez pris de coke.

Liam lui ouvrit la porte.

— Est-ce que ça va aller?

Qu'entendait-il par là?

— Pensez-vous pouvoir rentrer sans problème?

Elle hocha la tête.

— Ce n'est pas très loin. Juste de l'autre côté du campus.

Il lui prit son manteau des bras et l'aida à l'enfiler. Elle se glissa à l'intérieur en tordant le cou pour lui sourire.

Il lui rendit son sourire, les mains posées sur ses épaules.

— Prenez bien soin de vous!

— Bonne nuit, Liam.

La porte se referma très vite derrière elle. La fraîcheur de l'air lui fit un choc au point qu'elle faillit dégringoler les marches.

Tandis que ses yeux s'accoutumaient à l'obscurité, elle revit son expression attendrie quand il se tenait sur le seuil, son regard flamboyant, ses mains sur ses épaules. « Prenez bien soin de vous! » D'une voix douce comme du miel.

Lui aussi avait envie de moi.

Sans aucun doute.

Elle descendit prudemment sur le trottoir en s'appuyant sur la rambarde. Puis elle enfouit les mains dans les poches de son manteau et prit le chemin de sa maison, tête baissée pour se protéger du vent, les yeux pleins de larmes à cause du froid, des larmes qui lui brûlaient les joues.

« Prenez bien soin de vous! »

Je l'ai presque goûté !

La prochaine fois sera la bonne. La prochaine fois. Sans cette fichue sœur qui nous tourne toujours autour.

Et puis d'abord, pourquoi est-ce qu'un type comme ça vit avec sa sœur ?

13

Un jeune homme prit le manteau de Liam et sa casquette. Puis Milton l'entraîna à l'autre bout du salon, le long d'un interminable couloir tapissé de miroirs, en direction de ce qu'il appelait sa *pièce à vivre*. Derrière la grande baie vitrée, le soleil déclinait vers les arbres dénudés dans une débauche de rouges.

— Milton, vous avez une forêt pour vous tout seul ! s'exclama Liam.

Il s'arrêta au passage pour saluer deux étudiantes en minijupes. Elles lui sourirent en levant leurs verres comme si elles lui portaient un toast.

— C'est chic de votre part d'organiser une réception à l'improviste, lança-t-il à l'adresse de Milton.

— C'est une tradition à vrai dire. Le doyen donne une fête chaque automne. J'ai pensé que ce serait plus sympathique ici que dans une salle confinée du bâtiment de l'administration.

Trois étudiants transformés en serveurs pour l'occasion se frayaient un chemin parmi les convives en leur proposant du vin rouge ou du vin blanc dans des gobelets en plastique, ainsi que des crackers tartinés d'une sorte de fromage blanc.

Milton guidait Liam en le tenant par le coude.

— Je passe quelquefois des heures à contempler ces bois. La lumière change si vite !

— On dirait que vous avez trop de temps libre, Milton, plaisanta Liam.

Son hôte s'abstint de sourire. Il rectifia l'encolure de son pull à col roulé marron.

— Je suis tellement heureux d'avoir trouvé cette maison. Toute la façade arrière est vitrée. Ma chambre aussi donne sur les bois. Quand je suis couché dans mon lit, j'ai l'impression d'être en plein air.

Liam adressa un petit signe à un homme d'âge moyen appuyé sur une canne dans un coin de la pièce. Puis il se retourna vers Milton.

— C'est un peu loin du campus tout de même. Comment faites-vous pour monter jusqu'ici en hiver?

— L'hiver dernier, heureusement, il n'a pas beaucoup neigé. C'était ma première année ici à Freewood. De toute façon, j'ai une quatre-quatre. Ce n'est pas si terrible.

Liam s'arrêta pour admirer une splendide affiche d'agence de voyages.

— C'est British Rail, n'est-ce pas?

Milton hocha la tête.

— Je collectionne les affiches de British Rail. J'en ai quelques magnifiques exemplaires datant des années trente. Mais je n'ai pas suffisamment de murs pour les exposer, ajouta-t-il en soupirant. C'est le problème quand on vit dans une maison de verre. Et puis mes autres collections prennent beaucoup de place.

Liam suivit son regard en direction du mur face à eux où des vitrines reflétaient l'éclat rougeoyant du soleil couchant.

— Ah oui, votre collection de couteaux! Vous m'en avez déjà parlé.

— J'en possède des spécimens très rares, lui confia Milton. Historiques même. Je vous les montrerai tout à l'heure.

Un air de piano provenant du lecteur de CD les suivit jusque dans la pièce à vivre de Milton. L'un des serveurs improvisés passa sa tête blonde par l'entrebâillement de la porte.

— Un peu de vin?

— Pas tout de suite, répondit Liam.

Le jeune homme s'éclipsa aussitôt.

— Milton, j'ignorais que vous étiez un collectionneur aussi passionné.

Milton rougit.

— Il y a des tas de choses que vous ignorez à mon sujet, mon jeune ami.

Il passa discrètement en revue la tenue de Liam : chemise noire sans col, boutonnée jusqu'en haut, pantalon noir ample, à pli.

Ça doit être le look branché, se dit-il. Mais il a l'air d'un prêtre. Quand il est entré et a salué tout le monde, je m'attendais presque à ce qu'il leur donne sa bénédiction.

Milton s'amusait toujours des gens qui éprouvaient le besoin d'être à la mode. À quoi cela servait-il ? Pourquoi ne pas être à l'aise tout simplement ?

Liam était beau gosse, incontestablement. La plupart des femmes devaient succomber à ses charmes. Pourquoi fallait-il qu'il se déguise ?

Il s'aperçut que Liam avait les yeux braqués sur les deux sabres croisés suspendus au mur au-dessus de la cheminée en pierre. Puis son regard erra sur les rayonnages, les rangées d'ouvrages sur l'armement, ancien et moderne. L'étagère réservée aux romans noirs. Sa grande passion. L'une de ses passions, en tout cas.

Liam contemplait à présent le crâne humain qui ornait le manteau de la cheminée. Il se tourna vers son hôte d'un air perplexe.

— C'est un vrai ?

— Oui. C'est celui de ma grand-mère, railla-t-il. Je l'ai récupéré après son enterrement.

Liam hésita, scruta attentivement le visage du doyen, en conclut qu'il plaisantait.

Ils rirent tous les deux.

— Je l'ai déniché dans un marché aux puces, expliqua Milton. Vous me croyez, n'est-ce pas ? Je l'ai baptisé Maurice. C'était le prénom de mon directeur d'études à Binghamton.

— Très joli. Cela donne du caractère à la pièce, fit Liam en lui tendant brusquement un paquet blanc enrubanné de soie rose, comme s'il cherchait à faire diversion. Tenez. J'ai failli oublier.

— Je suis navré que Margaret n'ait pas pu venir, fit Milton. C'est vraiment dommage.

Liam fourra la boîte entre les grosses pattes de Milton.

— Je le regrette moi aussi. Elle avait une migraine épouvantable. Cela lui arrive de temps en temps. Dans ce cas-là, il n'y a rien à faire à part se coucher et essayer de dormir en attendant que ça passe.

Milton baissa les yeux sur le paquet.

— Vous n'étiez pas supposé apporter quoi que ce soit. Ce n'est pas mon anniversaire, vous savez.

Liam sourit.

— Oh, ce n'est pas grand-chose. Juste un petit cadeau pour fêter la crémaillère. Allez-y. Ouvrez-le.

Des rires retentirent dans le hall. Des voix fortes noyées dans un flot de musique. Des gens venaient d'arriver, pensa Milton. Il se demanda si Leila Schumacher, du département français, allait venir. J'aimerais bien lui donner quelques cours de français à celle-là, se dit-il. Lorsqu'elle était passée à côté de lui l'autre jour en remuant cette croupe fabuleuse, il avait eu toutes les peines du monde à ne pas l'attraper au passage.

En se masturbant dans la douche, juste avant la réception, il avait pensé très fort à elle. Ce n'était pas la première fois. Il l'avait imaginée sous la douche avec lui, l'eau chaude ruisselant sur sa peau. En train d'écarter les jambes. Encore, encore. Une cascade d'eau fumante dégoulinant le long de ses cuisses. Oh, mon dieu! Parfois le désir devenait insoutenable. Peut-être accepterait-elle de rester après que tout le monde serait parti. Il lui montrerait la vue sur le bois depuis sa chambre...

— Allez-y, Milton. Ouvrez votre paquet.

En tirant sur le ruban rose, Milton se rendit compte qu'il avait une érection. Il se glissa furtivement derrière son bureau tout en soulevant le couvercle, retira deux épaisseurs de papier de soie et regarda d'un air hébété le morceau de charbon noir en forme de balle de foot au fond de la boîte.

— Du charbon?... Je ne saisis pas très bien.

Une lueur brillait dans les yeux de Liam, mais il ne souriait pas.

— C'est un cadeau très spécial, Milton. Je tenais à ce que ce soit vous qui l'ayez. Il est tombé d'un camion quand j'avais neuf ans.

— Pardon.

Milton saisit le petit boulet noir entre ses doigts et laissa tomber la boîte sur son bureau.

— On donne du charbon aux enfants à Noël quand ils n'ont pas été sages si je ne m'abuse?

Liam prit le morceau de charbon et le lissa dans le creux de sa main.

— Ça vous portera chance. C'est une superstition écossaise. Quand un morceau de charbon tombe d'un camion, si vous êtes le premier à le ramasser, vous devez le jeter par-dessus votre épaule droite, expliqua-t-il en le rendant à son propriétaire. C'est ce que j'ai fait quand j'avais neuf ans. J'ai couru après le camion jusqu'à ce qu'il passe sur un dos-d'âne. Tout excité, j'ai regardé le charbon tomber en pluie. J'en ai pris un bout et l'ai tout de suite jeté par-dessus mon épaule. Je ne m'en suis jamais séparé depuis. Aujourd'hui, je tiens à vous en faire cadeau.

Milton le considéra d'un œil sceptique.

— Êtes-vous sûr de vouloir vous passer de ce trésor?

— Je n'entre jamais dans une maison sans y apporter un porte-bonheur, répondit-il avec le plus grand sérieux.

— Vous croyez vraiment à ces trucs-là, grommela Milton.

Un petit sourire flotta sur les lèvres de Liam.

— J'y suis bien obligé. C'est mon boulot.

Milton fit sauter l'ovale noir dans sa grosse main.

— Certains de vos étudiants trouvent que les vieilles légendes que vous leur racontez sont complètement dingues.

Liam eut l'air surpris.

— Vous avez parlé à mes étudiants?

Milton gloussa de rire.

— Bien obligé. C'est mon boulot.

— Certains ont le culot de penser que le folklore n'est plus d'actualité. Depuis le début des cours, je m'efforce de les persuader du contraire. C'est pourquoi je...

— Oh. Bonjour.

La porte s'ouvrit brusquement. Une jolie jeune femme aux cheveux auburn, tout bouclés, fit son entrée. Elle portait une longue robe en jean délavé dont les trois premiers boutons étaient ouverts, révélant une peau blanche laiteuse.

Le regard de Milton passa de sa poitrine à son visage. Il la reconnut instantanément.

— Devra! Bonjour.

Mais elle fixait Liam, visiblement abasourdie.

— Vous connaissez Devra Brookes? Elle enseigne dans notre département linguistique.

L'étonnement était tout aussi manifeste chez Liam. Sa nuque rougit brusquement.

— Docteur O'Connor! s'exclama Devra, un peu haletante, en s'élançant vers lui. Vous avez quitté Chicago si précipitamment. Je n'ai même pas eu le temps de vous dire au revoir.

— Eh bien... au revoir et bonjour! lui répondit gaiement Liam en serrant sa main dans les siennes. Quel plaisir de vous revoir, Devra. Et quelle surprise!

Sacré charme, songea Milton, non sans amertume. Comment se débrouille-t-il pour être aussi irrésistible? Puis une question plus intéressante lui vint à l'esprit : Comment se fait-il qu'il connaisse notre petite enseignante? Et pourquoi a-t-il rougi et paru si gêné quand elle l'a reconnu?

Je parie qu'il la sautait! À Chicago.

— Je suis venue ici au milieu du semestre dernier, expliqua Devra en dégageant sa main avant de l'enfouir dans la poche de sa robe. Ça change de Chicago! J'ai eu l'impression de débarquer dans une école de village.

— Oh là! s'exclama Milton. Ne dites surtout pas ça!

— Pour moi aussi, c'est étrange, avoua Liam en la gratifiant d'un grand sourire. Je suis ravi de voir un visage familier. Où habitez-vous, Devra?

— Dans un appartement de Tremont Street.

Elle fit la moue, mais ses yeux verts pétillaient.

— Il n'y a que deux chambres, et nous sommes quatre filles. Fort heureusement, on s'entend bien.

— Et votre chien...?

— Sparky n'a pas fait le voyage. Il vit dans le luxe chez mes parents.

Ils continuèrent à bavarder un moment. Conversation ennuyeuse, de l'avis de Milton. Mais Liam ne la quittait pas des yeux comme si tous les détails anodins de son existence le mettaient en transe. Elle captait toute son attention.

Milton laissa son regard errer sur le devant de sa robe. Elle avait un beau corps bien ferme. Les nichons n'étaient pas mal du tout. Et cette peau crémeuse! Un vrai délice!

Je ne te ferai pas de mal, pensa-t-il. Je sais que je suis trop lourd pour toi. Tu n'auras qu'à aller au-dessus, Devra. Il la vit couchée sur lui, le chevauchant en ouvrant tout grand ses beaux yeux verts, ses cheveux roux lui retombant sur la figure, le frôlant, le chatouillant. Il adorait les rousses. Il imaginait les claquements doux et rythmés de leurs corps humides de sueur, son derrière blanc crémeux rebondissant, lentement, lentement.

Oh mon Dieu!

J'aurais dû être moine. Pourquoi ai-je choisi de vivre au milieu de toutes ces jeunes femmes si délectables? Comment fait-on pour travailler parmi elles?

Liam avait repris la main de Devra. Milton fit un effort pour se concentrer sur ce qu'il disait.

— Je suis vraiment enchanté de vous revoir.

— Venez me voir en cours. On prendra un café.

— Avec grand plaisir. Je n'arrive pas à croire que vous soyez ici. Pour toute l'année?

— Oui. J'ai deux cours et je fais des recherches pour un livre. La bibliothèque est tout à fait convenable. Et puis nous avons des ordinateurs à notre disposition. Je peux me brancher sur l'Internet, ce qui me permet d'étendre mes investigations aux bibliothèques du monde entier.

Elle fronça les sourcils.

— Je ne comprends pas grand-chose à l'informatique. Je devrais sans doute m'initier un peu mieux.

Liam hocha la tête.

— Ce n'est pas aussi difficile qu'on le prétend. Si j'ai pu apprendre, c'est à la portée de tout le monde.

Quel ennui! pensa Milton, agacé. Elle est si jolie, mais d'un barbant! Il faudra que je lui mette un sparadrap sur la bouche avant de la sauter. Sans l'ombre d'un doute. Il regarda fixement sa bouche, essayant d'imaginer ses lèvres sèches, enflées par ses baisers.

— Je crois que je ferais bien d'aller me mêler un peu à la foule, dit finalement Liam. Portez-vous bien, Devra. Et à bientôt, j'espère.

Il leur adressa un signe de tête à tous les deux avant de se diriger vers le salon bruyant.

Des éclats de rire dans le couloir. Des exclamations. Des gens saluant Liam.

Devra se tourna vers Milton après avoir fourré une nouvelle fois les mains dans les poches de sa robe.

— Merci de m'avoir invitée, docteur Cohn.

— S'il vous plaît. Tout le monde ici m'appelle Milton.

— Bon, je vais aller chercher quelque chose à boire. Quelle superbe pièce ! Vous travaillez ici quelquefois ?

Milton hocha la tête.

— Je m'y sens très bien. J'adore vivre au milieu des bois.

Il s'éclaircit la voix, puis se pencha vers elle.

— Alors Liam a quitté Chicago précipitamment ? ajouta-t-il sur un ton qu'il voulait désinvolte.

Devra leva la main pour relever une mèche rebelle.

— Oui. Un beau jour, il a disparu. Comme l'un de ses lutins.

Milton eut un petit sourire.

— C'est un homme intéressant. Vous le connaissez bien ?

Pour toute réponse, Devra piqua un soleil.

14

Mary Beth pénétra d'un pas assuré dans le salon de Milton, déjà bondé, en adressant un signe à quelqu'un. Sara hésita sur le seuil. Va-t-elle me lâcher avant même que nous ne soyons entrées ? se demanda-t-elle. Tous ces gens me sont inconnus. À part Milton, évidemment. Pourquoi me suis-je laissé convaincre de l'accompagner ?

Parce que Liam est peut-être ici, se dit-elle, répondant elle-même à sa question.

Une chance de lui parler. De flirter avec lui.

De plonger mon regard dans ses yeux bruns si doux,

d'écouter sa voix mélodieuse, d'apprécier son sourire radieux.

Sara, Sara. Tu vas un peu vite en besogne!

Qui te dit qu'il est là?

Elle s'avança dans la pièce bruyante en regardant Mary Beth au milieu de la foule prendre un verre de vin sur un plateau avant de saisir en riant un canapé des mains d'un type qu'elle devait connaître, pour l'enfourner dans sa bouche avec délices.

Sara passa les invités en revue les uns après les autres. Liam? Es-tu là?

Le destin veut-il que nous nous rencontrions à nouveau?

Le destin. C'était son expression à lui.

Liam, où es-tu?

Elle étudia la tenue des autres jeunes femmes. Était-elle trop habillée avec ce blazer croisé, très seyant, porté avec un pantalon de flanelle noir et un pull-over en mohair beige?

Trop New York? se dit-elle. Trop élégante pour ce milieu universitaire? Mary Beth semblait tellement plus décontractée dans sa grande tunique en laine turquoise qui lui descendait presque jusqu'aux genoux, les jambes gainées de collants bleu marine.

Un éclat de rire attira soudain son attention vers la cheminée où un petit feu couvait en jetant des éclats orange et bleus. De fausses bûches en cire, constata-t-elle. Le soleil était couché; un ciel bleu roi s'étendait à perte de vue au-delà des portes-fenêtres. Un jeune homme efflanqué en jean noir et tee-shirt sombre faisait la démonstration d'un pas de danse, levant haut les bras en se dandinant, provoquant un tonnerre de rires et de sifflements.

— J'ai honte quand les Blancs essaient de danser, déclara une jeune femme près d'elle.

— C'est franchement raciste ce que tu dis là, répliqua quelqu'un. Tu m'as déjà vu danser?

Avant d'entendre la réponse, Sara sentit la présence de quelqu'un à côté d'elle. En se retournant, elle découvrit Milton, rubicond comme d'habitude, en train de la manger des yeux. Non, ce n'est pas gentil, se dit-elle. Il me sourit, c'est tout.

Pourquoi a-t-il toujours l'air si affamé?

— Milton. Bonjour, fit-elle en lui rendant son sourire. Elle était contente de le voir à vrai dire.

— Quelle magnifique maison!

Il lui prit la main et la serra à la rompre.

— Je suis ravi que vous ayez pu venir, Sara. Avez-vous eu du mal à trouver?

— Non. C'est mon amie Mary Beth qui a conduit. Je ne savais pas que c'était aussi loin du campus.

Il gloussa de rire sans lui lâcher la main.

— Quelquefois, je me dis que ce n'est pas suffisamment loin!

Elle rit, un peu trop fort. Dégagea sa main. Remarqua qu'il s'empourprait encore un peu plus.

— Au fait, j'ai trouvé ces fameux dossiers, dit-il en se penchant vers elle pour se faire entendre au-delà de la musique et du brouhaha, si près qu'elle sentit son haleine qui empestait le vin. Claire s'était trompée de tiroir.

— Ah! Tant mieux.

Contente que ce ne soit pas moi la responsable, pensa-t-elle. Son travail au bureau était ennuyeux. Sans intérêt. C'était le moins que l'on puisse dire. Et puis, la veille, les dossiers des nouveaux étudiants avaient disparu comme par enchantement. Mal rangés. Milton avait explosé. Sa colère avait été de courte durée. Mais cela lui avait permis de découvrir une autre facette de sa personnalité. Il était terrifiant quand il perdait son sang-froid. Pas à cause des mots qu'il lui avait jetés à la figure. Ni parce qu'il avait claqué la porte si fort que les vitres avaient tremblé. Mais parce qu'il était colossal. On aurait dit un éléphant en furie.

La crise était vite passée. Il s'agissait simplement de quelques dossiers, après tout. Sara se réjouissait qu'on les ait retrouvés. Que la faute ne lui incombât pas à elle.

Milton lui prit le bras et l'entraîna dans le salon.

— Venez. Je vais vous faire visiter. Vous connaissez du monde ici?

— Je ne crois pas, répondit-elle en promenant ses regards sur les visages qui l'entouraient.

Une ravissante brune assise sur le bras du canapé leva la tête et expédia en l'air un impeccable rond de fumée. Un jeune homme souriant coiffé d'une casquette de base-ball se pencha par-dessus elle et glissa un doigt dans l'anneau qui dérivait vers le plafond.

— En dehors de mon amie Mary Beth, précisa-t-elle.

À ce propos, où était-elle passée ?

— Je suis en train de lire le dernier Joyce Carol Oates, dit quelqu'un.

— Ah vraiment ! rétorqua-t-on d'un ton méprisant. Quel est le sujet de son livre cette semaine ?

Milton la frôla lorsqu'il la conduisit près des portes-fenêtres. Ses lèvres charnues s'abaissèrent aux commissures.

— Oh, dommage ! Il fait déjà nuit. Je voulais vous montrer mes bois.

Sara leva les yeux vers les arbres enchevêtrés qui se détachaient en silhouettes sur le ciel parme. Des visages se reflétaient dans la vitre, donnant l'impression que la réception avait aussi lieu dehors.

Après avoir contourné prudemment trois personnes assises par terre en tailleur, il la mena dans un long couloir tapissé de miroirs jusqu'à une autre pièce où elle remarqua au passage un crâne trônant sur le manteau de la cheminée, puis dans la cuisine étroite, tout en longueur.

— Le seul endroit sombre de la maison. Pas de lumière naturelle du tout. Si je décide de rester ici, j'abattrai cette cloison pour la remplacer par une vitre.

Sara l'imagina en train de défoncer le mur à coups d'épaule.

— J'adore faire la cuisine. Ma fille m'a envoyé un wok pour Noël l'année dernière et je suis devenu un grand spécialiste de la gastronomie chinoise. On ne le croirait pas en me voyant, hein, mais je suis monsieur Tranché Fin/Haché menu.

Il fit un geste rapide pour illustrer ses propos avec la main qui ne tenait pas celle de Sara.

Elle gloussa de rire.

— Moi aussi j'ai une passion pour la nourriture exotique, répondit-elle. À New York, tous les restaurants chinois livrent à domicile. Nous mangions chinois au moins trois fois par semaine.

Elle repéra Mary Beth accoudée sur le frigidaire en acier inoxydable au fond de la cuisine ; elle tiraillait sur ses mèches décolorées tout en parlant avec animation à un jeune homme efflanqué en jean dont le visage en lame de couteau se prolongeait par une touffe de cheveux bruns dressée au sommet de la tête. On aurait dit Lyle Lovett.

Où est Éric ce soir? se prit-elle à penser. Il faut croire que Mary Beth ne l'emmène pas avec elle dans les soirées. Peut-être existait-il un règlement interdisant aux employés de l'administration de sortir avec des étudiants? Elle se demanda s'il arrivait à Mary Beth de le voir en dehors de son appartement. De sa chambre à coucher?

Elle essaya en vain d'attirer l'attention de son amie, mais Milton l'entraînait déjà vers le bout du couloir. Une femme aux longs cheveux blancs sortit des toilettes; le bruit de la chasse d'eau se fit entendre derrière elle.

— Le docteur Cohn en personne, s'exclama-t-elle. Vous voilà enfin! Je vous ai cherché partout. J'en ai une bien bonne à vous raconter.

— Chacun son tour! plaisanta-t-il sans prendre la peine de s'arrêter.

Il se retourna pourtant vers la femme qui l'avait interpellé.

— Je vous vois tout à l'heure, Liz. Je fais visiter la maison à Sara. Arnold est-il là?

— Non, il est à Washington. Il regrettait beaucoup. Il m'a dit que vous vous verriez au gymnase.

La pièce située au bout du couloir se révéla être la chambre de Milton. Nouveau panorama sur les bois. Des panneaux en verre coulissants couvraient tout le mur du fond.

— La visite s'arrête là. Il y a une autre chambre où j'ai mis les manteaux. Et une minuscule pièce de la taille d'un placard que j'appelle ma salle de gym. J'ai réussi à y caser un peu d'équipement de sports.

Il lui avait dit qu'il faisait de l'exercice dès qu'il avait un moment de libre. « Faut être fort si on veut tenir tête aux étudiants », répétait-il à tout bout de champ. Qu'entendait-il par là exactement?

Sara faillit éclater de rire en voyant le lit à baldaquin garni de tentures en organdi violet. Elle plaqua inconsciemment la main sur sa bouche. La vision de ce gros rhinocéros dormant sous une avalanche de fanfreluches violettes lui paraissait d'un comique irrésistible.

Il ne s'était aperçu de rien, Dieu merci. Elle se détourna

du lit et jeta un coup d'œil aux rideaux en velours parme assortis aux draperies du lit qui encadraient la baie.

Puis son regard tomba sur les couteaux.

Les lames argentées brillaient de mille feux dans la lumière du lustre. Un mur entier de couteaux, du sol jusqu'au plafond. Alignés à l'horizontal, toutes les pointes tournées vers la droite.

Combien y en avait-il? Deux douzaines au moins. Des longs, des courts, certains à lame épaisse, d'autres plus fins. Tous affûtés. Rutilants.

— Vous admirez ma collection? fit-il en la fixant d'un œil aussi étincelant que ses couteaux.

Puis il la guida vers le mur en la saisissant par l'épaule.

Pour une raison indéfinissable, elle éprouva un vertige.

À cause de toutes ces lames? De toutes ces armes? Ou était-ce le contraste avec le lit à baldaquin?

— Ils sont magnifiques, n'est-ce pas? s'exclama-t-il en la regardant avidement comme pour l'exhorter à réagir.

Elle hocha la tête.

— Magnifiques? Oui. C'est... impressionnant, balbutia-t-elle en avalant péniblement sa salive. Ce sont des pièces d'antiquité, n'est-ce pas?

Il rayonnait, comme un père fier de sa progéniture.

— Certains sont effectivement très anciens, répondit-il en prenant un couteau à manche trapu sur son support avant de le brandir dans sa direction.

La lame paraissait lourde, émoussée.

— Ça, c'est un Bowie. Un original. Enfin, l'un des originaux. Jim Bowie lui-même a dû en porter un semblable.

— Vraiment.

Allons, Sara. Tu peux faire mieux que ça.

La lame s'abattit sur la paume rebondie de Milton. Il sourit. Un sourire presque coupable.

Cette collection lui procurait-elle quelque plaisir inavouable?

— D'autres sont encore plus vieux, poursuivit-il en remettant l'objet à sa place avec précaution. Il n'y a rien de plus beau qu'un couteau. Le design est si pur, la symétrie parfaite. C'est l'outil par excellence, en même temps qu'une œuvre d'art.

Quand il lui fit face à nouveau, elle vit qu'il avait les

yeux écarquillés, les pupilles dilatées. Il respirait bruyamment, son gros ventre se soulevant par saccades sous son épais col roulé.

— Ils sont vraiment étonnants, dit-elle maladroitement.

Elle recula de quelques pas, mais se heurta au lit.

La main de Milton effleura un spécimen à longue lame recourbée muni d'un manche en ivoire.

— Ce sabre est une pièce de musée. Admirez le poli parfait de l'ivoire. Avez-vous jamais rien vu d'aussi pur, d'aussi beau? Et celui-là! Oh, celui-là!

Quelle fébrilité! Il était à bout de souffle.

Il leva le bras et extirpa une longue arme pesante de son support.

— C'est un coutelas macédonien. Vous rendez-vous compte? Splendide, n'est-ce pas, Sara? Regardez-moi cette lame à double tranchant. Aussi coupante que le jour où elle a été forgée. Vous allez voir.

Il saisit le manche à deux mains et jeta les bras en arrière. Les yeux fous. Haletant. Une sorte de rictus déformant sa bouche. Puis il pivota sur lui-même en poussant un grognement rauque.

Sara porta les mains à son visage au moment où la lame entamait la mousseline avant de glisser net, presque en silence, le long du tissu. Le bas du rideau tomba à terre en chuintant.

Milton rabaissa le couteau. Hors d'haleine, il regarda d'un air hébété ce qu'il venait de faire. Un long moment, en serrant l'arme contre son flanc. Quand il releva les yeux vers Sara, il était blême.

— Désolé, murmura-t-il.

Il s'essuya le front du revers de la main. Puis il émit un petit rire sec, presque inaudible.

— Je sais, je sais, je m'emporte.

Il se prit la tête dans les mains comme si elle l'avait grondé.

— Je suis fou, pas vrai? Dès que j'ai une vieille arme entre les mains, je perds le contrôle de moi-même.

— Depuis combien de temps collectionnez-vous ces objets, Milton? demanda-t-elle dans l'espoir que les choses reprendraient vite leur cours normal, revoyant en esprit son geste insensé, la déchirure silencieuse, le petit rectangle de tissu tombant à terre pareil à un corps d'enfant.

Il ne répondit pas. Il s'était retourné et remettait le couteau en place, dressé sur la pointe des pieds, avec infiniment de précautions.

— Je comprends que cela vous fascine, poursuivit-elle, impatiente de regagner le salon retentissant d'éclats de rire et de voix joyeuses.

Les couteaux jetaient des éclairs. Elle s'imagina un instant dans une chambre de torture des temps jadis. Une cellule matelassée de velours violet, face à un énorme bourreau en train de choisir une arme pour la torturer.

— Vous avez dû y laisser une fortune, ajouta-t-elle.

Il lui sourit et son visage reprit un peu de couleurs.

— Je suis content que cela vous ait fait plaisir de les voir. Que vous les appréciiez. La plupart des gens ne comprennent pas. Ils ne mesurent pas leur beauté, leur perfection.

De grosses gouttes de sueur se formaient de nouveau à la racine de ses cheveux. Sa lèvre inférieure tremblait. Ses yeux brillaient d'excitation.

Ça ne me plaît pas du tout, se dit-elle en frissonnant. *Il faut que je sorte de cette chambre. Et tout de suite.*

Elle entendit une voix derrière elle.

— Ah, vous êtes là !

Liam. Il entra dans la pièce d'une démarche désinvolte. Une main dans la poche de son pantalon noir. Une bouteille ambrée de bière Coors dans l'autre.

Milton recommença à s'éponger le front.

Sara se tourna vers Liam, avide d'un sourire chaleureux.

Liam. J'ai beaucoup pensé à vous. Liam, je n'arrête pas de penser à vous.

Elle fut déçue en voyant qu'il s'adressait d'abord à Milton.

— Tout le monde vous cherche.

Mais très vite, il se racheta en portant sur elle ses yeux rieurs.

— Maintenant je comprends pourquoi vous vous cachez.

Une sorte de gazouillement s'échappa des lèvres de Milton.

— Je ne me cache pas. Je montrais ma collection à Sara, expliqua-t-il en désignant le rideau déchiré. J'ai bien peur d'avoir été un peu loin. Vous vous souvenez de Sara Morgan, n'est-ce pas ? Nous nous sommes rencontrés chez Spinnaker il y a quelques semaines. Sara travaille pour moi maintenant.

Liam lui prit la main et inclina la tête avec une solennité feinte. Son regard sombre la pénétra jusqu'au tréfonds d'elle-même.

— Bien sûr que je me souviens. Nous n'avons pas cessé de nous croiser depuis, Sara et moi. J'ai toujours l'intention de retourner dans ce restaurant pour goûter leurs pattes de crabe, ajouta-t-il. Vous m'avez mis l'eau à la bouche l'autre soir.

Sara sentit le sang lui monter aux joues.

— Elles sont délicieuses. Très fermes. Aussi remarquables que celles que j'ai mangées sur la côte Ouest il y a des années.

Elle se trouva ridicule tout à coup. Qu'est-ce que je raconte ? J'ai l'air d'une idiote. Voilà que je me mets à épiloguer sur des pinces de crabe ?

— Je suis ravie de vous revoir, professeur O'Connor.

Autant recommencer à zéro.

— Appelez-moi Liam, s'il vous plaît. Le professeur O'Connor, c'était mon père.

— Votre père aussi était professeur ?

— Non. Fermier. Mais tout le monde l'appelait professeur. Parce qu'il savait lire, je crois.

Ils éclatèrent de rire tous les trois. Milton ramassa le morceau de tissu déchiré et le plia soigneusement.

— Vous êtes né en Irlande ? demanda-t-elle.

Il se tenait si près d'elle qu'elle sentait son aftershave, parfumé au pin.

— Oui, répondit Liam en hochant la tête.

— Quand êtes-vous venu en Amérique ?

Le regard de Liam alla se perdre au loin.

— Oh, il y a longtemps.

Il s'éclaircit la voix.

— C'est un tel bonheur de vous revoir, Sara. Je... Mais vous n'avez rien à boire !

Il lui prit la main.

— Venez. Nous allons y remédier.

— Je suis un hôte exécrable, marmonna Milton en les suivant dans l'autre pièce. Je ferais bien d'aller voir s'il y a encore assez de glace. J'en ai acheté deux paquets, mais ce ne sera peut-être pas suffisant avec une foule pareille !

Ils longèrent le couloir aux miroirs. Sara en profita pour jeter un coup d'œil à son reflet, et au reflet de son reflet. Elle vit leurs trois images, celle de Liam, de Milton et la sienne, multipliées à n'en plus finir, de plus en plus minuscules et obscures à mesure qu'elles s'éloignaient.

Le brouhaha s'intensifia au moment où ils pénétrèrent dans le salon. De nouveaux invités venaient d'arriver. Un mélange d'employés de l'administration, de professeurs et d'étudiants. Liam guida Sara vers le buffet. Ils durent se faufiler au milieu d'un groupe d'étudiants assis sur le tapis, accaparés par une conversation politique houleuse.

— Les gens n'ont pas confiance, mais alors pas confiance du tout, entendit-elle.

— Mais c'est une très bonne chose, renchérit quelqu'un.

La musique avait changé. En reconnaissant Ella Fitzgerald et Louis Armstrong, Sara se souvint que son frère Frank passait ce disque sans arrêt.

Elle aperçut Mary Beth contre la baie vitrée, sa silhouette se détachant sur un ciel bleu-noir sans étoiles. Elle était penchée en avant, les mains en appui sur les genoux, et parlait avec une femme aux cheveux gris en fauteuil roulant.

Liam s'arrêta devant un canapé si brusquement qu'elle faillit lui rentrer dedans. Il prit une allumette de la main d'un jeune homme qui leva vers lui des yeux surpris, souffla sur l'allumette et considéra le groupe en fronçant les sourcils.

— Trois sur une allumette. Ça porte malheur.

— C'était ma dernière, professeur O'Connor ! protesta le garçon.

— Je crois que j'ai un briquet, lança une jeune femme rousse en fouillant dans son sac.

Elle jeta à Liam un coup d'œil espiègle.

— Avez-vous quelque chose contre les briquets en plastique ?

Liam fit mine de réfléchir.

— Non, je crois que vous ne courez aucun risque.

Il s'approcha du buffet. Des bouteilles de vin plus ou moins pleines, plusieurs alcools forts, un seau à glace pour ainsi dire vide, des rondelles de citrons jaunes et verts. Quelqu'un avait renversé un verre. Une petite flaque rougeâtre tachait la nappe blanche.

— Voudriez-vous un peu de vin, Sara ? Ou préférez-vous une bière ?

— Je prendrai volontiers du vin. Rouge, s'il vous plaît.

Il la servit, finissant la bouteille, et lui tendit le verre avant de l'entraîner vers un endroit tranquille derrière le canapé.

— À votre santé.

Il avala une petite gorgée de bière en buvant à même la bouteille, sans la quitter des yeux.

— Alors, ce travail chez Milton, ça se passe bien ?

Elle haussa les épaules.

— Ce n'est pas passionnant. Mais je suis contente de gagner un peu d'argent.

Elle revit Milton dans sa chambre, faisant des moulinets avec le vieux couteau, puis fendant la tenture en deux.

— Vous le connaissez depuis longtemps ?

— Milton ? Je le connais à peine. Je l'ai rencontré en arrivant ici. Le soir où nous avons dîné ensemble au restaurant, c'était la première fois que nous avions véritablement une conversation.

Il but encore une gorgée.

— C'est un homme intéressant, sans aucun doute. Une fois qu'on a admis son côté bourru. Et ses allures de boxeur. Je n'aimerais pas tomber sur lui un soir tard dans une allée. Et vous ?

Une lueur joyeuse passa dans ses yeux.

— On le voit mal en doyen. Mais il est surprenant à maints égards. Il a tellement de passions insolites. Celle-ci notamment, acheva-t-il en désignant la vitrine pleine de couteaux contre le mur derrière lui.

— Je m'étonne qu'il n'ait pas encore réduit tous ses rideaux en lambeaux ! plaisanta-t-elle.

Liam éclata de rire. Mais il retrouva vite son sérieux.

— De quel mois êtes-vous, Sara ?

— Pardon?

Elle s'esclaffa malgré elle.

— Docteur O'Connor, vous me décevez. D'abord, vous essayez de me lire les lignes de la main. Et maintenant, vous allez me demander mon signe si je ne m'abuse?

Pour toute réponse, il la gratifia d'un sourire penaud.

— Ne me dites pas que vous vous intéressez aussi à l'astrologie!

— C'est une superstition comme une autre. Et vous, en quoi croyez-vous? lança-t-il d'un ton taquin.

— Oh, je ne sais pas. En beaucoup de choses.

— Par exemple?

Ce regard sombre si beau qui se promenait sur son visage lui donnait la chair de poule.

— *In vino veritas*, fit-elle en levant son verre.

Il rit. Fit tinter son verre contre le sien.

Elle sentit qu'elle se détendait un peu. Et pas seulement à cause du vin. Elle l'avait fait rire. Ce n'était pas difficile de lui parler. Pas difficile du tout. Et il semblait éprouver un vrai plaisir à bavarder avec elle.

— Alors! Répondez à ma question.

— Puisque vous insistez. Je suis née en mai. Le 12 mai.

— Un mois dangereux, commenta-t-il d'une voix grave, soudain pensif.

Elle essaya de déterminer s'il était sérieux ou s'il plaisantait. En vain.

Il se pencha pour lui chuchoter quelque chose à l'oreille.

— En mars, tu chercheras. En avril, ta chance tu tenteras. Mai dira si tu vivras ou mourras, récita-t-il.

Elle but un peu de vin avant de lever les yeux vers lui.

— J'ai bien peur que ce dicton ne me plaise pas beaucoup.

— Il est très ancien.

— Vous en avez donc un pour toutes les occasions.

— J'en connais des millions.

Ce merveilleux sourire. Étonnamment intime.

— Mais j'oublie toujours que vous étudiez la psychologie, Sara. Je ferais mieux de me taire. Je vois bien que ces beaux yeux m'observent et que vous m'avez déjà classé dans quelque catégorie de comportement aberrant.

Elle lui rendit son sourire, flattée qu'il se souvienne du sujet de ses études.

— Vous êtes si étrange que ça?

— Passablement.

Ses yeux se plissèrent, mais il ne riait pas.

Elle suivit son regard à l'autre bout de la pièce. Devant la cheminée, deux jeunes femmes se faisaient face, les mains levées. Il lui fallut un moment pour s'apercevoir que l'une d'elles avait de la ficelle entrelacée autour des doigts. Elles jouaient au jeu des figures. Quatre ou cinq personnes se pressaient autour d'elles, en les encourageant avec enthousiasme.

Liam posa la main sur l'épaule de Sara.

— À vrai dire, je connais surtout des choses bizarres et sans grande utilité. Savez-vous par exemple que les garçons esquimaux n'ont pas le droit de jouer au jeu des figures?

Sara sourit. Le vin commençait à lui monter un peu à la tête.

— Non. Pourquoi?

— Eh bien, on pense que s'ils jouent à ce jeu, plus tard, quand ils seront grands, ils se prendront les mains dans les cordes de leur harpon.

— Effectivement, vous en connaissez des choses bizarres et inutiles! fit-elle en se tournant vers lui.

Il rit en rejetant la tête en arrière. Un grand éclat de rire joyeux, qui lui alla droit au cœur, comme s'il n'avait jamais rien entendu d'aussi drôle.

Milton vida le sac de glaçons dans le seau en en expédiant quelques-uns sur le tapis. Il s'accroupit pour les ramasser, ce qui lui prit un moment car ils lui glissaient entre les doigts.

Il se redressa en se demandant ce qu'il allait faire de ces bouts de glace fondante quand son regard se posa sur une foison de boucles auburn. Devra Brookes se tourna vers lui, un petit four à la main.

— Oh! Rebonjour, docteur Cohn. Très réussie, votre soirée!

— Merci, Devra. Ça va? Vous vous amusez bien? Vous connaissez du monde?

Elle avait un sourire ravissant. Un beau brin de fille décidément. Cette peau crémeuse. On en mangerait!

— Quelques personnes.

Puis elle se pencha vers lui en détournant les yeux et chuchota :

— Qui est cette jeune femme avec le docteur O'Connor ? C'est la première fois que je la vois, me semble-t-il.

— Sara Morgan, répondit-il en humant son parfum. Musqué. Exquis.

— C'est une étudiante en maîtrise. Elle travaille pour moi à mi-temps. Elle vient juste de commencer en réalité.

Devra observait Sara avec attention. Milton vit Liam lui presser la main en s'inclinant vers elle. Il ne perd pas son temps, pensa-t-il. Regarde-moi ce charmeur. Œillades langoureuses et tout le tralala.

— Ils ne se sont pas quittés depuis le début de la soirée, murmura Devra, se parlant à elle-même plutôt qu'à Milton.

— Franchement, je n'avais pas prévu de l'inviter, mais Liam a beaucoup insisté. Il m'a appelé trois fois pour s'assurer qu'elle viendrait.

Devra plissa les yeux. Ses joues rosirent.

— Vraiment ? chuchota-t-elle.

— Je meurs de faim tout à coup ! Que diriez-vous d'aller manger quelque part ?

Sara cligna les paupières. Deux verres de vin et elle s'imaginait déjà qu'il l'invitait à dîner. En levant les yeux, elle s'aperçut qu'il attendait sa réponse.

Je ne devrais jamais boire dans les soirées, se dit-elle. Elle avait trop chaud et la tête lui tournait légèrement. Pas plus d'un verre en tout cas. Dès le deuxième, je vois flou et j'ai l'esprit engourdi.

Il fallait pourtant être alerte si on voulait le suivre ! Ils avaient bavardé tout à leur aise, comme de vieux amis. Très vite, elle s'était sentie détendue, sereine, et ce n'était pas seulement à cause du vin, de la gaieté ambiante ou des flammes qui dansaient joyeusement dans la cheminée.

Avait-elle trop parlé d'elle ?

Il ne lui avait pas vraiment laissé le choix.

Elle l'avait interrogé sur sa vie, sa sœur, son départ d'Irlande, son enfance en Amérique, ce qui l'avait amené à se passionner pour le folklore. Mais il semblait peu enclin à s'épancher. Il ramenait continuellement la conversation sur elle, la bombardant de questions, plongeant son regard dans le sien, visiblement très amusé par ses réponses, fasciné même.

Il lui avait raconté une histoire qu'il venait de découvrir, un vieux conte irlandais à propos d'un homme à qui l'on donne une pièce d'or qui ne cesse de réapparaître dans sa poche chaque fois qu'il la dépense. Elle n'avait pas très bien compris l'intérêt de ce récit au départ, mais il le lui avait expliqué avec beaucoup d'enthousiasme.

Puis il avait fouillé dans sa poche et en avait sorti une pièce d'or qu'il lui avait glissée dans la main.

— C'est le florin de l'histoire, avait-il dit pour la taquiner. Essayez de le dépenser. Il vous reviendra toujours.

— Parce que c'est de la magie ? demanda-t-elle, soudain avide de croire en la magie autant qu'il y croyait lui-même.

— Parce qu'il ne vaut rien ! répliqua-t-il.

Ils rirent. Ensemble. À l'unisson.

Elle mit la pièce dans la poche de son blazer.

Ils étaient constamment interrompus par des gens qui voulaient parler à Liam. Elle s'était rendu compte qu'il les charmait tous et l'avait observé avec un mélange d'admiration et d'envie.

Voilà qu'il venait de l'inviter à dîner !

— Oui, avec grand plaisir, répondit-elle.

Elle avait envie de le hurler : *Avec grand plaisir !*

Ses yeux bruns s'animèrent. Il paraissait vraiment content.

— Ne pensez-vous pas que Milton risque de se froisser si nous nous éclipsons ? dit-elle à voix basse.

Elle aperçut leur hôte devant la cheminée, si massif qu'il bloquait pour ainsi dire toute la lueur des flammes. Il était en grande conversation avec une ravissante jeune femme rousse.

— Les gens ne vont pas tarder à s'en aller, dit Liam. Nous allons leur manquer, c'est sûr. Mais ils s'en remettront très vite, rassurez-vous.

Il changea brusquement d'expression, fronçant les sourcils.

— C'est vrai que je n'ai pas été très sociable au fond ! J'ai passé le plus clair de la soirée avec vous.

Sara baissa les yeux. Son cœur se mit à battre plus fort.

— J'ai trouvé cela très agréable, Liam.

— Bon, je vais aller chercher nos manteaux. Nous allons bien trouver quelque chose à grignoter quelque part.

— Oh, il faut que je prévienne mon amie.

Mary Beth. Elles n'avaient pas échangé un mot de la soirée. Sara l'avait surprise une ou deux fois en train de lui jeter des coups d'œil intrigués du bout de la pièce. Mais Liam et elle n'avaient pas bougé d'un pouce, hormis pour aller remplir leurs verres.

Tout excitée et décidément un peu éméchée, Sara fouilla la foule du regard à la recherche de son amie. Elle finit par la trouver dans le couloir en compagnie de deux hommes d'âge mûr.

— Je m'en vais avec Liam, lui confia-t-elle après l'avoir entraînée discrètement à l'écart. C'est okay, non? Nous allons dîner.

Mary Beth posa les mains sur ses épaules.

— Eh ben dis donc! Tu as beaucoup bu?

Sara gloussa.

— J'ai l'air si soûle que ça? C'est juste que Liam et moi...

— Je t'avais pourtant mise en garde contre le charme irlandais!

— Arrête de me regarder comme ça, Mary Beth. On va juste dîner, c'est tout.

— Allons, allons... je te taquine! s'exclama Mary Beth en lui pressant les épaules, avant d'ajouter avec un petit rire aigu : C'est merveilleux! Après tout, tu es venue ici pour ça.

Les deux hommes ricanèrent. Sara rougit de honte. De quel droit épiaient-ils leur conversation?

Mary Beth l'étreignit à la hâte.

— Amuse-toi bien.

— Je t'appelle plus tard, d'accord?

— Surtout n'oublie pas. Je veux tout savoir, répondit Mary Beth en lissant les revers de son blazer.

Les deux autres hennirent de plus belle.

Sara s'empressa de regagner le salon. Elle parcourut la pièce des yeux à deux reprises. Pas trace de Liam.

Il a filé. Il est parti. Il s'est moqué de moi.

Sa gorge se serra. Elle chassa cette pensée cruelle de

son esprit en secouant la tête. C'est le vin. J'ai l'esprit embrouillé.

Il est allé chercher nos manteaux... Mais comment peut-il savoir lequel m'appartient?

À contrecœur, elle repassa à côté de Mary Beth et de ses deux compagnons pour se rendre dans le vestiaire improvisé de Milton. Finit par le trouver. S'y faufila. Découvrit Liam au pied du lit.

Décomposé. Il se frottait nerveusement la joue. Les yeux exorbités. Par la peur? Il regardait fixement la pile de manteaux.

Et ne sentit même pas sa présence quand elle s'approcha de lui.

— Liam, que se passe-t-il? Qu'est-ce qui ne va pas? Liam?

— Mon chapeau. Ils ont posé mon chapeau sur le lit.

15

Andrea DeHaven tourna la clé dans la serrure, puis s'assura que la porte était bien fermée.

— Faites attention, dit-elle. Cette marche est branlante.

M. Olsham s'appuya lourdement sur la rambarde. Il boitait et les hautes marches en pierre du perron lui donnaient du mal. Il les descendit prudemment en émettant de petits grognements.

C'était un vieil homme distingué aux cheveux blancs clairsemés. Des yeux bleu pâle illuminaient son visage qui avait dû être fort séduisant, de l'avis d'Andrea. Un réseau de minuscules veines lui rosissait les joues. Une touffe de poils blancs jaillissait de la fossette profonde qui lui creusait le menton. Il portait un pardessus boutonné jusqu'au cou en dépit de la surprenante clémence de cette soirée d'octobre.

— Je me refuse obstinément à prendre une canne, marmonna-t-il.

Andrea attendit qu'il soit sur le trottoir avant de descendre l'escalier à son tour. Elle arborait un chapeau mou, violet, à large bord, bien enfoncé sur sa tête parce qu'elle n'avait pas eu le temps de se laver les cheveux. En revanche, elle s'était donnée la peine de passer un tailleur noir pour avoir l'air plus professionnel.

— Alors, que pensez-vous de la maison, monsieur Olsham ?

— Plutôt vétuste, non ?

Le vieil homme ne mâchait pas ses mots, elle s'en était vite aperçue.

— Si on a l'intention d'y vivre, effectivement, reconnut-elle en ajustant le bord de son chapeau. Mais si vous souhaitez la louer à des étudiants, il n'y a pas grand-chose à faire. Ils ne sont pas très difficiles.

Il se mordit la lèvre inférieure en levant ses yeux bleu délavé vers la façade de la maison à la peinture blanche écaillée.

— Ces taches d'humidité sur le mur de l'arrière-cuisine m'inquiètent un peu. Il doit y avoir une fuite quelque part.

— Oui, il faudra faire venir quelqu'un.

Elle sentit qu'il était sur le point d'abandonner la partie. La maison avait besoin de vingt mille dollars de travaux de plomberie, de peinture et autres réparations. Voire plus. Il voulait quelque chose qu'il puisse louer sur-le-champ à des étudiants, qui lui rapporterait immédiatement des bénéfices.

— C'est une bonne affaire, insista-t-elle en priant le ciel pour qu'il détourne le regard de la gouttière cassée qui pendait lamentablement. Je suis sûre de pouvoir convaincre le propriétaire de baisser son prix en tenant compte des frais de réparation de la fuite.

Il fit claquer sa langue à plusieurs reprises. Se renfrogna.

— Je ne sais pas, madame DeHaven. Hum... En tout cas, je vous remercie de me l'avoir montrée ce soir. C'était vraiment très gentil à vous.

Dernière tentative.

— Je serais prête à l'acheter moi-même. Je vous assure.

Elle est si bon marché. Je la prendrais tout de suite et je ferais les travaux petit à petit. Mais j'ai déjà trois maisons en location. Ça fait beaucoup.

Il ébaucha un sourire.

— Je parie que vous dites cela à tout le monde, dit-il en lui faisant un clin d'œil.

Rusé, le bougre !

Quelques instants plus tard, elle rentrait chez elle à pied en tenant son chapeau d'une main pour l'empêcher de s'envoler dans le vent qui s'était levé brusquement. M. Olsham avait proposé de la raccompagner en voiture dans sa BMW noire, mais elle avait décliné son offre. Elle aimait bien marcher après avoir essayé de caser une maison. L'air frais contribuait à dissiper toutes ces foutaises.

Des feuilles brunes toutes sèches dansaient sur le trottoir sous le halo jaune d'un réverbère. Des nuages roses dissimulaient la lune. Le ciel était en feu. Qu'est-ce que cela voulait dire déjà ? *Ciel rouge le soir...* Pluie ou pas pluie ? Elle le savait jadis. Elle avait oublié. Pourquoi n'arrivait-elle plus à se souvenir de choses aussi banales ?

Elle s'arrêta au coin de High Street et de Yale Street quand la maison de Liam apparut devant elle. Il y avait de la lumière au deuxième. Ce qui voulait dire que sa sœur était là. Je ferais peut-être bien d'entrer quand même. Pour m'excuser auprès de lui de lui avoir sauté dessus comme ça. Lui dire que je ne me sentais pas bien. Que je prenais des médicaments qui me donnaient le vertige.

Ai-je vraiment besoin de me faire pardonner ? Il était peut-être aussi navré que moi que sa sœur nous ait interrompus.

Elle jeta un coup d'œil à sa tenue. Déboutonna son col. Tira sur les revers de sa veste pour agrandir son décolleté.

Quand elle releva les yeux, une forme obscure se tenait devant elle, lui bloquant la vue.

D'où est-ce qu'elle sortait ? Comment avait-elle fait pour approcher si discrètement ?

— Hé !

Andrea poussa un cri lorsque la créature s'empara de son chapeau. Avec une force inouïe. Comme si elle l'avait frappée.

Tout étourdie, elle tendit les mains pour récupérer son couvre-chef, mais il s'envola dans la rue.

— Arrêtez!

Elle entendait sa respiration bruyante, sifflante, sentait son haleine fétide, comme de la viande chaude et pourrie. Mais elle ne voyait rien, hormis deux yeux gris où brillait une lueur morne. Glaciale.

— Prenez mon sac! Tenez! Je vous le donne.

Un déchirement brutal. Une violente secousse l'ébranla. Elle lutta pour ne pas perdre l'équilibre.

La créature lui arracha sa veste et la déchira en deux.

— Prenez mon sac! S'il vous plaît..., mais ne me faites pas de mal! Prenez tout!

Son cri fut interrompu par une douleur terrible qui lui transperça l'épaule.

Elle vit les gros doigts s'enfoncer dans sa peau, sentit le sang chaud qui lui coulait le long du bras.

Une autre déchirure.

Elle lui écorcha l'épaule. Plongeant ses doigts dans ses chairs, les lacérant.

Si facilement. Comme on défait un lit.

Puis elle lui brisa le cou.

Ses doigts au fond de sa gorge. Lui enserrant la nuque.

Mais je suis encore vivante! Encore vivante!

Elle lui arracha la peau du dos en grognant. Haletant. De plaisir.

Elle la dépeçait. La *dépeçait*.

TROISIÈME PARTIE

16

Sara releva ses cheveux sur le sommet de son crâne tout en serrant le combiné dans le creux de son épaule.

— Je voulais me les faire couper tout court, déclara-t-elle en jetant un coup d'œil à son reflet dans la glace de la coiffeuse, mais en définitive, je crois que je vais les laisser pousser. Liam aime bien les cheveux longs.

— Dites-moi que je rêve ! bougonna Mary Beth à l'autre bout du fil.

— C'est joli quand je fais une natte, mais j'ai rarement le temps. Tu te rends compte que j'ai vécu toutes ces années à New York sans jamais prendre la peine d'aller chez le coiffeur me faire faire une bonne coupe. Je m'obstine à porter la queue de cheval comme à l'époque où j'étais étudiante. Ma frange sort tout droit des années cinquante. J'ai vu la même à la télé l'autre soir, sur une star d'un vieux film.

— Quand tu me parles de ton handicap capillaire, Sara, tu m'ennuies à mourir.

Sara lâcha sa chevelure pour prendre le combiné dans sa main.

— Mon handicap capillaire ? Qu'est-ce que ça veut dire ? fit-elle en riant.

— Ça veut dire que moi, je n'ai même pas le loisir de me faire une queue de cheval. Si j'essaie, j'ai l'air d'avoir un putois assis sur la tête. Un putois blond, mais un putois quand même.

— Mary Beth...

— Je dois me torturer les cheveux pour avoir une allure convenable. Les aplatir, les dompter coûte que coûte. Même quand je me suis donné tout ce mal, je continue à avoir l'air d'être passée sous une voiture. C'est la raison pour laquelle je les porte si courts.

— Mary Beth...

— Alors je n'ai pas vraiment envie d'entendre tes jérémiades. Tu as des cheveux magnifiques, souples, brillants. On dirait carrément une pub pour un shampooing. D'ailleurs, même si tu te baladais avec la boule à zéro, tu serais ravissante, ce que tu sais pertinemment.

Un long silence s'ensuivit.

Puis Sara reprit la parole d'une voix douce :

— Un putois sur la tête ? J'ai toujours cru que c'était un fox-terrier ?

Elles pouffèrent de rire. Comme au bon vieux temps, pensa Sara. Mary Beth se plaignait toujours de son apparence. Il n'empêche que c'était toujours elle dont les garçons tombaient amoureux fous.

Mary Beth fut la première à retrouver son sérieux.

— Comment peux-tu dire qu'il aime les cheveux longs ? Tu n'es sortie avec lui que deux fois. Tu ne vas pas me faire croire qu'il te donne déjà des conseils sur ton look ?

— Mais non. Évidemment que non ! protesta Sara.

— Tu sors avec un professeur réputé brillant et vous causez coiffure ?

— Mais non. Enfin si. C'est-à-dire qu'il m'expliquait une vieille coutume irlandaise. Tu sais, il parle de ça tout le temps. Et...

— Comment le saurais-je ? l'interrompit Mary Beth d'un ton agacé.

— ... Il s'agit d'une superstition ancienne selon laquelle si on se coupe les cheveux, on coupe court à sa vie. Et puis il m'a...

— Je trouve ça plutôt sinistre...

— Mary Beth, si tu continues à m'interrompre...

— Excuse-moi.

Elle l'interrompit de nouveau, délibérément, à trois reprises, dès que Sara se remettait à parler, et elles rirent de plus belle. Comme des gamines.

Il y avait longtemps que Sara ne s'était pas sentie aussi légère. Elle avait appelé Mary Beth à la minute où elle était rentrée chez elle. Après son deuxième dîner en tête à tête avec Liam.

Leur second rendez-vous!

L'effet du vin qu'elle avait bu pendant le repas était passé. Mais pas celui de Liam.

— ... Bref, à ce moment-là, il m'a touché les cheveux en remarquant qu'ils étaient très doux. Soyeux, selon sa formule. Il est d'un romantique! Un peu vieux jeu même. Il dit des choses que la plupart des hommes n'osent plus dire. Il n'arrêtait pas de fixer mes cheveux de ses yeux bruns tellement incroyables. J'ai vraiment...

— Sara, on dirait que tu as fumé du hasch.

— Tu es folle, Mary Beth. Je ne suis même pas ivre. C'est juste que je le trouve fabuleux.

Un autre silence suivit, plus lourd que le précédent.

— Sara, je suis sûre que tu vas penser que je suis jalouse mais...

— Qu'est-ce qu'il y a? Qu'est-ce que tu vas me dire? s'exclama Sara, manifestement contrariée.

Elle a raison, pensa-t-elle en prenant une grande inspiration. Puis elle ferma les yeux en se forçant à expirer lentement. Calmez-vous, mademoiselle Morgan.

— Je pense simplement que tu devrais faire attention.

— Pardon?

— Tu as très bien entendu. Je ne voudrais pas qu'il t'arrive quelque chose. Je te sens très vulnérable en ce moment. J'ai raison, n'est-ce pas?

— Peut-être.

— Écoute, je l'ai observé de près quand nous avons tourné cette vidéo. Il flirte avec tout le monde.

— Avec moi, c'est différent.

Elle s'efforçait de ne pas paraître sur la défensive, mais son ton n'était pas aussi détaché qu'elle l'aurait voulu.

— Sara, il a même fait du gringue à un setter irlandais qui rôdait autour de nous!

Elles rirent.

— Il ne s'agit pas seulement d'un flirt, Mary Beth. Nous tenons vraiment l'un à l'autre. On s'entend à merveille, je t'assure. On est exactement sur la même longueur d'onde. Ces choses-là ne s'inventent pas, et...

— C'est précisément ce que j'essaie de te faire comprendre, l'interrompit Mary Beth, perdant patience. On ne peut jamais dire ça. Reconnais-le, Sara, pour ce qui est de juger les hommes, il n'y a pas pire que toi.

— Écoute, arrête. J'ai fait un ou deux mauvais choix, d'accord, mais...

— Un ou deux? Je te parie que je peux t'en citer beaucoup plus que ça. Il y a eu Chip. Et puis Steve. Et puis comment s'appelait ce type avec qui tu sortais en deuxième année quand on a pris un appartement ensemble?

— Boris, tu veux dire?

— Oui, c'est ça. Boris.

— Mary Beth, tu m'avais juré de ne plus jamais me parler de cet enfoiré.

— Seigneur, Sara, ça faisait des siècles que je n'avais pas pensé à lui. Quel monstre! Non content d'être le type le plus rasoir de tout le campus, il a carrément vendu ta chaîne stéréo. Il te l'a barbotée pendant les vacances de Noël! Pour la vendre!

— C'est gentil à toi de me le rappeler, grommela Sara.

— J'essaie de te rendre service, Sara. C'est à propos de gens comme toi qu'on écrit tous ces livres.

— Des livres? Quels livres?

— Tu sais, *Mauvais garçons pour filles bien*. Tous ces bouquins au sujet des erreurs monumentales que commettent ces imbéciles de femmes quand il s'agit de se trouver un partenaire.

— Excuse-moi. Si je ne me trompe pas, tu viens de me traiter d'imbécile!

Mary Beth gloussa.

— Je ne parlais pas uniquement de toi. Je m'efforce de t'ouvrir les yeux. Depuis le temps que je te connais et ça ne date pas d'hier, tu n'as jamais été capable de te choisir un petit ami qui te convenait. *Jamais!*

— J'ai les yeux grands ouverts, merci, riposta Sara.

Mary Beth commençait à lui taper sérieusement sur les nerfs.

— Mais avec Liam, c'est différent, insista-t-elle, puis, après une pause, elle ajouta :

— Ce n'est pas parce que tu m'as sauvée de New York en m'aidant à réintégrer la fac que tu dois te sentir responsable de moi.

— D'accord, d'accord.

Le ton cassant de Sara incita apparemment Mary Beth à faire marche arrière.

— Tu ne m'as jamais écoutée de toute façon, reprit-elle. Je ne vois pas pourquoi ça changerait. Il est vrai que je suis mal placée pour te donner des conseils. Moi qui couche avec un môme de dix-huit ans... Même si je m'amuse comme une petite folle.

Elles s'esclaffèrent.

— J'ai bien remarqué que tu t'étais abstenue d'emmener Éric à la soirée de Milton l'autre soir, renchérit Sara avec humour.

— Je l'avais mis au lit avant de partir, sans oublier de lui faire faire son rot.

— Six ans, tu sais, ça ne fait pas beaucoup d'écart!

— Oh si, quand il s'agit d'Éric et de moi. Il regarde encore Rue Sésame à la télé!

Sara ricana.

— Mary Beth, t'est-il jamais venu à l'idée de faire de la comédie?

— Tu trouves ma vie si comique que ça? répliqua Mary Beth d'un ton faussement scandalisé.

— Absolument, fit Sara en jetant un coup d'œil au réveil sur la table de nuit. Et la mienne est un feuilleton à propos d'une femme active qui décide de reprendre ses études. Je ferais bien de raccrocher. J'ai du travail sur la planche. Il faut que je me creuse la cervelle pour trouver un sujet de thèse.

— Que dirais-tu de « La psychologie d'une séductrice de professeur d'histoire folklorique »?

— Tu es complètement obsédée, Mary Beth! Ne pourrais-tu pas oublier Liam une minute? Je vais finir par croire que tu es vraiment jalouse.

— *J'en crève!* Non. Sérieusement. Quel sujet vas-tu choisir? Tendance freudienne ou jungienne?

Sara hésita.

— Euh... Peut-être quelque chose à propos du chagrin.

— Pardon?

— En fait, j'y songe depuis un moment. Après la mort de mon père, il y a deux ans, je suis passée par une période difficile. À vrai dire, ma réaction m'a beaucoup surprise. Nous savions qu'il allait mourir. Je croyais m'être préparée à l'inévitable. Et puis, BANG! Ça te tombe dessus comme une tonne de briques. J'ai vraiment perdu les pédales. Je ne savais plus du tout où j'en étais.

Elle soupira.

— Je suis désolée, murmura Mary Beth d'une voix à peine audible. Je t'ai envoyé un mot quand j'ai appris la nouvelle. Et puis je n'ai plus entendu parler de toi. J'ai pensé...

— Maman a insisté pour que nous consultions ensemble une psychologue spécialiste du deuil, poursuivit Sara. J'ai trouvé cette idée stupide, mais j'ai accepté pour lui faire plaisir. Cette femme s'est révélée admirable. Elle nous a parlé des cinq étapes du deuil que chacun traverse — incrédulité, culpabilité, etc. —, en des termes si précis que tout est devenu clair dans mon esprit.

« Alors quand j'ai su que je devais rédiger une thèse pour le séminaire du docteur Barbant, j'ai tout de suite pensé à cette psychologue. Je me suis dit que je pourrais peut-être écrire quelque chose sur le deuil.

— Sara, est-ce que cela ne risque pas de remuer un tas de souvenirs pénibles ?

— Non, je ne pense pas... Écoute-toi. Tu te fais encore du souci pour moi ! Quel est ton problème, Mary Beth ? Depuis quand as-tu un complexe maternel ? Tu as toujours été...

À ce moment-là, un bip retentit sur la ligne.

— Oh, attends. J'ai un autre appel.

C'est peut-être Liam, pensa-t-elle, le cœur battant.

— Tu as un signal d'appel ?

— C'est gratuit. La compagnie du téléphone te le met d'office quand elle installe la ligne. Une offre de lancement ou quelque chose comme ça. Il faut que j'y aille. Je te rappelle demain, d'accord ?

Encore un bip.

— Entendu. Salut.

Sara s'empressa d'appuyer sur la touche la reliant à son autre interlocuteur.

— Allô ?

Une voix rauque se fit entendre à l'autre bout du fil. À peine un murmure.

— *Allô, Sara ?*

— Oui, c'est moi.

— *Vous tenez à la vie, Sara ? Si vous y tenez, éloignez-vous de Liam !*

17

Garrett réprima un haut-le-cœur. Il était à deux doigts de régurgiter son dîner.

Il ferma les yeux. Déglutit.

Encore un meurtre, d'une atrocité indescriptible.

Il faut que je regarde. Je n'ai pas le choix. C'est mon boulot.

Ouvre les yeux, Garrett. Fais ton travail.

— Je peux faire quelque chose pour vous, Garrett?

C'était la voix inquiète de Walter, quelque part derrière lui.

Ses jambes flageolaient. Il avala de nouveau sa salive qui avait un affreux goût amer et manqua de s'étrangler.

Comment vas-tu m'aider, espèce de gros porc? Cette femme a été réduite en miettes ici, sur le trottoir, et je n'ai qu'une seule envie : détourner le regard. Ou prendre la fuite. Comment peux-tu m'aider, je te le demande?

Il inspira profondément et retint son souffle en attendant que ses entrailles cessent de se tordre.

Comment se fait-il que Columbo ne dégobille jamais?

Lorsqu'il rouvrit les yeux, l'éclat éblouissant des lumières rouges le fit cligner des paupières. Des sirènes hurlaient au loin. Une ambulance monta sur le trottoir et s'immobilisa à quelques mètres du corps, phares et moteur éteints.

Pas besoin d'une ambulance, pensa-t-il amèrement. Il nous faudrait plutôt un aspirateur pour la ramasser celle-là.

Des badauds observaient la scène en silence, tapis dans l'ombre au pied de l'immeuble voisin. Visages tendus. Lèvres serrées. Yeux écarquillés.

Le regardant debout là, impuissant, paralysé par l'horreur.

— Walter, vire-moi tout ce monde! Mets des barricades. Faisons comme si on était de vrais flics. Éloigne-les! Hep, vous autres! Vous êtes sur le lieu d'un crime! Allez-vous-en d'ici!

La gorge serrée, douloureuse.

Walter se précipita vers la foule en agitant ses bras.

— Reculez, reculez, tout le monde. Allez, allez! Circulez, y a rien à voir. Rentrez chez vous. Rien à voir, je vous dis.

Rien à voir?

Garrett cilla des yeux. À quatre pattes sur le trottoir, les infirmiers en uniforme blanc de l'hôpital de Freewood, armés de pinces chirurgicales, recueillaient des lambeaux de chair qu'il déposait dans des bocaux stérilisés. Garrett ne pouvait pas se fier à ses hommes pour faire ce travail. Il avait insisté pour que l'hôpital s'en chargât.

Certains fragments de peau n'étaient pas plus épais qu'une plume. D'autres nettement plus épais. On aurait dit des bandes de caoutchouc mousse tachées de sang, mais toutes sèches et rebiquant aux extrémités.

Il était arrivé sur place moins de deux minutes après le coup de fil. Il parlait au téléphone avec Angel, se querellant avec elle une fois de plus à propos de la proposition de son frère, de leur déménagement éventuel, quand un bip sur la ligne les avait interrompus. Une voix de femme glapissante, hystérique, incohérente, hurlant des noms de rue. Si près du campus. Et du site du précédent crime.

Le regard de Garrett s'était d'abord posé sur la carcasse imprégnée de sang, les côtes, blanches comme le clair de lune, faisant saillie sous la peau lacérée. Les jambes nues. Écartées en un V qui n'avait rien de naturel. Les vêtements arrachés. Une rotule jaillissant à travers la peau déchirée.

Au moment où il détournait la tête, Garrett avait aperçu son visage, les yeux exorbités le fixant d'un air accusateur.

Combien de temps était-elle restée en vie? Respirait-elle encore lorsqu'il l'avait écorchée?

L'avait-il tuée d'abord? Ou s'était-elle vue dépecée, déchiquetée comme du papier d'emballage?

C'est cette pensée qui avait expédié Garrett précipitamment au bord du trottoir, les yeux hermétiquement clos.

Son estomac avait fini par se calmer, mais il avait toujours l'impression de nager dans un courant rouge vacillant, se démenant pour garder la tête au-dessus de l'eau, et ce goût amer s'attardait dans sa gorge. Chaque inspiration lui demandait un effort prodigieux.

Le corps avait été vidé comme un poisson. Les organes s'étalaient sur le trottoir. Un tas d'entrailles serpentant sur High Street. Il se força à concentrer son attention sur les ambulanciers en train de passer le sol au peigne fin, récupérant un à un les spécimens de peau du bout de leurs pinces argentées.

— Vous croyez que c'est un cannibale ou quelque chose comme ça?

Walter surgit tout à coup à côté de lui telle une sirène dans un ballet aquatique.

Et Garrett continuait de nager, nager dans le courant.

Il avait une furieuse envie d'engueuler Walter. *Fais donc quelque chose d'utile!* Mais ce n'était pas à Walter qu'il en voulait.

C'était sa propre impuissance qui le mettait hors de lui.

Il s'en rendait parfaitement compte. Même lui!

— Un drôle de cannibale, répéta Walter en secouant la tête.

Comme si cela suffisait à tout expliquer.

Garrett entendit une sorte de gémissement déchirant. Quelqu'un était en train de vomir, derrière l'immeuble. L'un des ambulanciers.

Comment pouvait-on ne pas être malade? se demanda-t-il en avalant sa salive.

Si seulement il y avait moyen d'interroger quelqu'un. Ou bien un indice. Un revolver couvert d'empreintes.

Mais l'assassin n'était même pas armé.

De quoi se servait-il pour découper les chairs et gratter les os? D'un couteau?

Cela doit lui prendre un temps fou! Dans ce cas, quelqu'un l'avait peut-être aperçu en passant. En voiture, par exemple? On l'avait peut-être surpris.

Un témoin oculaire.

Garrett leva les yeux vers la foule de badauds que Walter avait réussi à regrouper près de l'immeuble d'à côté. Il les vit agglutinés sous l'éclairage faiblard d'une petite cour rectangulaire tapissée d'herbes.

Le criminel revient toujours hanter les lieux du crime.
Ou bien était-ce seulement dans les films?

Le meurtrier se trouvait-il parmi ces spectateurs à la
mine sinistre? Ravi d'assister à la scène? Portant encore sur
les mains le sang de sa victime?

— Walter, va jeter un coup d'œil sur ce petit monde,
lança-t-il en pointant le menton vers la courette.

— Hein?

— Les badauds. Va les inspecter. Cherche des traces de
sang. Quoi que ce soit de louche.

La bouche de Walter s'ouvrit toute grande. Il n'en pouvait plus d'excitation.

— Vous croyez vraiment...?

— Je ne crois rien du tout. Va jeter un coup d'œil, c'est
tout.

Walter prit docilement la direction de la cour, les doigts
crispés sur la crosse de son revolver.

Dire que je l'autorise à porter une arme! Cette prise de
conscience dissipa d'autres pensées plus graves. Aurais-je
perdu la tête?

— On a trouvé une pièce d'identité, chef.

C'était Ethan, pâle comme la mort, les sourcils froncés,
serrant et desserrant les mâchoires.

Garrett braqua son regard sur le policier dont le crâne
chauve scintillait dans la lumière rougeoyante du gyrophare.
Où a-t-il mis sa casquette? L'aurait-il perdue?

— Une pièce d'identité?

— Oui. On a fouillé son sac.

— Et son portefeuille était toujours là?

Ethan hocha la tête.

— On ne lui a rien pris, d'après ce que Harvey et moi
avons pu voir. Il n'y a pas eu de vol.

Non. Juste une petite mise en pièces de rien du tout.

Garrett soupira.

— Qui est-ce, Ethan? Je veux dire, qui était cette fille?

— Elle s'appelle DeHaven. Andrea DeHaven. Elle habitait de l'autre côté du campus. Dans Forrest Street.

— Vous avez mis son sac dans une pochette?

— Ouais. Et j'ai fait gaffe, patron. Pour ne pas risquer
d'effacer les empreintes digitales. Mais, oh la vache...

Une brusque montée d'émotion. Le masque d'indifférence craquait.

— Je vais faire des cauchemars. Pendant longtemps !

Garrett vit les épaules étroites sautiller sous l'effet de frissons irrésistibles.

— Vous n'êtes pas le seul, Ethan.

À ce moment, le médecin s'approcha de lui. Comment s'appelait-il déjà ? Il l'avait déjà rencontré des milliers de fois, mais il n'arrivait jamais à se souvenir de son nom. Bref hochement de tête en guise de salut.

— Vous avez quelque chose pour moi, docteur ?

— Elle a été écorchée vive, puis étripée, inspecteur.

Il ne tourne pas autour du pot, celui-là, pensa Garrett en avalant sa salive de travers. Il voulut répondre, mais les mots restèrent coincés au fond de sa gorge.

Quand il retrouva finalement l'usage de la parole, une question pas très professionnelle lui échappa :

— Docteur, quel genre d'individu commet ce genre de crime ?

Le médecin leva vers lui ses yeux injectés de sang. Il répliqua sans desserrer les dents :

— J'en sais bougrement rien, mais il faut avoir une force de tous les diables en tout cas.

18

Des coups répétés à la porte tirèrent brutalement Sara de sa rêverie. Il y avait près d'une demi-heure qu'elle regardait fixement la même page du livre posé sur ses genoux — un traité de Camille Paglia qu'elle était censée lire pour son cours sur la psychologie de la Nouvelle Femme — sans cesser de penser à la menace chuchotée à l'autre bout du fil d'une voix sifflante.

Une farce idiote, à l'évidence. Mais de qui s'agissait-il ?

Probablement quelqu'un qui se trouvait à la réception de Milton la semaine précédente, se dit-elle. Quelqu'un qui l'avait vue passer toute la soirée en compagnie de Liam et les avait surpris lorsqu'ils étaient partis ensemble. À moins qu'on ne les ait aperçus ce soir chez Spinnaker.

Une collègue jalouse?

Cela faisait à peine un mois que Liam était à Moore State. Était-ce suffisant pour qu'une femme s'attache à lui de manière si possessive qu'elle en vienne à lui téléphoner pour proférer une menace pareille?

Était-ce une femme?

Rien n'était moins sûr. La communication était mauvaise. Il y avait de la friture sur la ligne et les mots avaient été murmurés d'une voix étouffée.

Soudain glacée, Sara avait enfilé un pyjama à manches longues, qui avait appartenu à Chip, des chaussettes en laine blanches et sa robe de chambre de flanelle si douillette. Elle mit de l'eau à chauffer pour faire du thé.

Dehors, le vent hurlait, ébranlant les vitres. L'un des désagréments d'un appartement en coin. Elle fit les cent pas entre la minuscule cuisine et le salon en se frottant énergiquement les bras, attendant que la bouilloire se mît à siffler. Elle réfléchissait, essayant de se remémorer les visages, entrevus durant la soirée.

Une foule de gens étaient venus saluer Liam. Il avait été très aimable avec tout le monde, chaleureux même, sans se montrer particulièrement démonstratif ou affectueux avec qui que ce soit. Elle s'efforça de se rappeler si une jeune étudiante ou une enseignante s'était attardée auprès de lui plus longtemps que les autres, de se souvenir d'un signe manifeste d'intimité, d'une familiarité excessive. D'une paire d'yeux braqués sur lui, l'épiant à son insu.

Non. Elle n'avait rien remarqué de tel.

Le parquet grinçait sous ses pas. Quand la bouilloire se mit à siffler, elle fut tentée de téléphoner à Liam. Pour lui demander son avis sur sa mystérieuse interlocutrice. Un prétexte comme une autre pour lui parler.

En versant l'eau bouillante dans sa tasse, sentant la vapeur chaude sur son visage, elle commença à retrouver son calme. Elle rajouta une cuillerée de miel et regarda l'eau changer de couleur. Elle se réchauffa en serrant la tasse entre ses mains. Cela la réconforta un peu. Finalement, elle retourna s'asseoir dans le fauteuil près de son lit, et ouvrit l'ouvrage de Paglia au chapitre qu'elle devait lire.

Il était question de l'évolution des appétits sexuels. Elle aurait dû trouver cela intéressant. Mais les mots se brouillaient sous ses yeux, tandis que ses pensées revenaient inexorablement vers Liam.

Se contentait-il vraiment de flirter avec elle ? Dans ce cas, pourquoi s'en prenait-il à elle plutôt qu'à une autre ? Elle avait éprouvé une vive attirance pour lui dès leur première rencontre. Mais elle avait été très surprise qu'il se souvienne d'elle.

Ce soir, pendant le dîner, il l'avait charmée avec ses drôles de superstitions. Il en connaissait des quantités dont elle n'avait jamais entendu parler.

Qu'est-ce que c'était que cette histoire qu'il avait racontée à propos de sa serviette ? Ah oui ! Au moment où elle l'avait prise sur ses genoux pour la plier, juste avant de partir, il l'avait arrêtée d'un geste. « Plier sa serviette à la fin d'un repas signifie que l'on dit adieu à l'amitié. Si vous faites ça, je ne vous reverrai jamais », s'était-il exclamé en faisant une moue affectée. Mais son regard était triste.

Elle s'était empressée de rouler sa serviette en boule et l'avait jetée négligemment sur la table. Ils avaient ri de bon cœur.

Une autre fois, il avait insisté pour qu'ils servent le thé ensemble en posant sa main sur la sienne. La chaleur de ce contact et la force surprenante de sa poigne l'avaient fait frémir comme sous l'effet d'une décharge électrique.

Pourquoi avait-il insisté pour tenir avec elle la petite théière en porcelaine ? Qu'est-ce que cela pouvait bien avoir de magique ? Il avait refusé de lui répondre, mais un sourire ravi éclairait son beau visage et une lueur malicieuse dansait au fond de ses yeux, comme s'il venait de lui jouer le tour le plus merveilleux du monde.

Sara fixait toujours la même page. Son thé avait refroidi. Une mare sombre dans le fond de sa tasse. *Je dois bien avoir un livre sur la superstition quelque part. Dans les cartons que je n'ai pas déballés.*

En entendant frapper, elle ferma son livre brusquement et jeta un coup d'œil au réveil. Presque minuit. Qui pouvait bien venir lui rendre visite à une heure pareille ? Mary Beth ?

Puis une pensée plus exaltante : Liam ?

Elle se leva d'un bond, tirailla sur sa robe de chambre et resserra sa ceinture de manière à dissimuler son pyjama trop grand.

On cogna de nouveau à la porte. Avec vigueur.

Elle vérifia sa coiffure dans la glace avant de se précipiter dans la petite entrée.

— Qui est là ?

Pas de réponse. Puis un « Sara ? » à peine audible.

Elle ouvrit la porte et resta bouche bée devant son visiteur.

— Milton ?

Il se tenait sur le seuil, pantelant. Un éléphant en tenue de jogging. Il transpirait à grosses gouttes en dépit du vent glacial qui soufflait en rafales. Elle vit son visage écarlate sous l'éclairage faiblard du couloir. Ses cheveux blancs étaient tout aplatis sur son crâne mouillé.

— Milton, que se passe-t-il ?

— Rien. Je faisais un petit footing...

Il bredouillait entre deux respirations haletantes, son ventre tressaillant sous son épais sweat-shirt gris.

— Oh ! Vous m'avez fait peur. J'ai cru... j'ai cru...

J'ai cru que vous aviez une crise cardiaque. Elle n'acheva pas sa phrase.

— Vous êtes sûr que ça va ?

Il prit une profonde inspiration en s'appuyant des deux mains contre le chambranle de la porte.

— Oui, oui, ça va. J'avais du travail à faire au bureau. Et puis je me suis senti énervé. Trop remonté. Alors j'ai décidé d'aller courir un peu. J'ai traversé le campus au pas de course. En passant devant votre immeuble, j'ai...

Il lorgnait l'échancrure de sa robe de chambre.

— Milton, il est si tard.

Il haussa les épaules.

— Ça me détend de courir.

Quel était le véritable motif de sa visite ? Espérait-il qu'elle le laisserait entrer ?

Elle eut soudain la vision terrifiante de Milton essayant de s'introduire chez elle de force.

Il la fixait à présent dans le blanc des yeux, comme s'il cherchait quelque chose dans son regard.

— Désolé de vous déranger si tard. Vous ne dormiez pas, j'espère?

Il guigna par-dessus son épaule, inspectant discrètement l'appartement. Il veut savoir s'il y a quelqu'un chez moi. Liam?

— Sara, je voulais vous apporter des clés. Je pars quelques jours pour Atlanta. Une histoire de famille. J'aimerais que vous vous occupiez du bureau. Enfin, que vous répondiez au téléphone et que vous épluchiez le courrier.

— Pas de problème, Milton. Je...

Il lui tendit un trousseau de trois ou quatre clés.

— Mais vous saignez, Milton!

Il leva la main, surpris.

— Ah oui. Ce n'est pas grave. Ça va sécher.

Elle le saisit par le poignet pour examiner la blessure d'un peu plus près.

— C'est assez profond. Comment vous êtes-vous fait ça?

— Je ne sais pas, répondit-il, visiblement gêné. Probablement avec un objet tranchant. Je ne m'en souviens pas.

À ce moment-là, elle remarqua une tache sombre sur le côté de son pantalon. Encore du sang?

— Je n'arrive pas à croire que vous n'ayez rien senti. Vous avez dû beaucoup saigner.

Un sourire étrange plissa ses joues.

— Je suis un dur-à-cuire, Sara, dit-il tout en la couvant des yeux. Il faut plus qu'une égratignure pour attirer mon attention.

Il lui mit les clés dans la main.

— Celle qui est argentée ouvre la porte donnant sur le couloir. L'autre, mon bureau, lui expliqua-t-il en manipulant le trousseau de ses doigts ensanglantés. La petite, celle qui ne ressemble pas aux autres, c'est la clé du classeur où sont rangés les dossiers des étudiants.

Sara repoussa ses cheveux de sa main libre.

— Je n'en aurai probablement pas besoin, remarqua-t-elle.

— On ne sait jamais.

Elle saisit la quatrième clé, en cuivre, plus brillante que les autres.

— Et celle-là?

Il la regarda intensément. Elle eut soudain l'impression qu'il essayait de voir en elle, de lire dans ses pensées.

— C'est la clé de chez moi.

— Comment?

— Ça vous fera peut-être plaisir de passer un jour.

Ces yeux gris métallique fouillant les siens comme des torches. Qu'essayait-il de faire? L'hypnotiser?

— À l'improviste... me faire une surprise... Qui sait?...

— Milton, je ne crois vraiment pas que...

— Garde-la, lâcha-t-il sèchement, avant d'ajouter d'un ton radouci : Garde-la au cas où.

Il replia ses doigts sur le trousseau et cessa finalement de la fixer bien que son regard retournât errer vers sa gorge.

— Je boirais bien quelque chose. Pas vous? Je sais qu'il est tard mais peut-être...

Il avait recommencé à haleter.

Un frisson de peur la parcourut. Je n'ai vraiment pas envie qu'il entre. Ai-je tort d'être aussi méfiante? Je travaille pour lui après tout. Il ne peut pas m'arriver grand-chose.

C'est vrai au fond.

Elle ne tenait pas à le vérifier.

— Je suis désolée. Je n'ai rien à boire. Je n'ai pas eu le temps... Je... enfin, il est vraiment tard, Milton. Vous voyez bien que j'étais sur le point d'aller me coucher.

Vous avez regardé mon pyjama avec suffisamment d'insistance!

Il soupira. Se gratta le crâne. Se pencha vers elle. Il va m'écarter de son chemin et entrer de force, pensa-t-elle en sentant son estomac se crisper. J'avais raison!

Elle se cramponna à la porte, prête à la lui fermer au nez.

Milton fronça les sourcils. Brandit sa main ensanglantée.

— Je ferais mieux de rentrer chez moi pour laver ça de toute façon. Mettre un peu de désinfectant. Je viendrai boire un verre une autre fois.

Il eut un petit rire sec, comme s'il avait dit quelque chose de drôle.

— Votre dîner avec Liam s'est bien passé?

Sara frémit de nouveau. Pourquoi est-ce qu'il me demande ça? Est-ce qu'il m'épie? Serait-ce la raison pour laquelle il est venu ici?

— Oui, très bien. Il est vraiment sympathique.

Sympathique? Joli vocabulaire, Sara.

Milton se remit à respirer bruyamment et un curieux sifflement jaillit du fond de sa gorge. Encore un coup d'œil dans l'appartement. Il cherche Liam?

— Il a insisté pour que je vous invite.

— Pardon?

— La semaine dernière. À ma soirée. C'est lui qui a insisté pour que je vous invite.

— Vraiment?

Son étonnement était sincère. Sara s'aperçut qu'elle rougissait.

— Évidemment j'avais prévu de vous inviter, ajouta-t-il en l'inspectant une fois de plus des pieds à la tête. Liam est un type charmant. D'une grande intelligence. Un vrai bourreau des cœurs, d'après ce que je me suis laissé dire.

Sara eut un petit rire forcé.

— Je ferai attention dans ce cas.

Je vous en prie, Milton, allez-vous-en. Rentrez chez vous.

— Bon... En attendant...

Il examina une nouvelle fois sa coupure.

— Navré de vous avoir dérangée si tard, Sara. Mais je pars de bonne heure demain matin. Je serai de retour mercredi. Je me demande bien comment je me suis coupé. C'est une vilaine plaie.

— Nettoyez-la consciencieusement, dit-elle, soulagée de le voir s'éloigner dans le couloir. Vous avez de la chance de ne pas avoir besoin de points de suture.

Elle verrouilla la porte, mit la chaîne, s'adossa au chambranle et ferma les yeux. En serrant la main, elle sentit le trousseau de clés contre sa paume.

Pourquoi m'a-t-il apporté les clés de chez lui? Au cas où je voudrais lui faire une surprise! Qu'entendait-il par là?

Quel homme étrange! Tout ce sang et il ne s'en était même pas aperçu.

Elle rouvrit les yeux et pensa à Liam. « *Liam a insisté pour que je vous invite.* » C'était ce que Milton lui avait dit. « Que se passe-t-il, Liam? » murmura-t-elle.

Se pouvait-il que ce soit le coup de foudre?

Prudence, Sara, prudence.

Écoute Mary Beth. Tu n'as jamais été capable de choisir un homme qui te convienne.

Et si c'était lui qui m'avait choisie ?

En passant devant la cuisine, elle aperçut la théière sur la table. Du coup, elle repensa au livre sur les superstitions. L'avait-elle emporté ? *Je suis complètement réveillée et je n'ai aucune envie de lire Camille Paglia. Autant vérifier tout de suite.*

Elle avait apporté quatre cartons de livres, y compris tous ses anciens manuels de cours. Elle n'avait pu en ranger qu'une partie sur les rayonnages du salon et en avait donc fourré deux boîtes pleines sous son lit.

Je crois bien me souvenir de l'avoir vu, se dit-elle en s'agenouillant pour extirper le carton le plus accessible de sa cachette. Il était couvert de poussière. Un répertoire des superstitions. Par ordre alphabétique. Elle s'en était servie en première année pour une dissertation.

J'avais eu une très bonne note, se rappela-t-elle, en sortant une pile de bouquins qu'elle posa à côté d'elle sur le tapis. *Quelle bonne élève je fais ! Je serai probablement étudiante jusqu'à la fin de mes jours !*

Ou j'épouserai Liam et coulerai des jours paisibles sur les campus universitaires.

Pas désagréable comme perspective !

Elle trouva l'ouvrage en question au fond du premier carton. Elle le feuilleta rapidement, fixant son regard sur les minuscules caractères.

Je parie qu'il existe des millions de superstitions sur le thé.

Il y en avait trois pages. Elle passa vite sur « arbre à thé, feuilles de thé, infusion du thé, remuer le thé » et s'arrêta net sur « verser le thé ». *J'avais raison. Il existe bien une superstition à ce sujet. Tu vois, Liam, tu pensais t'en tirer à bon compte ! Tu t'imaginais pouvoir blouser cette pauvre Sara qui ne connaît rien à rien. Voyons. Voyons ce qu'ils disent.*

Elle rapprocha le livre de ses yeux et lut :

Romney Marsh, Kent. 1932. Si un homme et une femme versent du thé en tenant la théière ensemble, ils auront un enfant.

19

La tasse en porcelaine blanche tinta contre la soucoupe. Liam la posa sur la table basse et se tourna vers Margaret au moment où elle entrait dans le salon.

— Ah! Te voilà!

— Oui, je suis là.

Elle retira son chapeau rond en velours noir à large bord et secoua ses cheveux. Puis elle lança le couvre-chef sur une chaise et entreprit d'enlever ses gants en cuir vert.

— Il fait un froid de canard. On dirait qu'il va neiger.

Liam allongea le bras le long du dossier du canapé et la regarda se débattre avec ses gants. Elle avait de grandes mains. Ses gants étaient toujours un peu justes.

— D'où viens-tu?

Elle parvint à en extirper un et le jeta sur le chapeau. Ses cheveux lui tombaient dans les yeux. Elle les repoussa d'un geste.

— Je suis allée à Northport en voiture. Il y a toute une rue de magasins d'antiquités. C'est très pittoresque.

La télévision bourdonnait à l'autre bout de la pièce. Une pub pour Coca-Cola. Des images-flashes de deux secondes. Tout le monde se gorgeant de Coca.

— Tu as acheté quelque chose?

— Non. Je n'ai fait que flâner. Mais j'y retournerai sûrement.

Elle soupira.

— Je sais que tu trouves que c'est de la folie d'ouvrir une boutique dans cette petite ville.

Elle se débarrassa de son deuxième gant qui connut le même sort que le premier. Après quoi elle déboutonna son manteau en laine noir.

— Mais même si je ne vends que quelques pièces par mois...

Il n'écouta pas la suite. Il soupira en s'agitant sur le canapé, reportant son attention sur la télévision.

— Tu veux du thé? La théière est encore chaude.

Elle ne répondit pas. Il entendit la porte du placard de l'entrée s'ouvrir, l'imagina en train de pendre son manteau. Quelques instants plus tard, elle se laissait tomber à côté de lui; il sentit le froid du dehors imprégnant encore sa longue jupe et son pull-over. Sa main glaciale tapota la sienne. Elle lui sourit, cherchant son regard.

— Et toi? Qu'as-tu fait cet après-midi?

— Pas grand-chose.

Il se concentrait sur l'écran. Les nouvelles locales étaient sur le point de commencer.

— Tu as dîné?

— Pas encore.

Elle laissa sa main sur la sienne pour la réchauffer.

— Tu n'as pas bougé du tout? Tu es resté ici tout l'après-midi?

Il soupira. Retira sa main. Se recroquevilla sur lui-même d'un air penaud.

— Ma foi, oui.

Margaret se mordit la lèvre.

— Quelle tristesse!

— Margaret...

Elle se leva d'un bond pour éviter son coup d'œil furibond et fit le tour de la table basse de manière à lui bloquer la vue du téléviseur.

— Tu n'as rien fait de l'après-midi? Tu as gaspillé un beau dimanche?

Il s'abstint de répondre.

— Pourquoi ne pas avoir appelé Sara? Elle t'aurait peut-être remonté le moral.

— Je voudrais regarder les nouvelles, fit-il en agitant la main.

Elle émit un grognement agacé avant de s'écarter de mauvaise grâce.

— Je lui ai téléphoné, avoua-t-il, les yeux rivés sur l'écran. Nous avons parlé de la délicieuse soirée que nous avons passée ensemble hier soir.

Margaret eut un rire sarcastique.

— Deux dîners avec le grand professeur et elle est éperdument amoureuse ?

Une lueur anima le regard de Liam pour la première fois depuis le retour de Margaret. Il esquissa un sourire.

— C'est bien possible.

Margaret lui rendit son sourire.

— Comment peut-on te résister ? Surtout quand tu fais ton numéro de charme.

— Cela me vient naturellement, Margaret. Je n'ai pas besoin de me forcer.

Il rit, exhibant ses dents parfaites.

— Quelle modestie ! C'est la plus charmante de toutes tes qualités !

— Le sarcasme ne te va pas, ma chère, lança-t-il en jetant un coup d'œil au téléviseur par-dessus l'épaule de Margaret.

Encore de la pub.

— Elle te plaît vraiment ?

Les bras croisés sur sa poitrine, elle n'avait pas la moindre intention de le laisser tranquille.

— Si elle me plaît ? fit-il en se frottant le front. Et comment ! Je la trouve merveilleuse.

— J'en suis ravie pour toi.

— Je lui ai donné rendez-vous samedi prochain. Elle avait l'air enchanté. Nous n'avions rien de prévu, si ?

— Non. Rien de prévu. Sara est notre projet numéro un pour le moment, rappelle-toi.

Il nota une nuance de reproche dans sa voix d'ordinaire si douce.

— Et cette fois-ci, Liam, tu n'as pas droit à l'erreur.

— Je sens que ça va bien se passer ce coup-ci, répondit-il en lui tapotant le dos de la main.

Elle frissonna et retira prestement sa main.

— Je vais peut-être prendre une tasse de thé, après tout. Je ne comprends vraiment pas pourquoi tu n'as pas accepté la proposition de l'université de Los Angeles. Il fait probablement trente degrés en Californie à l'heure qu'il est. Alors qu'ici...

Liam leva brusquement le bras.

— Chut.

Il s'assit tout au bord du canapé et tendit le cou, le regard braqué sur l'écran.

— Encore un meurtre atroce aux abords du campus...

Des images d'un sac en plastique gris brillant que des ambulanciers hissaient d'un air sombre sur une civière.

Liam se leva d'un bond en pressant ses mains l'une contre l'autre. Ses tibias heurtèrent la table basse lorsqu'il la contourna pour se rapprocher de la télévision les yeux rivés sur l'écran.

— Liam! s'exclama Margaret.

— Andrea. La pauvre femme..., marmonna-t-il en secouant la tête, serrant et desserrant les poings. Il avait le nez collé à l'écran.

La victime a été identifiée. Il s'agit d'un agent immobilier, propriétaire de plusieurs maisons dans la région...

Margaret le tira par le bras.

— Éteins ça. Arrête. Liam. Je ne plaisante pas.

Il se dégagea de son emprise en tordant le bras tout en continuant à regarder les images défiler sous ses yeux. Des lumières blafardes dans la nuit. Des policiers à la mine sinistre. Des ambulanciers en blouse blanche allant de-ci de-là.

La police est sur plusieurs pistes. L'inspecteur Montgomery a annoncé qu'une arrestation était imminente.

— La pauvre! chuchota Liam, les yeux embués de larmes.

— Liam! Éteins cette télé. Immédiatement, répéta Margaret, hors d'elle, en essayant en vain de lui reprendre le bras. Ça ne sert à rien de te torturer.

Il se tourna vers elle et la foudroya du regard.

— Il faut que je voie ça. Que je me rende compte.

— Ce qui est fait est fait, répondit-elle en soupirant. Liam, écoute-moi. Ce qui est fait est fait.

Dans la lueur bleutée, elle vit ses traits crispés par le chagrin. Quand les nouvelles prirent fin, il s'approcha de la cage du lapin.

Il se pencha au-dessus de Phoebe, les yeux rivés sur l'animal, marmonnant quelque chose en gaélique. La même phrase, encore et encore. Le lapin réagit en se dressant sur ses pattes de derrière, impatient d'avoir sa carotte.

20

Sara écarta les jambes. Leva les genoux. Elle noua les mains derrière le dos de Liam et ferma les yeux à l'instant où il la pénétra.

Un « Oh! » étouffé lui échappa. Le premier gémissement de plaisir.

Il resta un long moment sans bouger.

Il sent si bon! Le savon.

Est-ce que je rêve?

Se peut-il que nous en soyons déjà là?

Oui. Il promena ses lèvres autour de ses mamelons tout en allant et venant au-dessus d'elle.

— Oh, oh, oh! Mon Dieu.

Elle garda les paupières closes, se cramponnant à lui comme à un songe.

— Oh, oh!

Il l'embrassa avec passion, déposant un chapelet de baisers sur sa poitrine, dans le creux douillet entre ses seins.

Tout en glissant en elle. Avec infiniment de douceur. Glissant. Glissant. Glissant.

Soudain il se fit plus lourd.

Elle s'agrippa à lui, se muant à son rythme.

— Oh, mon Dieu.

Sa joue pressée contre la sienne. Son souffle brûlant tout près de son oreille qui lui donnait la chair de poule.

Ce parfum de savon si suave.

Ses cheveux lui frôlaient le visage.

— Oh, oh, oh, oh.

Je ne rêve pas.

Ça ne pourrait pas être plus réel.

Plus merveilleux.

Elle dut ouvrir les yeux pour s'en convaincre vraiment.

Il s'était redressé en prenant appui sur les mains, les yeux rivés sur les siens. Intenses, fixes, comme s'ils voulaient les pénétrer eux aussi.

Mais il ne souriait pas. Ses lèvres crispées formaient une ligne dure.

Sara sentit son cœur se serrer.

Pas de sourire. Juste ce regard enflammé qui la dévorait. La dévorait. La dévorait.

Soudain, il accéléra le mouvement. Plongeant en elle, à sa rencontre. Avant de remonter pour replonger de plus belle. Leurs corps moites pressés l'un contre l'autre.

Un rythme de plus en plus rapide en harmonie avec leurs respirations. À l'unisson.

Et puis brusquement, il explosa en poussant un faible cri.

Et se blottit contre sa poitrine.

L'orgasme la fit frémir doucement. Doucement. Elle relâcha son étreinte, ses mains glissèrent le long des épaules de Liam.

Elle soupira.

Au bout de quelques secondes, il releva la tête. Souriant. Souriant enfin. Son regard s'était radouci. Des yeux d'ourson. Il s'écarta légèrement d'elle, ruisselant de sueur, et l'embrassa. Délicatement d'abord, puis avec fougue, sa langue explorant sa bouche.

Un long baiser, tandis qu'il demeurait en elle. Comme s'il voulait que cet instant dure éternellement.

Je viens de faire l'amour avec Liam.

Si vite! Si vite!

Comme je suis heureuse!

C'est à cause des jonquilles, pensa-t-elle, lui rendant son baiser tout en lissant ses cheveux noirs, tout humides. Oui. À cause des jonquilles.

Il était arrivé chez elle avec un bouquet de jonquilles dorées comme le soleil de juin.

— Où avez-vous trouvé des jonquilles en octobre? s'était-elle exclamée en portant ses mains à son visage. Avant d'ouvrir la porte, elle avait inspiré profondément, se composant un masque de sérénité.

Mais la vue des jonquilles lui avait fait perdre son sang-froid.

— Ce sont mes fleurs préférées. Comment le saviez-vous ?

— Magique ! avait-il répliqué, montrant par son sourire radieux à quel point sa réaction lui faisait plaisir.

Il lui avait mis le bouquet enveloppé de papier de soie dans les bras.

— La magie est la réponse à vos deux questions.

Elle avait éclaté de rire.

— J'ignorais que je dînais en compagnie d'un magicien ce soir.

Il l'avait suivie dans l'appartement, passant en revue le petit salon.

— Évidemment. Vous ne pouviez pas le savoir.

— Elles sont magnifiques. C'est vous qui les avez fait pousser, monsieur le magicien ? Un coup de baguette magique. Toc ! Et elles sont sorties d'un chapeau haut de forme ?

Il avait grimacé un sourire en se frottant la joue.

— J'ai brandi une Mastercard magique. Et elles sont apparues. Probablement de quelque part en Amérique du Sud... Sympathique, cet appartement ! Très douillet.

— Minuscule, vous voulez dire.

— Exactement.

Ils avaient ri.

Elle l'avait entraîné dans la cuisine.

— Je crois bien que j'ai un vase, avait-elle dit en ouvrant un placard. Mais où ai-je bien pu le mettre ? Je n'ai pas encore déballé la moitié de mes affaires. J'ai manifestement du mal à admettre que je suis de retour ici pour de bon.

Il avait gloussé en se rapprochant d'elle.

— Vous parlez comme une étudiante en psychologie, Sara.

Elle s'était tournée vers lui et l'avait inspecté à la dérobée. Il portait un pull ras du cou beige sous une veste de sport en lainage marron nantie de protège-coudes. Un jean impeccable. Des bottes de cowboy noires.

Très universitaire, pensa-t-elle.

Elle s'était félicitée de s'être habillée simplement. Elle avait mis un pantalon en soie noire et un col roulé à torsades gris argent. Son collier de perles en verre noir — cadeau de Chip — cliqueta lorsqu'elle tendit les bras pour attraper le vase qu'elle avait enfin déniché.

Liam s'était mis à déballer le bouquet en fredonnant.

— Il faut que nous trouvions deux boutons qui n'ont pas encore éclos, avait-il déclaré avec le plus grand sérieux.

— Pourquoi faire ? avait-elle demandé en se retournant.

— Nous devons les mettre à part dans un verre d'eau. C'est une très vieille superstition qui permet de déterminer si deux êtres deviendront amants.

Sara s'était dirigée vers l'évier pour remplir le vase.

— Continuez. C'est passionnant ce que vous me racontez là.

Elle avait les joues en feu.

— On prend deux boutons et on les plonge ensemble dans un verre d'eau. S'ils se tournent l'un vers l'autre et s'entremêlent, c'est la preuve d'un amour véritable.

Elle avait souri, amusée par sa mine solennelle.

— Et s'ils se détournent l'un de l'autre ?

— Dans ce cas, on en prend deux autres, avait-il répliqué, les yeux brillants.

On dirait vraiment qu'il tient à moi, avait-elle pensé.

Son cœur s'était mis à battre la chamade. Elle avait saisi les jonquilles par leurs tiges, se disposant à les arranger dans le vase.

À sa grande surprise, Liam s'était penché vers elle tout à coup pour l'embrasser. Il avait failli manquer sa bouche. Ses lèvres chaudes, humides, effleurèrent les siennes. Prise de vertige, elle avait levé la tête et lui avait rendu son baiser.

Les jonquilles lui avaient échappé, s'éparpillant sur la table. Un enchevêtrement de fleurs jaunes, de tiges vert vif, intimement mêlées les unes aux autres.

Au restaurant, une jeune femme s'était approchée de leur table. Liam qui lui tenait la main s'était empressé de la lâcher.

— Docteur O'Connor, s'était exclamée l'intruse, encore vous !

Elle s'était plantée devant Liam et avait plongé son regard dans le sien sans vergogne, comme s'il était seul.

Elle était très jolie. Des yeux verts, en amande. Des pommettes saillantes. Des cheveux roux, magnifiques, tout frisés, mis en valeur par le ton vert bouteille de son long pull assorti à son pantalon moulant.

— Sara, je vous présente Devra Brookes, avait-il dit d'un ton désinvolte, pas vraiment étonné de tomber sur elle apparemment. Sara Morgan. Mais peut-être vous êtes-vous rencontrées l'autre soir chez Milton ?

Elles avaient échangé un petit signe de tête, Devra lui lançant un vague bonjour avant de reporter son attention sur Liam.

— On mange merveilleusement bien ici, vous ne trouvez pas ? Je viens très souvent.

— Nous venons juste de commander, avait répondu Liam en glissant un regard en coulisse à Sara. L'eau est très bonne. C'est tout ce que je peux dire pour l'instant.

Puis il avait levé son verre pour trinquer à la santé de Devra.

Elle avait ri.

— Je suis là-bas avec des amies, avait-elle précisé en désignant une table contre le mur où trois jeunes femmes bavardaient. Je voulais juste vous dire bonjour. Je vous ai vus entrer. Alors vous vous plaisez à Moore State, Liam ?

— Jusqu'à présent, tout va bien. Je me suis déjà fait quelques amis, avait-il ajouté en gratifiant Sara d'un sourire entendu.

Devra avait jeté un coup d'œil à sa table où une serveuse était en train de déposer de grandes assiettes de travers de porc et de poulet cuits au barbecue.

— Il est temps que je regagne ma place. Passez-moi un coup de fil un de ces jours, d'accord ? Nous parlerons du bon vieux temps à Chicago ! avait-elle ajouté en riant.

Elle avait fait mine de s'en aller avant de se retourner :

— J'habite rue Tremont.

À mi-chemin, elle avait fait volte-face encore une fois pour lancer à Sara :

— Ravie de vous avoir rencontrée.

Puis elle avait rejoint ses compagnes.

Liam les avait observées un moment. Son regard s'était attardé sur Devra. Un peu trop longtemps. Avant de se reporter sur Sara.

Elle avait bu une gorgée d'eau.

— Qui est-ce ? avait-elle demandé d'une petite voix.

— Devra ? Une de mes anciennes étudiantes. À Chicago. Elle a changé d'université l'année dernière. Je suis tombé sur elle l'autre jour, chez Milton.

— Il me semblait bien l'avoir déjà vue quelque part. Ah oui! Je me souviens maintenant. Il faut dire qu'on peut difficilement oublier une chevelure aussi spectaculaire.

— C'est une chic fille, avait-il marmonné, soudain distant.

Un serveur leur avait apporté les margaritas qu'ils avaient commandés.

— Avez-vous été proche de beaucoup de femmes, Liam?

Ses mots lui avaient échappé avant qu'elle ait eu le temps d'y réfléchir à deux fois.

Quelque chose dans la manière dont Devra avait regardé Liam l'avait incitée à se poser la question. Mais elle n'avait pas l'intention de la formuler à haute voix!

Elle aurait voulu ravaler ses paroles, les effacer d'un coup de baguette magique. Que la terre l'engloutisse!

Qu'est-ce qui m'a pris?

Elle s'était forcée à lever les yeux vers Liam. Un sourire amusé flottait sur ses lèvres. Il ne paraissait ni surpris ni troublé.

— Sara, connaissez-vous le vieux proverbe irlandais: « Il ne faut jamais poser de questions au chat »?

— Euh? Non, je...

Elle était mal à l'aise pour deux!

Liam s'était penché vers elle, une lueur malicieuse dans le regard.

— Je vais vous dire pourquoi il ne faut pas lui poser de questions. Parce qu'il risque de vous répondre!

Il avait attendu qu'elle rie pour en faire autant.

Puis il avait pris sa main dans les siennes.

— Vous avez un rire merveilleux!

Ce n'était peut-être pas les jonquilles, après tout.

Peut-être était-ce ce moment, hors du temps, quand il avait pressé sa main si fort.

À cet instant précis, elle était tombée amoureuse de lui.

Amoureuse?

Sara avait jeté un coup d'œil à la ronde dans le restaurant brillamment éclairé et bondé. Des tables en formica roses et bleues dans le plus pur style des années cinquante. Des sets de table en papier, clamant le nom du restaurant en caractères d'imprimerie imitant le lasso: TEXAS. Des chapeaux de cow-boy Stetson aux murs. Des trophées au-dessus du bar tout en miroirs. Le juke-box contre le mur déversait un flot de musique country. Des arômes exquis de poulet et de travers de porc cuits au feu de bois s'échappaient de la cuisine à l'américaine située au centre de la salle.

Que pouvait-on imaginer de plus romantique ?

Liam était-il aussi séduit par elle qu'elle l'était par lui ? Apparemment c'était le cas. Ils avaient trinqué en faisant tinter leurs verres de margaritas. « Aux nouvelles amitiés ! »

Ils s'étaient remis à parler, échangeant toutes sortes de plaisanteries. Elle se sentait si à l'aise avec lui. À tel point qu'elle n'avait pas hésité une seconde à manger avec les doigts ses travers dégoulinants de sauce. Qu'est-ce que cela pouvait bien faire si elle s'en mettait plein les joues et si la sauce lui coulait sur le menton ?

Ils semblaient avoir tant de choses à se dire, à partager. Liam l'avait fait rire en lui racontant des histoires à dormir debout. Comment se débrouillait-il pour s'en souvenir aussi bien ?

Des rires tonitruants avaient éclaté à une table voisine de la leur. En jetant un coup d'œil par-dessus son épaule, Sara avait vu trois femmes qui trinquaient en levant leurs bocks de bière. L'une d'elles ajouta quelque chose et elles se tordirent de rire à nouveau en rejetant la tête en arrière.

Liam avait esquissé un sourire.

— Cela me rappelle un vieux conte irlandais à propos d'un renard, avait-il dit en posant son aile de poulet dans son assiette avant de s'essuyer les doigts avec sa serviette. Le renard en question avait trois petits et il voulait déterminer lequel d'entre eux serait le plus à même de s'en sortir dans le monde. Il les conduisit dans une grande maison à la lisière de la forêt.

« Ils se tapirent dans le jardin et tendirent l'oreille. Une conversation animée ponctuée d'éclats de rire leur parvenait de l'intérieur. Le vieux renard demanda à ses petits de lui dire qui se trouvait derrière ces murs.

« "Comment peut-on le savoir ?" s'écrièrent les deux premiers.

« Alors, le vieux renard posa la question au troisième :

« "Qui est dans cette maison ?"

« Le renardeau écouta attentivement avant de répondre :

« "Ce sont deux femmes ou bien douze hommes.

— Je ne me fais aucun souci pour toi. Tu t'en sortiras toujours, lui assura son père."

En le voyant sourire, manifestement content de lui, elle avait froncé les sourcils d'un air réprobateur et lui avait administré une petite tape sur la main.

— Voyons, Liam, cette histoire est affreusement misogyne!

— Je sais. Cela vous étonne-t-il que les vieilles légendes irlandaises n'aient rien de politiquement correct?

— Eh bien...

Il avait brusquement retrouvé son sérieux.

— J'ai l'intention d'écrire un livre sur le rôle respectif des sexes dans le folklore irlandais et l'incidence que cela a pu avoir sur notre société. J'ai d'ailleurs commencé à prendre des notes. Ça fera un best-seller, vous ne pensez pas?

À cet instant, Sara s'était aperçue que Devra et ses compagnes, sur le point de partir, enfilaient leurs manteaux. Devra se retourna et adressa un signe de la main à Liam en criant quelque chose qui fut noyé dans le brouhaha et les bruits de vaisselle. Sara n'était pas sûre qu'il avait remarqué ce geste, car il continuait à la couver des yeux.

— Votre amie vous fait signe...

Mais Liam s'était penché vers elle et lui avait mis la main sur la bouche tout en pressant l'index de son autre main sur ses lèvres.

— Chut! Écoutez.

En tendant l'oreille, elle avait entendu un carillon. Il provenait d'une vieille pendule qui se trouvait près du bar en chêne et paraissait déplacée dans ce décor de western. Liam l'avait forcée au silence jusqu'à ce que l'horloge ait fini d'égrener ses neuf coups. Neuf heures.

Ensuite, il avait retiré sa main et l'avait embrassée très tendrement.

— Pourquoi avez-vous fait cela?

— Parce que je vous aime bien, lui avait-il répondu en souriant.

— Non, je veux dire... Pourquoi m'avoir... muselée?

— La pendule sonnait. Il ne faut jamais parler pendant un carillon... Ça porte malheur.

Son air grave la fit rire.

— Est-ce que vous retenez votre souffle quand vous passez devant un cimetière ?

Il avait hoché la tête.

— Où avez-vous appris toutes ces superstitions, Liam ? Comment faites-vous pour les connaître par cœur ?

— Mon père... C'est lui qui me les a transmises.

Sara n'avait pu dissimuler son étonnement.

— Votre père ? Vous m'avez dit... qu'il était fermier.

— Oui, il était fermier. On a tout le temps de raconter des histoires quand on vit à la campagne. Mon père était un homme simple à maints égards, un personnage austère, taciturne, mais un merveilleux conteur.

Il avait baissé les yeux en jouant machinalement avec son couteau et sa fourchette croisés sur son assiette.

— Vous voulez un café ?

— Pardon ?

— Voudriez-vous un café ou un dessert ? Leur flan est remarquable. Lourd comme du ciment.

— Et si nous allions prendre le café chez moi ?

Elle avait lancé cette idée avec la plus parfaite désinvolture. En la formulant, elle savait qu'elle coucherait avec lui.

Dans l'entrée de son petit appartement, il avait intercepté son geste quand elle avait voulu allumer la lumière. Ils s'étaient déshabillés dans le noir en riant de leur gaucherie, de leur empressement. Il avait trébuché sur ses chaussures quand elle l'avait entraîné dans sa chambre.

Leur maladresse avait cessé dès l'instant où il s'était mis à la caresser, à l'embrasser, dès qu'il avait été sur elle, en elle.

Après avoir fait l'amour, ils restèrent longtemps blottis l'un contre l'autre en continuant à s'explorer mutuellement, comme s'ils n'arrivaient pas à croire que l'autre était bien réel. Sara déposa un baiser derrière l'oreille de Liam en humant le doux parfum de ses cheveux trempés de sueur.

— Est-ce que cela te rappelle une histoire à propos d'un renard ? chuchota-t-elle.

Il sourit et elle vit son regard s'enflammer dans la faible lumière provenant de la rue.

— À vrai dire oui.

— Ne me la raconte surtout pas, fit-elle en posant un doigt sur ses lèvres.

Elle ne put résister à l'envie de palper à nouveau son dos étonnamment musclé, puis de le serrer tendrement contre elle. En continuant ses caresses, elle vit qu'elle avait à nouveau éveillé sa passion.

Ils firent l'amour une deuxième fois. Cette fois-ci, Liam garda les yeux fermés. Leurs corps, brûlants, ruisselants de sueur, se soudèrent irrésistiblement. Déjà familiers, bien qu'encore étrangers l'un à l'autre.

Elle se cambra sous lui sans le quitter du regard, observant son beau visage aux paupières closes, à la bouche figée par l'extase. Elle le saisit entre ses mains, l'attira à elle et ils échangèrent un long baiser passionné.

Elle aurait voulu que cela ne s'arrête jamais. Mais il y mit fin en s'abattant sur elle, enfouit la tête au creux de son épaule et explosa en elle en poussant un cri rauque, étouffé par le drap.

Ils se cramponnèrent l'un à l'autre. Longuement. Sans parler.

Au bout d'un moment, elle chuchota :

— On a complètement oublié le café.

Ils rirent tous les deux à gorge déployée. Pour rien. Ce n'était pas si drôle au fond. Mais ils trouvèrent cela hilarant. Leur moyen à eux de rejoindre les rives du monde réel.

Un peu plus tard, Liam se rhabilla. Elle fit la moue lorsqu'il vint l'embrasser en lui souhaitant bonne nuit.

— Pourquoi ne restes-tu pas ? C'est ta réputation qui t'inquiète ? le taquina-t-elle.

— Margaret va se demander où je suis passé.

— Appelle-la, répondit-elle en pointant l'index vers le salon. Dis-lui que tout va bien.

— Non, il vaut mieux que j'y aille. Je ne voudrais pas abuser de ton hospitalité.

Pourquoi fait-il tant de cérémonies ?

Encore un baiser. Plus un autre. Elle serra les bras autour de son cou pour le retenir un peu plus longtemps.

Mais il finit par se lever et s'en alla en fermant sans bruit la porte de l'appartement derrière lui.

Sara se laissa tomber sur l'oreiller humide, encore toute frémissante.

Qu'est-ce qui m'a pris ?

Qu'est-ce que j'ai fait ?

Comment est-ce arrivé si vite ?

Tu as vingt-quatre ans, Sara. Ça n'est pas arrivé si vite que ça. Il t'a même fallu des années pour trouver le bon.

L'homme qu'il te faut.

Liam.

Elle se passa la langue sur les lèvres, sentant encore le goût sucré de ses baisers. Promena la main sur son ventre nu en se remémorant le doux contact de sa peau sur la sienne.

La sonnerie du téléphone retentit une quinzaine de minutes plus tard, la réveillant en sursaut. Elle s'était assoupie.

Un coup. Deux coups.

Elle se leva maladroitement. Un peu étourdie. Les jambes flageolantes après avoir tant fait l'amour.

Liam?

Comme c'est gentil.

Elle se précipita dans le salon plongé dans l'obscurité. Lumière gris-bleu de la fenêtre aux rideaux ouverts.

Elle décrocha au milieu de la troisième sonnerie, porta le combiné à son oreille, avide d'entendre sa voix.

— Allô?

— *Éloignez-vous de Liam!*

Ce n'était pas du tout ce qu'elle attendait. Les mêmes chuchotements rauques, laids, que la semaine précédente.

— *Vous tenez à la vie? Je ne plaisante pas. Éloignez-vous de Liam!*

— Qui êtes-vous? bredouilla-t-elle, folle de rage. Mais qui êtes-vous à la fin?

21

Quand Liam pensait à la maison de son enfance, en Irlande, une odeur de bacon lui chatouillait les narines. De bacon, de navets finement tranchés et d'oignons rissolant dans une poêle sur le fourneau de la cuisine, la plus grande pièce de la fermette que son grand-père avait bâtie de ses propres mains.

En 1970, Liam avait dix ans. Margaret, un an de moins. Ils vivaient au milieu de terres brunes et désolées, presque aussi tristes que le regard absent de son père.

— La chance nous a quittés, lui avait-il dit. Ses explications s'arrêtèrent là. Contrairement aux Irlandais peuplant les contes qu'il lisait consciencieusement à son fils, Rory O'Connor n'était pas très loquace.

La chance nous a quittés.

Tous les autres fermiers avaient fui les uns après les autres, pour aller vivre en ville, y chercher du travail, abandonnant leur domaine à de grosses entreprises qui sauraient mieux les exploiter.

Mais le père de Liam avait refusé de partir et ils continuaient à vivre là où la plupart des routes pavées se changeaient en chemins de terre, où des champs sans clôtures, envahis de pierraille, s'étendaient à perte de vue. Rory avait forcé sa famille à mener une existence rurale qui avait cessé depuis longtemps dans le reste du pays.

Comme s'il se cachait, pensait Liam. Comme s'il voulait nous dissimuler tout ce qui est moderne dans le monde.

— Pourquoi est-ce que tu ne récoltes pas les pommes de terre, père ? demandait-il en tirant sur les bretelles de sa salopette en jean trop grande, achetée d'occasion. Liam, si pâle, si maigre qu'il semblait perdu dans ses habits, à la différence de Margaret, robuste, les joues bien rondes. Liam, si sérieux, la mine sombre. Un regard bien trop mûr pour son âge.

— La chance a tourné. Une fois pour toutes, répétait Rory en fixant obstinément le mur.

Elle avait mal tourné. Pas seulement dans les champs, mais aussi chez eux. Liam le voyait dans le regard de son père, embué de larmes ; il le percevait dans ses soupirs las. Il sentait le froid qui régnait dans la maison en dépit du feu dans la cheminée en pierre.

Liam n'avait pas encore réagi à la mort de sa mère. Il y avait près de six mois qu'elle était partie, mais il n'avait pas encore pu réagir au-delà de la morne tristesse qui l'habitait depuis. Comme un vide. Une douleur sourde au creux de l'estomac.

La maison semblait plus sombre sans elle, sans ses boucles blondes, son visage blême, parsemé de taches de rousseur, ses yeux bleus comme le ciel.

Rory pleurait facilement. Liam, lui, n'avait pas encore réussi à verser une seule larme. Il avait bien essayé. En vain. Après la veillée funèbre, quand les hommes de la ville en costumes noirs et leurs femmes aux mines de circonstance eurent mangé tout leur soûl, bu à la santé des morts et débité leurs prières et leurs condoléances en faisant résonner leurs lourds souliers sur le plancher en bois (il n'oublierait jamais le bruit de leurs grosses chaussures), après qu'ils furent repartis dans la tempête qui faisait rage en ce soir lugubre, Liam s'était enfermé dans sa chambre, jeté sur son lit et il avait essayé de pleurer.

Plissant la figure. Serrant les mâchoires.

S'évertuant à faire venir les larmes de force.

Il était triste, il le savait. Il savait aussi qu'il ne reverrait jamais sa mère, qu'il n'entendrait plus jamais sa voix mélodieuse, qu'il ne sentirait plus sa main sur sa nuque, lissant tendrement ses cheveux.

Pourquoi n'arrivait-il pas à pleurer ?

Il se pinça les joues, se mordit la langue.

Rien à faire.

Un sanglot lui parvint de la pièce voisine. Son père. Qui pleurait à chaudes larmes.

Liam ouvrit la bouche en s'efforçant de l'imiter.

Il se coucha sur le dos, les yeux fixés au plafond lézardé. Essaya d'imaginer sa mère. De la faire apparaître.

Il voulait la regarder bien en face. Imprimer son visage pour toujours dans sa mémoire.

Se pouvait-il qu'il l'oublie ? Qu'il oublie à quoi ressemblait sa mère ?

Cette pensée terrifiante ne put suffire à provoquer ses larmes.

Il se redressa, se sentant plus vide que jamais, et se demanda si elle le regardait depuis le ciel, si elle voyait son fils incapable de la pleurer.

Six mois plus tard, la douleur s'était un peu dissipée. Liam savait que les larmes viendraient un jour ou l'autre. Mais quand ?

Sa mère était morte et puis le malheur s'était abattu sur

les récoltes. Les plants de pommes de terre avaient flétri et bruni en dépit des arrosages et des soins attentifs prodigués par Rory.

— Il ne reste plus une once de chance dans cette vieille terre, avait-il dit à son fils, livide, malade d'inquiétude.

Les chèvres maigrissaient, leurs bêlements se faisant de plus en plus faibles et lamentables.

— Le mauvais sort a frappé notre ferme, marmonnait son père, comme un refrain.

Deux bougies brûlaient en permanence sur la cheminée, près de la photographie encadrée de sa femme, le seul portrait qui existât d'elle, tiré par un photographe professionnel dans sa boutique. La croix en argent suspendue à une fine chaîne qu'elle portait jadis autour du cou pendait au cadre près d'un trèfle à quatre feuilles sculpté dont la peinture verte s'écaillait.

Rory passait de plus en plus de temps devant la cheminée à fixer en silence, les yeux humides, la jeune femme souriante du portrait, si blonde, si gaie.

Si Margaret n'avait pas été là, Liam savait qu'il aurait sombré au fond d'un puits de désespoir, que sa vie serait encore plus désolée que les champs de pommes de terre avoisinants.

Avec son rire cristallin, ses yeux verts pétillants, ses cheveux d'or, Margaret illuminait ses journées les plus sombres, les plus glaciales.

Ils étaient ensemble du matin jusqu'au soir, se pourchassant dans les prés rocailleux. Cherchant des trésors enfouis par des lutins au pied des arbres. Recueillant des flacons entiers de lucioles à la nuit tombée, les « diamants scintillants » de Margaret.

À l'époque déjà, Liam lui avait promis qu'ils ne se quitteraient jamais.

À l'époque déjà.

Alors que Rory prévoyait de quitter la ferme, de renoncer à cette misérable existence en laissant derrière eux toute cette poisse.

— Est-ce qu'on va vraiment aller vivre en Amérique, papa? demanda-t-il à son père d'une voix qui commençait à changer de timbre, avide de grandir et si effrayé en même temps.

Occupé à trancher un morceau de lard, Rory lui jeta un rapide coup d'œil. Les oignons brunissaient dans la poêle, et fumaient dans la lumière grise.

— J'attends une lettre de notre cousin d'Illinois.

Illinoise. Le père de Liam prononçait le S. Qu'est-ce que c'était que ce mot? Quelle langue parlait-on en Amérique?

— Qu'est-ce qu'on fera là-bas? Est-ce qu'on achètera une ferme?

Son père haussa les épaules, puis continua à trancher le bacon avec des gestes lents. Liam observa ses vieilles mains noueuses, pleines de cal. Des mains de fermier.

— Pourquoi est-ce qu'on n'irait pas habiter à Dublin?

Rory s'arrêta de couper et braqua son regard sur son fils à l'autre bout de la pièce.

— Qu'est-ce qu'on ferait là-bas? On mendierait dans la rue?

— Mais les Shea y sont allés. Et les Reilly aussi vivent en ville.

— Ce n'est pas pour nous, Liam.

Rory avait une vision sinistre de l'existence citadine. Né à Galway Bay, sur une minuscule île verte, il n'avait vu la ville qu'une fois et cela lui avait fait peur. « Pas de place pour les fées dans ces rues sinistres », lui avait-il déclaré un jour.

Croyait-il vraiment aux fées?

Parfois, Liam le pensait. Son père leur prêtait vie dans les histoires qu'il lui racontait après le dîner. Il était question de fées et d'elfes vivant tout près de la ferme, de lutins, de farfadets, du phouka ou cheval-esprit, de sirènes et puis du dullahan qui portait sa tête sur son bras. (Combien de ces créatures avaient pourchassé le pauvre Liam dans ses rêves?)

Rory rendait ces étranges créatures si réelles.

Certains soirs, ils lisaient ensemble, blottis sur le canapé devant la cheminée, un livre de contes irlandais ouvert sur leurs genoux. Margaret s'asseyait près d'eux sur un petit tabouret. Les flammes jetaient des lueurs orangées sur les pages. Liam ne comprenait pas toujours très bien les histoires. Mais il adorait cette langue, cet humour noir. Et il adorait entendre son père lire, énonçant d'une traite des phrases complètes, des paragraphes entiers à la fois! Avec quel enthousiasme! C'était le seul moment où il semblait retrouver un peu de joie de vivre.

Voilà qu'ils allaient quitter leur ferme. Quitter l'Irlande.

— Il ne faut pas rester quand la chance vous a quitté, lui expliqua Rory d'un ton grave.

Les fées les suivraient-elles?

— Alors qu'est-ce qu'on fera en Illinois? insista Liam en faisant bien attention de prononcer correctement ce nom bizarre.

— Tu étudieras et tu deviendras un homme instruit.

Rory acheva de couper le bacon et jeta les tranches sur les oignons frits avant de prendre une cuillère en bois pour remuer.

— Mais les enfants américains sont tous riches. Ils ne vont pas m'aimer. Et puis les gens se promènent dans des grosses voitures et se tirent dessus.

— Tu regardes trop la télé, lui rétorqua son père.

Les navets grésillaient dans la poêle.

— Liam, que voudrais-tu manger pour déjeuner aujourd'hui?

Il fit mine de réfléchir.

— Du bacon?

— Bonne idée.

C'était l'une de leurs plaisanteries favorites.

Liam sortit brutalement de l'enfance quelques semaines avant son douzième anniversaire.

C'était une nuit tiède de printemps. L'arôme suave des trèfles flottait jusque dans sa chambre par la fenêtre ouverte. Il était couché à plat ventre sur le tapis tout usé en train de lire un livre sur les voyages dans l'espace (se préparait-il à son épopée américaine?).

Une ombre s'abattit sur son livre. Liam leva les yeux, s'attendant à voir Margaret. Mais c'était son père, la mine renfrognée, les yeux las. De nouvelles lignes plissaient son front déjà si ridé. Il dévisageait son fils d'un air songeur.

— Viens avec moi, Liam.

— Je voudrais juste finir mon chapitre.

Comment de fois avait-il prononcé cette phrase? D'ordinaire, son père était si content quand il le trouvait en train de lire.

Cette fois-ci pourtant, il resta de glace.

— Viens avec moi. S'il te plaît.

Qu'ai-je fait? Liam essaya d'interpréter l'expression sévère de son père, l'urgence tangible dans l'intonation glaciale de sa voix.

Il ferma son livre, se leva d'un bond, tira son pull sur son jean et suivit son père dans l'escalier, puis dans le jardin de derrière.

Le soleil couchant incendiait les arbres en fleurs. Le champ en jachère s'étendait tout rose comme une peau nue.

— Où va-t-on, papa?

Pas de réponse.

Rory marchait à grandes enjambées dans la boue. Liam n'arrivait pas à le rattraper.

— On va en ville?

Tu parles d'une ville! Une poste. Une épicerie. Une station-service. Et deux entrepôts délabrés de l'autre côté des voies de chemin de fer.

En temps normal, ils sortaient par la porte de devant et suivaient la grand-route. Si un voisin venait à passer en camionnette, il s'arrêtait et les prenait au passage. Mais ce soir-là, Rory l'entraîna vers le sentier de terre battue qui serpentait entre les champs. Il avait plu la nuit précédente. Un orage violent avec un vent qui secouait impitoyablement les boutons fraîchement éclos et poussait les chèvres à aller se réfugier dans l'étable. Le chemin était bourbeux et plein de flaques.

— Attends-moi, papa. Est-ce qu'on va en ville? Que se passe-t-il à la fin?

Son père continua à avancer sans ralentir l'allure, son long corps penché en avant, en balançant ses mains noueuses, ses cheveux noirs flottant dans le vent.

Il est arrivé quelque chose, pensa Liam. *Quelque chose de grave.*

Les deux setters leur couraient après en batifolant, haletants d'excitation, jouant à se croiser. Leur pelage rouille était mouillé, leurs poils tout emmêlés. Brusquement Rory fit volte-face, furibond.

— Rentrez à la maison! Tout de suite! beugla-t-il.

D'habitude, les chiens ignoraient ses ordres. Mais quelque chose dans sa voix leur fit comprendre que ce jour-là, c'était différent. Ils s'arrêtèrent en agitant la queue, baissèrent la tête d'un air coupable et le fixèrent, pantelants.

— Rentrez !

Au grand étonnement de Liam, les deux bêtes prirent docilement le chemin de la ferme. Quelque part à proximité, un corbeau croassa. Ce fut le point de départ d'une symphonie de croassements. Liam vit son père faire la grimace. Les corbeaux portaient malheur, il le savait. Ces oiseaux avaient la couleur de la mort.

Ils reprirent leur marche en silence. Le ciel tourna au violet, puis ce fut la nuit.

Alors qu'ils approchaient de l'épicerie — un bâtiment en bois d'un étage au coin de l'unique intersection du village —, Liam entendit des éclats de voix. Des cris excités. Il vit deux hommes en noir sortir en courant de l'arrière-boutique.

Ils traversèrent la rue. Rory ralentit le pas et posa sa lourde main sur l'épaule maigrichonne de son fils. Ils contournèrent le magasin et s'engagèrent sur l'allée pavée en direction des entrepôts.

Deux petites voitures étaient stationnées à proximité. Une camionnette occupait le milieu de la rue, tous phares allumés.

Dès que l'entrepôt de la taille d'une grange surgit devant eux, Liam vit les voitures de police. Deux. Garées en V devant l'entrée. À côté d'une ambulance rouge et blanche au gyrophare clignotant.

Il entendit encore des cris. Furieux. Un brouhaha.

Rory le guida vers l'arrière de l'entrepôt tapissé de planches, sans le lâcher.

Des gens couraient en tous sens dans la lumière grise. On aurait dit une pièce de théâtre. C'était ainsi qu'il s'imaginait les pièces de théâtre que lui lisait son père. Chacun semblait jouer un rôle. Des gendarmes en uniforme foncé, des ambulanciers en blouses blanches, une femme criant à droite de la scène, réconfortée par deux hommes qu'il reconnut, les villageois observant la scène, côté cour.

Qu'est-ce qu'ils faisaient tous là ?

Et pourquoi son père l'avait-il amené à cet étrange spectacle ?

La police faisait cercle près du mur. Rory l'entraîna plus près ; leurs chaussures s'enfonçaient dans la boue.

La chaîne d'uniformes se brisa et Liam vit un homme couché par terre.

Il poussa un petit cri.

Était-il blessé?

Plus près. La main de son père faisait pression sur son épaule, le maintenant avec force comme pour l'empêcher de s'échapper.

Plus près encore. Assez pour voir son premier cadavre.

Il était couché sur le côté, la tête en arrière, les yeux grands ouverts. Non. L'un grand ouvert. L'autre n'était qu'une orbite vide. Un trou noir dans le crâne.

Un bras. Un bras arraché. Encore enveloppé dans la manche de chemise. Traînant comme un paquet à quelques mètres de là.

Liam porta la main à son épaule et saisit celle de son père.

— Oh non. Oh non.

Mais Rory le poussa encore plus près. Suffisamment pour voir la mare de sang autour du corps tordu. Les mouches — même dans la lumière grise — les mouches qui lui rampaient sur la figure, lui entraient dans la bouche et dans le trou rond et noir de l'orbite en bourdonnant plus fort que les voix étouffées des curieux, plus fort que les sanglots étouffés de la femme, toutes ces mouches vrombissantes couvrant ce corps comme une couverture. Le bras coupé aussi, ensanglanté comme un gros morceau de viande. Les mouches tout excitées d'avoir à manger.

Liam se détourna et enfouit son visage contre son père.

— Pourquoi est-ce que tu me montres ça, père?

D'une voix tremblante, étouffée par le tissu de la chemise.

Les muscles du ventre de son père se crispèrent, tout son corps se raidit. Puis Rory, d'une voix froide et dure:

— Parce que tu es responsable, Liam.

QUATRIÈME PARTIE

22

— Est-ce que tu crois aux fées ? demanda Liam.

Sara pouffa de rire en nichant son visage dans le creux de son bras. Ils venaient de faire l'amour. Elle se pelotonna contre lui en se calant le long de son corps si chaud, le plus près possible, comme s'ils ne faisaient qu'un, pour prolonger la douceur de ses caresses.

— Alors, dis-moi ?

Son souffle chaud lui chatouilla l'oreille.

Elle frissonna, tira le drap et la couverture sous son menton, se colla encore davantage à lui de façon que leurs flancs moites et brûlants soient soudés l'un à l'autre.

— Moi je crois en ça, répondit-elle en posant sur sa joue ses lèvres toutes douces de l'avoir déjà tant embrassé.

Il écarta tendrement quelques mèches de cheveux emmêlés.

— Je vais te raconter une histoire qui s'appelle *La femme-fée*.

Il se redressa, prit son verre de vin sur la table de chevet et avala une gorgée de chardonnay.

Deux fines bougies blanches posées sur la commode à l'autre bout de la chambre jetaient des lueurs vacillantes autour d'elles ; leurs flammes se reflétaient dans le grand miroir ovale. Liam insistait toujours pour allumer des bougies blanches avant qu'ils fassent l'amour. Une de ses superstitions, bien sûr. Mais c'était si romantique.

Bon nombre de superstitions l'étaient de l'avis de Sara. L'idée même de croire en ces choses-là à notre époque lui paraissait naïve et follement romantique.

Elle se blottit contre lui, le front contre son épaule tout

en promenant la main sur sa poitrine en un geste presque possessif, et il commença à lui raconter son histoire :

— Il était une fois un jeune homme nommé Lonnie qui vivait seul dans une ferme irlandaise. Un soir, alors que, debout sur le seuil de sa maison, il contemplait les étoiles qui brillent plus là-bas que n'importe où ailleurs — un fait reconnu scientifiquement, Sara —, une ravissante femme lui apparut soudain comme par magie. Lonnie la considéra tout étonné, les yeux écarquillés, et son cœur se mit à battre à tout rompre.

« "Entre", lui dit-il.

« "Je n'entrerai pas aujourd'hui", lui répondit-elle avec le plus doux des sourires.

« Le lendemain soir, il la revit et l'invita de nouveau dans sa modeste demeure.

« "Je n'entrerai pas aujourd'hui", répéta-t-elle avec le même sourire.

« Quand elle revint le troisième soir, ses yeux brillaient plus encore que les étoiles. Lonnie lui proposa une fois encore d'entrer.

« "Volontiers", dit-elle cette fois-ci.

« Elle pénétra dans la maison d'une démarche gracieuse et, à partir de ce jour-là, ils vécurent ensemble comme mari et femme. Un peu plus d'un an plus tard, elle donna naissance à un garçon. Lonnie et sa famille continuèrent à couler des jours heureux et la ferme prospéra, comme autrefois quand la terre d'Irlande était bonne et que les fées peuplaient les champs.

« Une fête des récoltes avait lieu chaque année au village de Glenties. "Je crois que je vais aller à la foire aujourd'hui, dit un jour Lonnie à sa compagne. Plusieurs de mes oncles vivent là-bas et il y a bien des années que je ne les ai pas vus." Puis il se mit en route à travers les champs verdoyants.

« Ses oncles étaient bien là. Mais, au lieu de l'accueillir à bras ouverts, ils lui battirent froid. Tous. Blessé par leur indifférence, Lonnie résolut d'en avoir le cœur net. "Quel crime ai-je donc commis ? s'écria-t-il. Pourquoi refusez-vous de me parler ?"

« Ce à quoi l'un d'eux lui répondit : "Nous ne pouvons

nous réjouir de ta venue, mon garçon. Le bruit court que tu vis avec une fée."

« "Pourquoi ne pas être venu nous trouver ? renchérit un autre. Nous aurions pu te dénicher une épouse convenable."

« "Tiens ! Prends ce couteau, ajouta son troisième oncle. Rentre chez toi et tue ta fée."

« Lonnie prit l'arme, sachant pertinemment que ses oncles disaient vrai. Ce qu'il avait fait était mal. Mais il savait aussi qu'il était incapable d'assassiner sa chère femme. Il jeta le couteau dans un champ de maïs en chemin.

« "Comment s'est passée la foire ? lui demanda-t-elle à son retour.

— Très bien, répondit-il.

— De quelle humeur étaient tes oncles ?

— Bonne."

« Elle le dévisagea d'un air sévère.

« "Tu ferais mieux de me dire la vérité. Ne t'ont-ils pas donné un couteau pour que tu me tues ?

— Oui, ils m'en ont donné un, reconnut-il.

— Et tu l'as jeté dans un champ de maïs, n'est-ce pas ?

— Oui.

— Tu as bien fait, poursuivit-elle, car je t'ai aimé comme une véritable épouse. Mais à présent, je vais te quitter. Retourne voir tes oncles et prie-les de te choisir une compagne."

« Sur ce, elle s'en alla en emmenant l'enfant avec elle.

« Lonnie fit ce qu'elle lui avait ordonné de faire. Quelque temps plus tard, il revint s'installer dans la ferme avec sa nouvelle épouse.

« Mais chaque soir, avant de se coucher, Lonnie descendait sur la pointe des pieds dans la cuisine où une lanterne brûlait toute la nuit pour disposer deux assiettes pleines sur la table. Et chaque matin, en se levant, il trouvait la lanterne éteinte et les assiettes vides. Cela, il continua à le faire jusqu'au jour où il quitta la ferme pour toujours et rejoignit le paradis.

Sara se dressa sur un coude et regarda Liam.

— Quelle étrange histoire ! Si belle !

— N'est-ce pas? fit-il en souriant.

À la lueur des bougies, elle distinguait son propre reflet dans ses yeux sombres.

— Mais je ne comprends pas très bien, Liam. Y a-t-il une morale?

Son sourire s'élargit.

— Bien sûr. Crois-tu vraiment qu'il puisse exister un vieux conte irlandais sans morale?

Elle posa la tête sur sa poitrine. La masse de ses cheveux s'abattit sur lui.

— Eh bien allons, professeur. Faites votre travail. Expliquez tout ça à votre étudiante.

Il prit tendrement son visage entre ses mains.

— Il lui est resté fidèle, Sara, murmura-t-il d'un ton grave. C'est une histoire sur l'amour et la loyauté. Les liens indestructibles. Le bonheur et la tristesse que l'amour nous procure.

Son cœur se mit à battre plus fort. Elle ferma les yeux, heureuse de sentir le contact de ses mains sur son visage.

— Mais pourquoi est-ce que tu me racontes cette histoire ce soir?

— Parce que je veux que tu m'épouses, Sara.

Elle releva brusquement la tête. S'adossa au mur et agrippa le drap dont elle couvrit prestement ses seins nus.

— Pardon?

— Pour moi, tu es comme cette belle fée qui est apparue un soir sur le seuil de Lonnie, poursuivit-il d'une voix vibrante d'émotion.

Il se redressa à son tour avec grâce et la saisit par les épaules.

— Je veux que tu sois ma femme, Sara.

Un « Oh! » de surprise lui échappa avant qu'elle n'ait eu le temps de le réprimer.

La chambre devint floue. Elle se rendit compte que des larmes lui embuaient les yeux.

Quelle fabuleuse demande en mariage! Quelle admirable histoire! On ne pouvait imaginer une situation plus romantique. Mais il est vrai que, de la part de Liam, il fallait s'attendre à tout.

Si... parfait.

Parfait.

Il la regardait intensément de ses yeux brillants.

— Alors, Sara ?

— Oh !

Encore ! Elle réalisa tout à coup qu'elle avait oublié de lui répondre.

— Oui, Liam. Bien sûr. Évidemment. Je... j'espère que nous vivrons...

Il l'interrompit par un baiser.

Ses bras glissèrent voluptueusement le long de son dos nu. Puis il s'allongea sur elle. La pénétra. Impérieux. Leurs deux corps intimement mêlés. Ils firent l'amour longtemps, longtemps, jusqu'à ce que les bougies — les deux bougies blanches jumelles — aient fondu, fondu, fondu et se soient consumées entièrement...

23

Ensuite, ils furent incapables de trouver le sommeil. Elle resta blottie dans ses bras, la joue pressée contre la sienne. La lune déversait sur le lit une clarté douce et vaporeuse. Sara était si heureuse. Elle avait envie de se lever d'un bond, de danser, de tourbillonner, de faire des cabrioles dans la chambre.

— Quand nous marions-nous ? demanda Liam en glissant la main dans ses cheveux pour y remettre un peu d'ordre, lissant sa frange avec tendresse. Je voudrais que ce soit le plus tôt possible. Demain ! Ce soir !

Elle rit.

— On n'est pas vraiment dans une tenue adéquate.

— Hum... tu as peut-être raison.

— Fixons une date au printemps, Liam. Au mois de juin. Pour que ma mère puisse venir. Ainsi que mes frères.

— On ne peut pas attendre si longtemps, protesta-t-il.

— Bon... alors disons mai?

Il cessa de lui caresser les cheveux et se raidit.

— Mai? Absolument impossible, ma chérie. Ce serait de très mauvais augure. Au mois de mai, les Romains honoraient leurs défunts.

— Écoute, rien ne nous oblige à en inviter! lui rétorqua-t-elle en gloussant.

Silence. Elle s'attendait à ce qu'il rît, mais il n'en fit rien.

— Le trimestre s'achève fin janvier, Sara. Si nous nous marions à ce moment-là?

— Voyons, Liam, on est presque en novembre. Je doute que tous mes frères puissent se libérer en un laps de temps si court.

Il la prit dans ses bras en soupirant.

— J'ai changé d'avis. Je ne peux pas attendre janvier. Que dirais-tu de Thanksgiving, Sara? S'il te plaît. Ne dis pas non! On se mariera à Thanksgiving.

Il prit son menton en coupe et leva son visage vers le sien.

— J'ai dix ans de plus que toi, Sara. Je n'ai plus la patience de la jeunesse et je veux profiter de toi à chaque instant.

Ils échangèrent un baiser.

Il est si bon, se dit-elle. Ai-je jamais connu un tel bonheur?

Le lendemain après-midi, Sara était confortablement installée sur son canapé, les jambes enveloppées dans une couverture, un manuel sur les genoux. Elle pensait à Liam. Il y avait plusieurs minutes qu'elle n'avait pas tourné la page et n'était pas encore parvenue à lire un seul paragraphe en entier.

Quand on sonna tout à coup à la porte, elle sursauta.

Elle ferma le livre, le posa par terre et se leva précipitamment en trébuchant dans la couverture qu'elle écarta d'un coup de pied.

Liam?

Non. Quelle ne fut pas sa surprise, en ouvrant, de découvrir sa sœur, Margaret, debout sur le seuil, un bouquet de roses jaunes et roses dans les bras.

— Bonjour, Sara. Je vous dérange?

— Non, non, pas du tout. Entrez. Je... Comment allez-vous, Margaret?

Margaret pénétra dans l'appartement d'un air dégagé, parcourant du regard le salon modestement meublé.

— Tenez. Je vous ai apporté quelques fleurs. En passant devant le fleuriste de la rue Tremont, je n'ai pas pu résister. Elles ont des teintes magnifiques, n'est-ce pas?

Elle semble si gaie, si enthousiaste, pensa Sara en souriant à Margaret qui lui tendait le bouquet.

— Merci. Elles sont superbes.

Elle les porta à son visage et inspira profondément.

— Mmm!... Quel parfum délicieux!

Margaret n'était plus la même, se dit-elle. Elle paraissait rajeunie. Sara l'avait trouvée plutôt négligée, indolente, presque effacée, les quelques fois où elles s'étaient vues.

Elle s'était fait couper les cheveux très courts sur les côtés, malgré une mèche qui lui retombait sur l'œil, et les avait teints en blond encore plus clair. Elle retira son manteau, révélant un pull-over en mohair blanc et un fuseau noir très seyants. Jolie silhouette, constata Sara. Elle se demanda pourquoi elle ne s'en était pas aperçue avant. Sans doute parce qu'elle n'avait pas quitté Liam des yeux.

Avait-elle changé de maquillage aussi? Pourquoi lui semblait-elle si jolie aujourd'hui?

— Je n'ai qu'un seul vase, dit-elle en se dirigeant vers la petite cuisine. J'espère qu'il est assez grand. C'est si gentil à vous. J'adore les roses!

Margaret jeta son manteau sur le canapé avant de lui emboîter le pas.

— Vous pouvez couper les tiges si elles sont trop longues. Je ne reste pas plus qu'une minute. J'étais en route pour la boutique, mais j'ai eu envie de m'arrêter au passage. J'ai des tas de choses à faire aujourd'hui. Liam m'a demandé de l'accompagner à un thé organisé dans son département.

Elle soupira.

— On dirait qu'il ne se lasse jamais de ces trucs-là.

Sara pouffa de rire.

— Il est très sociable.

Elle sortit le vase du placard et entreprit de déballer le bouquet.

— Moi aussi j'aime bien bavarder, reprit Margaret tout en tripotant la manche de son pull-over. C'est l'un des avantages qu'il y a à avoir un magasin d'antiquités. Mais ce qui m'agace quand j'accompagne Liam à ce genre de réceptions, c'est que les gens ne s'intéressent qu'à lui.

Je meurs d'envie de lui poser toutes sortes de questions sur Liam, pensa Sara en remplissant le vase d'eau tiède. Je veux tout savoir sur lui. Tout.

Sait-elle que Liam m'a demandée en mariage hier soir?

Bien sûr qu'elle le sait! C'est pour cela qu'elle est ici. Qu'elle m'a apporté des fleurs. Pour me montrer qu'elle m'accepte, qu'elle est contente.

— Liam est fascinant, poursuivit Margaret en saisissant délicatement une rose pour la renifler. Mais quelquefois j'aimerais bien parler d'autre chose. N'importe quoi.

Elle rit.

— Pardon, Sara. Mes problèmes sociaux ne vous intéressent probablement pas beaucoup. Je suis sûre que...

— Détrompez-vous, l'interrompit Sara en se tournant vers sa visiteuse, se sentant soudain mal à l'aise. Je veux dire... j'aimerais bien apprendre à vous connaître.

Pourquoi ai-je un ton si sec, si conventionnel?

— Je serais très heureuse que nous devenions amies, vous et moi.

Margaret sourit en lui tapotant la main.

— Liam m'a annoncé la bonne nouvelle ce matin. Au petit déjeuner. C'est la raison pour laquelle je suis passée vous voir.

— Oh! Dans ce cas..., répondit Sara, les joues en feu, trop gênée pour en dire davantage.

— Je suis ravie pour vous deux, enchaîna Margaret en faisant tournoyer une rose dans sa main sans la quitter des yeux. Et tellement contente que Liam vous ait trouvée, Sara. À mon avis, vous êtes exactement ce qu'il lui faut.

— Oh! Merci! Comme c'est gentil à vous de dire ça! balbutia Sara, bouleversée, en se mordant la lèvre pour ne pas éclater en sanglots.

Les paroles de Margaret l'avaient vivement touchée. Elle lâcha les fleurs et l'étreignit gauchement.

Ce fut au tour de Margaret de paraître embarrassée. Elle brandit la rose dont Sara avait écrasé la tige au cours de leur brève étreinte.

— Oh! zut.

Sara lui prit la fleur cassée des mains et essaya de la dresser dans le vase.

Margaret entreprit de rectifier sa coiffure en tiraillant sa mèche sur son œil.

— C'est tout ce que je voulais vous dire. Mais nous devrions déjeuner ensemble un de ces jours, sans tarder, et prendre le temps de bavarder.

— Ce serait formidable, répondit Sara avec enthousiasme. Cela me ferait vraiment plaisir, Margaret.

— Je sais que vous allez rendre Liam très heureux.

Margaret changea brusquement d'expression. Son sourire s'effaça.

— Et je ferai de mon mieux pour ne pas vous importuner.

— Nous importuner?

— Surtout quand le bébé viendra.

Sara rit. Un peu trop fort.

— Le bébé? Quel bébé?

Margaret jeta un coup d'œil à sa montre, puis elle alla récupérer son manteau.

— Oh, il est tard! Il faut que je me dépêche de retourner à la boutique.

Elle enfila son vêtement en tirant consciencieusement sur les manches.

— Liam a dû vous dire à quel point il était impatient d'avoir un enfant, ajouta-t-elle.

Sans attendre de réponse, elle étreignit Sara en l'engloutissant dans son gros manteau, pressant sa joue contre la sienne. Sara sentit un parfum doucereux de poudre.

— Je suis vraiment contente, Sara. Bienvenue dans notre famille. C'est la meilleure nouvelle qu'on pouvait m'annoncer. Voyons-nous bientôt, d'accord? Rien que nous deux.

Sara lui ouvrit la porte et Margaret fila.

— Encore merci pour les fleurs.

Margaret s'élança dans le couloir. Sara la suivit des yeux jusqu'à ce qu'elle disparaisse au coin, puis elle referma la porte et s'y adossa en prenant une grande inspiration.

Comme c'était bizarre. Vraiment bizarre.

Margaret n'était plus du tout la même. Si chaleureuse, si animée soudain, si heureuse.

Sara cligna les yeux, s'efforça de réfléchir, revivant en esprit la brève visite de Margaret.

Qu'est-ce que c'était que cette histoire de bébé ?

Liam était-il si pressé d'être père ?

Dans ce cas, pourquoi ne lui en avait-il pas parlé ?

24

Sara mit son capuchon et baissa la tête quand la bruine se changea en pluie. Une bouffée de vent froid souleva les pans de son imperméable ; elle se débattit avec les gros boutons en plastique pour le fermer. Ses pas résonnèrent avec un bruit mat sur l'allée lorsqu'elle accéléra l'allure.

Elle frissonna bien qu'elle sentît encore la chaleur de Liam sur sa peau, son visage pressé contre sa joue, le poids de son corps sur le sien.

À sa droite, le dôme vert du bâtiment de l'administration semblait flotter dans l'épais brouillard. Les arbres qui entouraient le Cercle dansaient dans la brise, une sorte de tango muet et gracieux.

Sara aurait volontiers dansé aussi. La pluie glaciale s'infiltrait sous son capuchon, mais elle était tout juste consciente des gouttes qui lui dégoulinaient le long des joues. Elle avait envie d'enlever son manteau, de se cramponner au réverbère qui se dressait devant elle et de s'y balancer, de faire des claquettes et de tourbillonner sous la pluie comme Gene Kelly.

L'amour rend fou, se dit-elle. Elle n'avait jamais ressenti cela auparavant.

Liam. Liam. Liam. Comme une écolière, elle répétait

sans cesse son nom, l'écrivant inlassablement sur les pages de son polycopié de séminaire.

Mme Liam O'Connor.

Sara Morgan-O'Connor.

Je suis une vraie gamine, pensa-t-elle. Du coup, elle ricana comme une gamine.

Une écolière qui s'apprête à épouser le grand Professeur.

Ils avaient passé toutes les soirées de la semaine ensemble, à parler, à rire de ses histoires, de ses drôles de superstitions, à faire l'amour. Passionnément. À discuter de leur avenir.

Mary Beth s'obstinait à la mettre en garde : « Tu te comportes comme une folle, Sara. Tu t'emballes ! Tu sais que ces petites histoires finissent toujours mal pour toi, Sara. »

Ces petites histoires ?

— Cela n'a rien d'une *petite histoire*. Je vais me marier ! J'épouse Liam à Thanksgiving.

Pauvre Mary Beth. Elle ne savait pas quel effet cela faisait d'avoir envie de jeter son manteau et de danser sous la pluie. Je lui en voudrais de me donner des conseils pareils, se dit-elle, si je ne la plaignais pas.

Ces jours-ci, elle compatissait sincèrement avec tous ceux qui ne connaissaient pas ce bonheur, cette envie d'exploser, de laisser éclater sa joie, de se soulever du sol pour s'envoler dans les airs.

Je pourrais vraiment m'envoler.

Des bruits de pas lui remirent brutalement les pieds sur terre.

Elle pensa d'abord que c'étaient les crépitements de la pluie sur l'allée. Mais la cadence régulière, le raclement d'une semelle, puis d'une autre, lui indiquèrent à coup sûr que quelqu'un la suivait.

L'aiguillon de la peur lui fit tourner la tête, accélérer encore l'allure.

Son capuchon lui bloquait la vue.

L'obscurité semblait l'envelopper tout entière, l'engloutir. Les silhouettes noires des arbres continuaient à s'agiter fébrilement dans le vent. Elle marcha dans une flaque d'eau en s'éclaboussant les chevilles.

Alors elle repoussa son capuchon des deux mains et se mit à courir.

Les pas se rapprochaient.

Qui est-ce?

Il fait si noir et le brouillard est si épais.

Une forme floue, courant à perdre haleine. Tête baissée. Un pardessus sombre.

Il va vite. Il ne va pas tarder à me rattraper.

Elle pénétra dans le triangle de lumière pâle déversée par un réverbère sous lequel les gouttes de pluie étincelaient comme des perles. Une cascade de perles. Irréel. Totalement irréel.

Tout, en dehors de l'homme qui la poursuivait. Qui l'avait presque rejointe. Elle percevait le son rauque de sa respiration, les mouvements saccadés de sa poitrine sous son gros manteau noir.

Il tendit les mains vers elle. Leva les yeux. Des yeux pleins de colère, un peu fous, flamboyants dans la pénombre.

— Chip! s'exclama-t-elle, abasourdie.

La pluie lui martelait la figure, les cheveux.

— Qu'est-ce que tu fais là, pour l'amour du ciel?

Il la saisit par les épaules, braquant sur elle un regard accusateur, se cramponnant à elle comme s'il avait besoin d'un soutien pour tenir debout en attendant de reprendre son souffle.

Puis il murmura:

— Salut, Sara, d'une voix presque timide.

Cela sonnait tellement faux, songea-t-elle. Déplacé. Il n'a donc pas encore compris?

J'ai quitté ta vie, Chip. Depuis belle lurette. Je ne suis plus « ta Sara ».

— Je... t'ai suivie...

Toujours agrippé à elle. De toutes ses forces. Se rendait-il compte qu'il la serrait à lui briser les os?

Sous ses sourcils blond filasse qui réfléchissaient la lumière, son regard bleu devint flou, comme noyé.

Il sentait l'alcool. Était-il ivre?

Ce visage lui était si familier quelques semaines auparavant et pourtant elle avait l'impression d'être en présence d'un inconnu. Ce petit nez retroussé, la cicatrice sur le menton — repères de sa vie quotidienne à New York, déjà lointains dans sa mémoire. Elle n'avait décidément aucune envie de se retrouver face à face avec lui.

— Que fais-tu là, Chip?

— Il faut qu'on parle.

— C'est hors de question.

Il a tenté de me noyer. C'est un miracle que je m'en sois sortie.

Pourquoi m'a-t-il suivie jusqu'ici?

— Mettons-nous à l'abri, Sara. Allons-nous asseoir quelque part et peut-être...

— Non. S'il te plaît, Chip...

Elle s'empara de ses mains pour l'obliger à lâcher son emprise. Ce fut à ce moment-là qu'elle vit le tatouage. Elle le regarda fixement, interloquée.

— Quand est-ce que tu t'es fait faire ça?

Elle effleura du doigt le petit dessin qui ornait sa main droite. Deux centimètres à peine. Un minuscule poignard noir avec une goutte de sang bleu perlant au bout de la lame.

Il baissa la tête, visiblement gêné, comme s'il le voyait pour la première fois.

— Quoi? Ça?

— Je n'en crois pas mes yeux! Pourquoi t'es-tu fait faire un tatouage?

Il rapprocha sa main de son visage et l'examina en fronçant les sourcils.

— Après ton départ, Sara, quand tu as disparu sans un mot d'explication, je me suis soûlé un soir, je crois bien. Je ne sais plus très bien. J'étais avec des copains. J'ai eu un coup de folie. Je ne savais plus ce que je faisais.

Alors c'est ma faute s'il a un tatouage.

Un frisson la parcourut et le vent glacial n'y était pour rien. Elle se démena avec son capuchon et parvint finalement à le remettre en place.

— Tu n'aurais pas dû venir, Chip. Tu...

— Il fallait absolument que je te parle. Tu me manques tellement, Sara.

Il leva vers elle des yeux implorants pour lui prouver qu'il était sincère. Combien de fois avait-elle vu cette expression sur son visage? Elle y croyait jadis. À présent, elle se rendait compte à quel point elle était forcée. Fabriquée de toutes pièces.

— Tu sais pertinemment pourquoi je suis partie. Je n'avais pas d'autre solution.

La froideur de sa voix le surprit. Elle ne lui avait jamais parlé sur ce ton.

Il releva le col de son manteau en grelottant.

— Est-ce qu'on ne pourrait pas aller se mettre au chaud quelque part? insista-t-il. Il y a un café..., ajouta-t-il en pointant son index vers Dale Street.

Les gouttes de pluie étincelaient comme des diamants sur ses cheveux blonds.

Golden Boy, pensa-t-elle, étonnée de l'antipathie qu'il lui inspirait à présent, de la rapidité avec laquelle son amertume avait fait surface, de la hargne qu'elle éprouvait à son égard.

C'est un Golden Boy. Il a tout ce qu'on peut désirer au monde. Un type épatant dès lors qu'on ne lui refuse rien.

— Non, Chip. Ce n'est pas possible. Je n'ai aucune envie de te parler.

Elle prit une profonde inspiration.

— Il faut que tu t'en ailles. Il est inutile d'insister.

Elle sentit les muscles de sa nuque se crisper. Ses tempes se mirent à bourdonner.

Sur ce, elle fit volte-face et s'éloigna à pas lents, mais en faisant de grandes enjambées.

Chip la rattrapa en un rien de temps. Elle savait qu'il la suivrait. Il lui saisit le bras, mais elle se dégagea d'une secousse.

— Sara, s'il te plaît...

— Rentre chez toi, Chip. Cesse ces enfantillages! Rentre chez toi!

Quelle dureté! Se pouvait-il qu'elle ait dit ça? Elle ne se reconnaissait pas. Elle avait pris la fuite pour éviter de l'affronter, filé sans un mot, déterminée à éviter une confrontation à tout prix. Et voilà qu'elle l'envoyait promener sans ménagement.

Il lui reprit le bras avec violence. Il n'allait pas la laisser partir.

— Ce prof est trop vieux pour toi! brailla-t-il.

Elle se retourna et le regarda bien en face, relevant le

défi de ses yeux bleus hagards. Était-ce la pluie sur son front ou des gouttes de sueur?

— Comment es-tu au courant? lança-t-elle sans desserrer les dents. Depuis combien de temps es-tu à Freewood, Chip? Depuis combien de temps est-ce que tu m'épies?

— Il est trop vieux pour toi. Et puis tu m'appartiens.

Un coup de vent repoussa son capuchon. Elle avait de la peine à respirer tout à coup. La pluie lui picotait les joues, la forçant à fermer les paupières à demi. Elle étudia son visage, cherchant des réponses.

— Depuis combien de temps es-tu à Freewood? répéta-t-elle.

— Assez longtemps.

Impertinent tout à coup. Furieux et impertinent à la fois.

— Tu m'as bousillé l'existence, Sara. Tu sais très bien que ta vie est à New York. Auprès de moi.

— Qui t'a parlé de Liam?

Elle répéterait la question jusqu'à ce qu'il y réponde. Puis une autre question, plus urgente, lui vint à l'esprit :

— Est-ce toi qui me fais des menaces au téléphone?

Il leva les sourcils en la dévisageant d'un air surpris.

— Hein?

— Tard le soir? Est-ce qu'il t'arrive de m'appeler tard le soir?

— Comment?... Évidemment que non.

Il ment, se dit-elle.

Cela se lit sur sa figure. Tout chez lui n'est que mensonges. À commencer par ce visage si bien fait, si joli, si parfait. Profondément laid en réalité.

— C'est toi mon mystérieux interlocuteur, hein? insista-t-elle, les lèvres tremblantes, la gorge sèche.

— C'est faux, Sara. Jamais de la vie.

Menteur!

Il l'attira à lui de force. Elle sentit son haleine empestant l'alcool et un parfum, une odeur doucereuse d'after-shave — il en avait changé —, suffocante malgré l'air imprégné de pluie.

De quoi vous donner la nausée, pensa-t-elle.

Qu'essayait-il de faire? De l'embrasser?

Oui. Ces yeux exorbités, rivés sur elle. Ces doigts qui lui

meurtrissaient le bras. Ces cheveux blonds, luisants de pluie. Ce demi-sourire flottant sur ses lèvres entrouvertes qui se rapprochaient dangereusement.

— Non! Lâche-moi!

Son cri le prit au dépourvu. Il rejeta la tête en arrière. Ferma les yeux.

Sans la libérer pour autant.

— Rentre à New York avec moi, Sara. J'ai besoin de toi. Je ne peux pas vivre sans toi.

— Non, Chip...

— Crois-tu que je t'aurais suivie jusqu'ici si je n'avais pas besoin de toi? Crois-tu que je m'humilierais de la sorte? Que je serais là à te supplier? Sara...

— Non. Tout est fini entre nous. Un point, c'est tout. ... Aïe! Lâche-moi. Tu me fais mal.

— Ce n'est pas fini. Écoute-moi. Ça va être génial. Tu te souviens de la société de production que je voulais monter? Eh bien, mon père m'a promis qu'il m'aiderait à démarrer. J'ai trouvé un nouvel appartement, Sara. Avec une vue imprenable sur le fleuve. Il faut que tu voies ça. Tu vas adorer... Et...

Elle essaya une fois de plus de se dégager.

— Lâche-moi, Chip. Je vais me mettre à crier. J'appellerai la police. Je te préviens.

— Ce n'est pas fini, Sara. Loin de là. J'ai changé, je t'assure. Tu verras. Je ne suis plus du tout le même. *Écoute-moi!* Je ne peux pas vivre sans toi. C'est impossible...

Il brandit le poing, agitant le minuscule poignard noir sous son nez.

Est-il dangereux? se demanda-t-elle. Est-il vraiment fou?

— Ce n'est pas fini, répéta-t-il. Pas question. Ce n'est pas fini.

— Lâche-moi. Aïe! Mais qu'est-ce que tu fais? Lâche-moi, je te dis!

25

L'inspecteur Garrett Montgomery était en communication interurbaine avec son frère quand la nouvelle du troisième meurtre tomba.

La place au magasin de meubles venait d'être prise, lui avait dit Duane d'un ton grave comme s'il lui annonçait la mort de quelqu'un.

Comme si c'était sa dernière chance.

— Je trouverai autre chose, lui avait-il répondu. Remets-toi, Duane. Tu te rends compte si j'étais venu là-bas pour ce job, Angel, Martin et moi, on se serait installé chez toi !

Ne dramatisons pas, se dit-il. Ce n'est pas si tragique. Sauf que l'unique espoir qu'il avait de s'échapper venait d'être anéanti d'un seul coup.

Fuir ce trou perdu. Ne plus avoir à regarder Walter en train de boulotter des beignets en couvrant de sucre glace sa chemise tendue à craquer sur son gros ventre. Fuir les meurtres, toutes ces horreurs qui ne devraient jamais se produire dans une petite bourgade paisible, peuplée d'étudiants et d'enseignants plutôt collet monté.

Des horreurs qui l'empêchaient de dormir. Il restait éveillé des heures durant à fixer les ombres changeantes au plafond tout en écoutant la respiration régulière d'Angel, hanté par la vision de corps démantelés, de bras arrachés, de dos brisés, d'os saillants.

Des crimes qu'il doutait de pouvoir jamais tirer au clair. Qui lui donnaient l'impression d'être terriblement impuissant et l'incitaient d'autant plus à prendre la poudre d'escampette.

Évidemment, Angel n'avait pas la moindre envie d'aller vivre à Atlanta. S'il tentait de la faire changer d'avis, elle l'accuserait probablement de se dérober au seul véritable défi de sa carrière.

Ce en quoi elle n'aurait pas tort.

Mais l'enquête était dans l'impasse. Toutes ces heures passées à réfléchir, ces interrogatoires, ces fouilles minutieuses, tout ce travail harassant, pour n'aboutir à rien!

Tandis que les jours se transformaient en semaines, les meurtres continuaient à l'obséder. Jour et nuit.

On ne vous mettait pas vraiment en situation d'affronter ce genre de choses à l'école de police. On ne vous préparait pas le moins du monde au spectacle horrifiant d'os grisâtres faisant saillie au milieu de chairs déchiquetées. De mares de sang noir.

Comment aurait-on pu? Comment pouvait-on préparer quelqu'un à la vue de ces corps disloqués? Les êtres humains ne font pas des choses pareilles, si?

Walter le dévisageait à présent d'un air hébété, le combiné calé contre sa bouille toute ronde, bouche grande ouverte, le menton tremblant, en lui faisant des signes impatients de sa main libre.

Garrett l'avait déjà vu dans cet état.

— Il faut que je te laisse, dit-il à Duane. Embrasse Barbara de ma part.

Il raccrocha énergiquement. Se leva d'un bond.

— Qu'est-ce qui se passe, Walter?

Walter, plus pâle que d'habitude sous la lumière fluorescente du néon.

— Encore un, lâcha-t-il entre ses dents.

Le lendemain matin, Garrett étala les photographies sur son bureau. Pour se réveiller vite, pensa-t-il amèrement, j'ai un truc infaillible. Il suffit de se coltiner les clichés de trois meurtres.

Le petit Anders est sacrément doué, constata-t-il en buvant une gorgée de café noir tout en promenant ses regards sur le nouveau lot de photos. Ce gosse allait encore au lycée, mais il était le photographe attitré du journal local et travaillait quelquefois pour la police quand celle-ci avait besoin de ses services.

La veille au soir, il avait regardé le jeune homme efflanqué mitrailler la victime comme s'il s'agissait de Miss America. Il s'était efforcé de concentrer son attention sur lui pour ne pas voir le reste.

Du bon boulot, incontestablement, songea-t-il en posant son gobelet en carton sur le bord du bureau. Il se pencha pour y regarder de plus près et s'assurer qu'il ne manquait rien. Les tirages noir et blanc étaient un peu granuleux, mais ils soulignaient bien les formes. Quant aux Polaroïd couleur, ils étaient suffisamment clairs pour l'empêcher de dormir jusqu'à la fin de ses jours.

Le troisième meurtre était aussi monstrueux que les deux précédents. Garrett était encore plus bouleversé que les autres fois, peut-être parce que la fille était ravissante.

Elle avait une peau très blanche, crémeuse, criblée de taches de rousseur, de magnifiques cheveux roux, tout frisés, qui lui descendaient presque jusqu'à la taille.

En arrivant sur les lieux du crime — dans le campus, à moins de vingt mètres de l'endroit où avait péri la première victime —, Walter et Garrett l'avaient trouvée couchée sur le dos, le visage dissimulé sous la masse de ses cheveux comme sous une douce couverture protectrice.

Il s'était accroupi auprès d'elle et avait écarté ses cheveux. C'était lui qui avait découvert qu'on lui avait arraché les yeux et qu'on les lui avait fourrés dans la bouche.

Deux yeux verts coincés entre ses lèvres qui le regardaient fixement.

Du coup, il était tombé à la renverse et s'était heurté à un tronc d'arbre, le souffle coupé, le cœur battant si fort qu'il avait mal à la poitrine.

Était-ce l'effet que faisait une crise cardiaque?

Il se cramponnait à son bureau métallique, les yeux rivés sur les clichés granuleux, en réfléchissant... à rien. Dans l'incapacité de penser clairement à quoi que ce soit.

Hormis à fuir?

Devra Brookes.

Elle s'appelait Devra Brookes. Une fois de plus, la victime n'avait été ni dévalisée, ni violée. Son portefeuille, son argent liquide, son permis de conduire, ses cartes de crédit, tout était là, dans son sac.

Elle était assistante à l'université. Dans le département des sciences humaines. Le doyen avait paru très secoué quand Garrett l'avait appelé pour lui poser quelques questions. Il n'était pourtant pas en cause.

Trois meurtres dans le campus, ou à proximité.

Trois assassinats monstrueux, inhumains.

Devra était à Moore State depuis peu de temps, lui avait révélé le doyen d'une voix rauque et chevrotante. Elle était arrivée de Chicago à la fin de l'année précédente.

Tu aurais mieux fait de rester là-bas, marmonna Garrett en secouant la tête à l'adresse du cadavre en noir et blanc qu'il avait sous les yeux.

Il avait serré Angel dans ses bras toute la nuit. Comme si elle pouvait l'aider à ne pas sombrer. Elle n'avait pas dit un mot. Elle comprenait.

À présent, il ne pouvait plus se cramponner à rien, sauf à son bureau. Et à un gobelet de café aussi noir que ses pensées.

— Y'a du nouveau, patron !

C'était la voix tout excitée de Walter, bien trop forte pour une heure aussi matinale.

Garrett releva lentement la tête. La transition du noir et blanc à la couleur heurta ses yeux fatigués. Les cheveux blondasses de Walter étaient encore mouillés après sa douche. Il avait de la mousse à raser derrière une oreille et une petite tache humide sur le col bleu de son uniforme.

— Les examens du labo de Somerville sont arrivés, annonça-t-il triomphalement en brandissant une grande enveloppe en papier craft.

Garrett soupira.

— J'espère qu'ils ont réussi à en avoir quelques-unes de net ce coup-ci.

Il n'en attendait pas grand-chose. Les fois précédentes, ils n'avaient pas pu mettre au jour une seule empreinte digne de ce nom.

Walter lui tendit l'enveloppe par-dessus leurs deux bureaux.

— Vous avez une sale mine, patron ? Vous avez passé la nuit ici ou quoi ?

— Cesse de m'appeler patron, s'il te plaît, lui rétorqua Garrett sans desserrer les dents. Je n'ai pas dormi. Je n'arrêtais pas de voir des globes oculaires. Je ne mangerai plus jamais un œuf dur de ma vie, ajouta-t-il en grommelant.

Il se débattit avec l'enveloppe. Pourquoi est-ce qu'ils s'ingéniaient à sceller leurs plis si hermétiquement ?

— Alors? Est-ce qu'il y en a des bonnes? Que vous a dit O'Brian?

— Cette fois-ci, oui, on en a, annonça Walter en se grattant le nez. Des claires. Sur la figure et sur les habits. Je n'ai encore rien vu, mais O'Brian me l'a assuré.

Garrett tira un bon coup et déchira le rabat.

— Est-ce qu'on va pouvoir procéder à une identification selon lui?

— M'a rien dit à ce propos, marmonna Walter en haussant les épaules.

Garrett fit glisser les films hors de l'enveloppe en les tenant avec précaution par les bords. Une seule planche-contact. Plusieurs clichés différents.

Un premier indice, pensa-t-il. Au bout du troisième meurtre, se pourrait-il qu'on tienne enfin quelque chose?

Il leva la planche-contact devant la lampe pour l'examiner attentivement.

— Hé, Walter... c'est une plaisanterie? s'écria-t-il d'un ton brusque. O'Brian se fiche de nous?

Walter fit le tour de son bureau d'un pas lourd.

— Hein? Qu'est-ce qui ne va pas, chef?

— Ces empreintes... n'ont strictement rien d'humain.

26

Liam posa le pouce sur le tampon encreur. La secrétaire qui mâchait un chewing-gum à un rythme effréné guida sa main vers la carte avant de lui presser délicatement le doigt dans le carré approprié.

Liam considéra la tache noire d'un œil critique.

— Est-ce qu'il faut faire les deux mains?

— Non, juste la droite, répondit-elle, exhalant un parfum d'Hollywood chewing-gum à la framboise.

Puis elle plaqua son index d'autorité sur le tampon encreur.

— Il se peut que vous soyez le dernier.

— Le dernier à fournir ses empreintes? s'enquit-il en fronçant les sourcils.

Elle hocha la tête en mâchouillant de plus belle.

— C'est la première année qu'on fait ça à Moore State. Je crois bien que c'est obligatoire maintenant.

Elle écrasa son doigt dans le deuxième carré à côté de l'empreinte du pouce.

Liam leva les yeux au moment où Sara entrait dans la petite pièce. Ses talons claquaient sur le sol dur. Sous son trench-coat gris, elle portait une robe moulante en laine bleue, plutôt courte, assortie de collants bleu marine.

Elle a l'air d'avoir dix-huit ans, songea-t-il. Surtout avec cette queue de cheval.

Elle rit. Une lueur d'amusement illumina ses yeux noisette.

— Liam... es-tu en état d'arrestation?

Il leva la main pour exhiber le bout de ses doigts noircis en lui décochant un sourire radieux.

— Fais-moi penser à mettre des gants ce soir avant d'aller piller la banque.

La secrétaire ne se donna même pas la peine de rire. Elle baissa la tête, concentrant son attention sur la dernière empreinte.

— Dans certaines communautés, on estime que cette pratique vous prive de votre âme, expliqua Liam. Prenez mes empreintes, vous me volez mon âme!

Puis il ajouta d'un ton léger:

— Heureusement que moi, je n'ai pas d'âme, hein?

Sara s'approcha de la table et lui tapota le bras.

— Moi je te trouve plein d'âme au contraire.

Il lui étreignit doucement la main.

— C'est fini, monsieur, annonça finalement la secrétaire. Tenez.

Elle sortit un rouleau de papier d'un tiroir, en arracha deux feuilles et les lui tendit pour qu'il s'essuyât les doigts.

Après l'avoir remerciée, il entraîna Sara dans le couloir tout en se nettoyant consciencieusement les mains.

— Drôle de coutume, tout de même, marmonna-t-il.

L'encre s'étalait, mais elle ne voulait pas s'en aller

— J'avais vraiment l'impression d'être un criminel.

— Se pourrait-il que tu n'aies pas la conscience tranquille, Liam ?

— À vrai dire, les empreintes appartiennent au passé, lui expliqua-t-il tandis qu'ils s'acheminaient le long des couloirs brillamment éclairés du bâtiment de l'administration. C'est une méthode grossière. Un de ces jours, l'université nous demandera de laisser une trace de notre ADN. Un cheveu par exemple. Ou un fragment de peau. Ou encore des spécimens de sang, de salive et d'urine.

— Liam ! S'il te plaît !

Il rit.

— Pourquoi pas ? Pourquoi trouves-tu cela plus choquant que des empreintes de doigts sur un document ?

Sara ne répliqua pas. Elle pensait à autre chose.

— Tes bagages sont prêts ? demanda-t-elle.

— Pour ainsi dire, répondit-il en haussant les épaules.

— J'ai encore quelques courses à faire. Je tiens à apporter à maman un sweat-shirt de Moore State.

Liam pouffa de rire.

— Ta mère en sweat-shirt ? Je l'imaginais plutôt en robe d'intérieur vichy avec un petit tablier en dentelle blanc.

— Allons, Liam. Dans quel siècle vis-tu ? lui rétorqua-t-elle en lui décochant un petit coup de coude.

Le voyant froissé, elle l'embrassa tendrement sur la joue.

— Je cours à la boutique du campus. Ensuite j'irai finir mes bagages. L'avion décolle à cinq heures. Peux-tu passer me chercher en taxi vers quatre heures ?

Liam hocha la tête.

— Pas de problème, comme disent mes étudiants.

Puis, lui saisissant le bras :

— Crois-tu que je vais plaire à ta mère, Sara ?

— Elle est déjà folle de toi. Il faut dire que je lui ai brossé un portrait plutôt flatteur de toi. La moitié de la population de l'État de l'Indiana sera probablement à l'aéroport pour t'accueillir et...

Au moment où ils gagnaient la sortie, Milton apparut à la porte de son bureau.

— Bonjour !

Son regard s'attarda un moment sur Sara avant de se poser sur Liam.

— Vous êtes de retour ! s'exclama-t-elle, surprise. Liam et moi sommes sur le point de partir. Je ne pensais pas que vous étiez revenu d'Atlanta, Milton. Le bureau...

— Je ne suis pas parti. À cause de cette fille, l'interrompit-il.

Liam remarqua ses yeux fatigués et rougis.

Milton frémit en poussant un soupir.

— Je viens de parler à ses parents au téléphone. Ça n'a pas été... facile, avoua-t-il en détournant le regard. J'en suis tout retourné. Les parents ne devraient pas avoir à endurer de telles... épreuves.

Comme il levait la main pour se gratter le crâne, Sara vit le pansement couleur chair qui lui entourait le poignet.

— Milton... vous vous êtes encore coupé ? s'écria-t-elle.

Il hocha la tête en exhibant son pansement.

— Avec l'un de mes couteaux. Il a glissé de son support au moment où je le prenais pour le nettoyer. Je me suis fait une vilaine entaille, reconnut-il en secouant la tête.

Liam jeta un rapide coup d'œil à sa montre avant de prendre Sara par le coude.

— Nous ferions mieux d'y aller. Nous n'avons pas beaucoup de temps devant nous.

Puis se tournant vers Milton :

— Soyez prudent, je vous en conjure ! Ces couteaux...

Sa phrase resta en suspens.

— Je n'arrête pas de penser à Devra Brookes, reprit Milton en avalant péniblement sa salive. Elle était si merveilleuse.

— Ça a été un choc terrible, répondit Liam en baissant les yeux.

— Elle était là à ma soirée, vous vous souvenez ? Vous étiez tellement surpris de la voir, Liam. Je n'arrive pas à croire qu'elle était chez moi il y a quelques jours et que maintenant...

— Je l'ai revue depuis, dit Liam à voix basse en regardant Sara. Nous étions en train de dîner, Sara et moi, dans ce restaurant de barbecue. Texas. Elle est venue nous parler à notre table.

Sara parut interloquée.

— La fille rousse? Oh mon Dieu! J'avais oublié son nom.

Liam lui étreignit le bras en un geste rassurant.

— Oui, c'était Devra. Une chic fille! Excellente étudiante. Jolie et très intelligente.

— J'étais à mille lieues de me douter..., balbutia Sara en prenant son visage entre ses mains. Mon Dieu! Quelle horreur! Tout le monde parlait de ça ce matin, ajouta-t-elle en levant les yeux vers Milton. Mais je n'avais pas compris que... Le campus est sens dessus dessous à cause de ce nouveau drame. Ça fait tellement peur.

— Les étudiants n'osent plus sortir la nuit, dit Milton en tirant la manche de sa chemise blanche pour dissimuler son pansement. Des parents m'appellent en me demandant si nous avons pris des dispositions. Je ne sais pas quoi leur répondre. Que voulez-vous que je leur dise? Je suis sûr que nos policiers font de leur mieux. Mais ils n'ont pas l'habitude des crimes. C'est une petite ville. Que voulez-vous que je leur dise? répéta-t-il en secouant la tête d'un air pitoyable.

— Nous sommes tous impuissants, murmura Liam, les sourcils froncés, en jetant un coup d'œil à ses doigts tachés d'encre.

— Un tueur fou se cache quelque part parmi nous, fit Sara d'une voix étranglée en s'agrippant au bras de Liam. D'après ce qu'ils disent à la télévision, il ne semble pas y avoir de lien entre les différents meurtres. Le coupable tue au hasard. C'est un forcené.

— Nous avons une réunion tout à l'heure, renchérit Milton, pour décider s'il convient de changer l'heure du match amical prévu la semaine prochaine afin qu'il ait lieu l'après-midi plutôt que le soir.

Il soupira.

— Rien ne prouve que ça sera plus sûr. Nous ferions peut-être mieux de l'annuler purement et simplement. Je ne sais plus à la fin.

— Il faut absolument que nous partions, intervint Liam en exerçant une pression légère sur l'épaule de Sara. Nous devons prendre un avion à cinq heures. On se revoit lundi, Milton. Reposez-vous un peu. Vous avez l'air épuisé.

— Soyez prudents, hein?... Bon, il faut encore que je rappelle plusieurs personnes.

Sur ce, Milton fit volte-face et regagna son bureau à pas lents.

Liam entraîna Sara dehors. Ils émergèrent dans la grisaille. De gros nuages s'amoncelaient à l'horizon, au-delà du campus; une tempête menaçait. Liam regarda la buée que son souffle produisait. Il fait suffisamment froid pour qu'il neige, pensa-t-il. Pourvu que notre vol ne soit pas annulé.

Ils avaient descendu la moitié des marches en béton quand, brusquement, Sara passa devant lui et lui enserra la taille. Elle pressa sa joue contre la sienne.

— Trois femmes assassinées sur le campus. Seigneur, Liam! C'est... c'est terrifiant.

— Oui, c'est terrifiant.

Il aimait la chaleur de sa joue contre la sienne, le contact de ses bras serrés autour de son manteau.

— Ne t'inquiète pas, Sara, je te protégerai, lui chuchota-t-il à l'oreille. Ne t'inquiète pas. Je suis là.

Sara boucla sa valise posée sur le lit. Puis elle se dirigea vers la coiffeuse et se brossa les cheveux une fois de plus tout en observant son reflet dans la glace.

Pourquoi suis-je si nerveuse?

Elle essuya une minuscule trace de rouge à lèvres sur son menton avec le pouce. Maman va adorer Liam. Il ne fait aucun doute qu'elle succombera à son charme. Frank et Laurie aussi vont l'adorer.

Frank. Son frère aîné. Quel âge avait-il donc maintenant? Il lui fallut compter. Quinze ans de plus qu'elle. Trente-neuf ans. Il était déjà adolescent lorsqu'elle était née. Nous n'avons jamais été très proches, pensa-t-elle à regret. Il lui avait toujours fait l'effet d'un deuxième père plutôt que d'un frère. Quant à sa femme, Laurie, elle se montrait toujours assez distante.

Elle jeta un coup d'œil au réveil. Liam allait arriver d'un instant à l'autre. Au moment où elle prenait sa valise dans l'intention de la porter dans l'entrée, la sonnerie du téléphone retentit.

Calme-toi, Sara, se raisonna-t-elle. Tu as failli avoir une crise cardiaque!

Elle traversa rapidement la pièce et décrocha.

— Oh, Mary Beth!... Salut! J'étais sur le point de partir... Tu sais bien. À l'aéroport. Nous allons à Muncie, Liam et moi ! Je...

— L'aéroport peut attendre, l'interrompit Mary Beth. Il faut absolument que je vide mon sac...

Sara vérifia l'heure.

— Eh ben dis donc ! Tu as l'air de bonne humeur !

— Ces meurtres vont me tuer ! geignit Mary Beth.

Sara éloigna le combiné de son oreille de quelques centimètres.

— Est-ce un jeu de mots ou...

— Je ne plaisante pas ! Le téléphone n'arrête pas de sonner. Les journalistes ont envahi mon bureau — mon minuscule box. Tu imagines ? Des journalistes arrivent de partout. Deux équipes de télévision, rien que cet après-midi ! Elles ont débarqué en même temps et se sont bagarrées pour savoir qui filmerait les scènes du meurtre en premier.

— Je ne comprends pas ! Pourquoi les as-tu tous sur le dos ?

— Parce que je suis responsable des relations publiques, pardi ! Mais c'est de la folie pure. Je pensais avoir déniché un petit boulot tranquille. Je suis censée tourner des vidéos pour montrer combien la vie est palpitante sur notre campus et faire paraître de jolies petites brochures. Au lieu de ça, des journalistes me brandissent leur micro sous le nez en me demandant qui a tué ces pauvres femmes. Comment veulent-ils que je le sache ? Et puis... et puis...

— Calme-toi, Mary Beth. Au moins...

— Il faut absolument que j'aille boire un coup quelque part. Je te jure. Je suis dans un tel état de nerfs. Je bégaie comme une idiote. J'ai la tête qui tourne. J'ai vraiment besoin de me détendre. Tu prendras l'avion demain. Rejoins-moi au Pitcher... d'accord ?

— Tu n'es pas sérieuse ? Tu connais ma mère. Elle est probablement déjà sur son pas de porte à me guetter ! Et Liam doit...

— Je voudrais aussi te parler de Liam. Je suis très heureuse pour toi. Vraiment. Mais il ne faudrait pas que tu te lances à corps perdu dans...

— On ne peut pas parler de ça maintenant, Mary Beth. Je suis en retard. Et...

— Tu le connais à peine, Sara...

— Je sais seulement que c'est un homme merveilleux et que, cette fois-ci, je ne me suis pas trompée. J'en suis convaincue. Mais je n'ai pas le temps...

— C'est justement pour ça qu'il faut qu'on boive. Qu'on boive et qu'on parle de tout ce qui se passe. Sara, tu n'as pas idée de l'atmosphère qui règne dans le campus.

— J'en suis parfaitement consciente. Moi aussi je fréquente l'université, tu sais. Les étudiants ne parlent que...

— Non, je veux dire dans le bâtiment de l'administration. Tout le monde est mort de trouille. Et tous ces gens de la presse et de la télé qui nous tombent dessus comme... des sauterelles. Heureusement, ils ont décidé d'en envoyer quelques-uns à Milton à partir de demain. Ils se sont enfin rendu compte que je ne pouvais pas faire face toute seule. Ils sont dingues, ces journalistes. Tous remontés comme des horloges. Comme si c'était la saison du Super Bowl ou des jeux Olympiques. Alors comme Milton est doyen, ils vont...

Elle s'interrompit brusquement, changea de vitesse :

— Hé, Sara, tu travailles pour lui, non ? Tu ne le trouves pas un peu dingo sur les bords ?

— Oui, un peu, ricana Sara. Il ne regarde jamais les gens en face. Il a constamment les yeux sur...

— Exactement. On ne peut pas dire qu'il soit très subtil, hein ? Ce matin, j'étais en train de lacer ma chaussure et...

— Écoute, Mary Beth, je suis désolée. Il faut vraiment que j'y aille. Est-ce que je peux t'appeler plus tard ? De chez maman ?

— Non, je ne pense pas. Je ne serai plus en état de parler tout à l'heure. Je l'espère en tout cas. Je vais peut-être téléphoner à Éric. Il a le don de me détendre. Ha ha !

— Mary Beth...

— C'est un vrai cauchemar, Sara. Mais va-y ! Barre-toi ! Bien le bonjour à ta mère. Appelle-moi quand tu rentres, d'accord ?

— Entendu. Au revoir.

Sara raccrocha et jeta un nouveau coup d'œil au réveil.

La sonnette retentit.

Elle sursauta bien qu'elle s'y attendît et se rua vers la porte d'entrée. Liam ! Il est en avance !

Elle ouvrit.

— Liam... Le taxi... ?

Pas de Liam.

Personne ? Quelqu'un lui jouait-il un tour ?

Des bruits de pas furtifs tout au bout du couloir.

Elle était sur le point de refermer la porte quand elle aperçut la boîte posée sur le paillasson. Un paquet-cadeau enveloppé dans du papier argenté avec un ruban blanc et un gros nœud.

Un cadeau de Liam ?

Mais il sait que nous sommes pressés.

Ça ne peut pas venir de lui. De qui d'autre ?

Un dernier coup d'œil dans le couloir. Désert. Puis elle prit le paquet en le saisissant des deux mains. Une grosse boîte, mais très légère.

Elle referma la porte derrière elle d'un coup de reins. Se laissa tomber sur le canapé, son cadeau sur les genoux. Défit le nœud. Souleva le couvercle argenté. Écarta les épaisseurs de papier de soie.

Qu'est-ce que c'était que ça ?

Quatre houppettes blanches, duvetées.

Si mignonnes.

Elle en prit une entre ses doigts. Toute chaude.

L'examina de plus près.

Et se mit à hurler.

27

La chose lui tomba des mains. Atterrit dans la boîte, laissant apparaître de l'os et du cartilage.

Et puis, des taches rosées sur le papier de soie, du sang, humide et chaud.

Son cri s'acheva en un frisson. Elle expédia la boîte à l'autre bout de la table.

Les quatre pattes de lapin s'entrechoquèrent. Elle revit le cartilage jaunâtre sanguinolent sous la fourrure soyeuse et secoua la tête pour chasser l'atroce sensation d'avoir tenu cette patte dans sa main.

Encore tiède. Elle l'avait nettement senti. Arrachée à l'animal, se rendit-elle compte en avalant péniblement sa salive. Quatre pattes de lapin, non pas coupées, mais arrachées. Du cartilage, des fragments de veines pendant de la fourrure tachée de sang coagulé.

— Oh! gémit-elle. C'est monstrueux.

Et puis elle vit l'enveloppe. Une petite enveloppe blanche, carrée, comparable à une carte de vœux, glissée dans le papier de soie sur le côté de la boîte.

Je devrais la laisser où elle est, se dit-elle en la regardant fixement jusqu'à ce que sa vision se brouille. Je ne devrais pas la toucher et appeler la police.

Elle cligna les paupières. L'enveloppe réapparut clairement ainsi que les quatre pattes de fourrure. Elle s'empara du petit carré de papier d'une main tremblante en détournant prestement les yeux de cette vision insoutenable.

En déchirant l'enveloppe, elle vit une traînée de sang rosée sur le rabat. Elle en tira une petite carte bordée d'un liséré noir qu'elle tint des deux mains pour essayer d'arrêter de trembler et de lire les mots écrits avec application à l'encre rouge :

SI VOUS ÉPOUSEZ LIAM, VOUS AUREZ BESOIN D'UN MAXIMUM DE CHANCE.

Elle froissa la note dans sa main moite et glaciale. Prit une profonde inspiration, ferma les yeux et s'efforça de réfléchir.

Qui avait bien pu lui envoyer ça?

Chip?

Les appels téléphoniques menaçants et maintenant ce cadeau ignoble. Monstrueux. Chip est-il dérangé au point d'être capable de démantibuler un animal vivant pour me faire peur?

Non. Ce n'est pas possible.

Il n'a pas fait ça.

Mais...

Elle avait saisi le combiné du téléphone sans s'en rendre

compte. Elle tâcha de fixer son regard sur le bloc-notes gris posé à côté de l'appareil, où elle avait inscrit le numéro de Liam.

Je l'ai appelé tant de fois. Je devrais m'en souvenir. Est-il encore chez lui ou a-t-il déjà sauté dans un taxi ?

Elle composa le numéro, le cœur palpitant. Comme celui d'un lapin, pensa-t-elle. Elle eut un haut-le-cœur. Sa gorge se serra.

Trois coups. Puis :

— Allô ?

Il paraissait essoufflé.

— Liam, c'est moi. Je... je...

— Sara, qu'est-ce qui ne va pas ? J'allais partir. Je ne suis pas en retard, si ?

— Non, je... Liam, il est arrivé une chose épouvantable.

Elle s'apprêtait à lui décrire la boîte et son ignoble contenu. Mais une autre question lui vint à l'esprit qu'elle formula d'une voix blanche :

— Ton lapin, Phoebe, est-ce qu'il se porte bien ?

Silence. Puis un lourd soupir lui parvint.

— Sara, tu dois avoir un don de double vue, dit-il enfin.

— Que veux-tu dire ?

— Eh bien... Phoebe ne se porte pas bien du tout.

Sara se raidit.

— Elle est tombée malade. Le vétérinaire a dû la piquer hier après-midi.

Il ricana.

— C'est drôle comme on peut s'attacher à ces petites bêtes. J'ai pensé à elle toute la journée. Sara... je... enfin...

Le regard de Sara tomba sur la boîte argentée.

— Comment as-tu pu le savoir ? Je n'ai pas voulu t'en parler pour ne pas gâcher...

— Il est arrivé une chose épouvantable ! répéta-t-elle d'une voix stridente. Quelqu'un m'a envoyé un paquet. Un cadeau. Avec un ruban, un nœud et tout le tralala. À l'intérieur, j'ai trouvé quatre pattes de lapin. Toutes sanguinolentes et encore tièdes. On les avait arrachées, Liam. Arrachées ! Elles étaient pleines de sang. Et... Et...

Elle réprima un sanglot.

— Quand ça ? Aujourd'hui ?

— Il y avait un mot. Écrit à l'encre rouge, poursuivit-elle. Me mettant en garde contre toi.

— Seigneur! Que disait-il?

Elle inspira à fond. Si seulement son cœur pouvait se calmer un peu.

— C'est un avertissement. On me dit que j'ai besoin d'un maximum de chance si je t'épouse.

Silence. Puis :

— Je suis horrifié, Sara. Et désolé, vraiment désolé.

— Qu'est-ce que je fais, Liam? J'appelle la police?

— Je ne sais pas. Nous avons toutes les raisons d'être heureux et quelqu'un... Quelqu'un...

— Qui? s'écria-t-elle. Qui?

— Je découvrirai le coupable, lui assura-t-il. Je te le promets, Sara, je le démasquerai. Et je mettrai fin à tout ça.

28

La maison lui paraissait plus petite chaque fois qu'elle y retournait. Des plaques de neige grisâtre parsemaient la pelouse.

Sara passa son bras sous celui de Liam avant de sonner. À chaque expiration, ils exhalaient de petits nuages vaporeux qui s'élevaient en volutes jaunes sous l'éclairage du porche.

Frank vint leur ouvrir, un sourire jusqu'aux oreilles, les yeux plissés derrière ses lunettes sans monture. Il est presque chauve! nota Sara. Elle se força à détourner son attention de ce front, interminable.

— La sœur prodige est de retour! s'exclama-t-il de sa voix haut perchée.

Il l'étreignit avant d'échanger une poignée de main énergique avec Liam dont la grimace presque imperceptible n'échappa pas à Sara. Cette exubérance ne ressemblait guère à Frank.

Ils pénétrèrent dans le salon, le froid s'y engouffrant dans leur sillage. De délicieux arômes leur parvenaient de la cuisine. Il faisait chaud comme dans un four dans la maison. Comme d'habitude.

Sara se frotta les mains pour se réchauffer tout en jetant un rapide coup d'œil autour d'elle, heureuse de voir que rien n'avait changé. Les parois aux lambris sombres. Les fauteuils en velours vert foncé assortis au sofa. La pendule sur le manteau de la cheminée. Les reproductions de Picasso aux murs — datant toutes de la période bleue. La photographie de son père, en noir et blanc, lui souriant depuis la table près du canapé.

Alors que sa mère, aussi radieuse que Frank, s'efforçait de se lever de son fauteuil, Laurie, sa belle-sœur, une jolie femme à la silhouette élancée, se pencha pour l'aider.

— Celui qui a inventé les genoux a vraiment foiré! proclama Mme Morgan d'une voix forte.

Lorsqu'elle fut enfin debout, elle prit Sara dans ses bras et la serra contre elle.

— Tu es glacée, ma chérie! Retire donc ton manteau. Bienvenue dans notre famille, ajouta-t-elle en étreignant Liam à son tour. Vous allez vite en besogne, dites-moi!

Sara ne put s'empêcher de rire en voyant la mine déconfite de Liam.

— Vous ressemblez tellement à Sara, fit-il dès qu'il eut retrouvé l'usage de la parole.

— Je sais, je sais. Je pourrais être sa sœur, répliqua Mme Morgan en roulant les yeux, puis elle présenta Laurie à Liam.

Les mains serrées autour de la taille de sa petite jupe noire, Laurie paraissait légèrement mal à l'aise.

— Nous avons beaucoup entendu parler de vous par Sara. Et puis j'ai une cousine qui a suivi des cours avec vous. Il y a déjà plusieurs années de cela.

— J'espère que je ne l'ai pas recalée.

Tout le monde rit.

Sara remarqua qu'il observait sa mère à la dérobée. C'est vrai que nous avons beaucoup de traits communs, se dit-elle. Mme Morgan portait un jean délavé et un gros pull-over bleu marine. Ses cheveux — de la même couleur que ceux de sa fille en dehors de quelques mèches grises —

étaient tirés en arrière en une queue de cheval qui lui donnait presque l'air d'une gamine. Elle refusait obstinément de
se les faire couper de peur de faire « vieille dame ».

— Je suis toujours étonnée de voir à quel point les filles
peuvent ressembler à leur mère, reprit Liam en confiant son
manteau à Frank. Mais Sara n'a pas cette ravissante fossette, ajouta-t-il en souriant.

Mme Morgan porta la main à son menton.

— Ravissante ! Elle m'a pourtant causé bien du tracas.
Quand j'étais jeune, j'aurais donné n'importe quoi pour la
dissimuler !

— Il existe un vieux dicton originaire du Yorkshire à ce
sujet, reprit-il.

Il ferma les yeux en faisant un effort de mémoire.

— Fossette au menton, vie comblée. Fossette à la joue,
il te faudra toujours chercher.

Elle éclata de rire.

— Eh bien, la mienne a dû glisser ou se tromper
d'endroit. Je cherche toujours.

Sa remarque déclencha l'hilarité générale.

— Je vous en prie, ne l'encouragez pas, intervint Sara
d'un ton joyeux en saisissant le bras de Liam. Il a un dicton
idiot pour tout.

Liam lui jeta un regard étonné.

— Idiot ?

— Vous n'allez pas vous laisser faire, j'espère,
s'exclama Frank qui tenait toujours leurs manteaux dans ses
bras. Avant d'aller vivre à New York, elle n'aurait jamais osé
parler sur ce ton.

Ils s'esclaffèrent tous, hormis Sara.

— Hé, tu vas cesser tes vannes à propos de New York ?
grommela-t-elle à l'adresse de son frère. J'étais déjà mauvaise langue *avant* d'aller vivre là-bas.

— Ne restez pas debout. Venez donc vous asseoir, suggéra Mme Morgan. J'aurais voulu vous accueillir avec un
feu d'enfer, ajouta-t-elle, mais je n'ai pas de cheminée.

Liam sourit à Sara, appréciant cet humour pince-sans-
rire qui le surprenait sans doute dans la mesure où Sara,
elle, ironisait rarement.

— Il fait une telle chaleur chez vous. Il se pourrait
même qu'un feu rafraîchisse l'atmosphère ! lança Laurie.

— J'aime avoir bien chaud, répondit Mme Morgan en faisant quelques pas manifestement douloureux en direction de son fauteuil.

— Est-ce que tu prends toujours tes médicaments, maman? demanda Sara. On dirait que tu as mal.

— Ça ne l'a pas empêchée d'aller au concert des Grateful Dead à Indianapolis la semaine dernière! s'exclama Frank qui revenait après avoir été suspendre les manteaux dans le placard de l'entrée.

— C'est pas vrai! Je le crois pas!

— Elle ne parlait pas comme ça non plus avant d'aller à New York, renchérit Frank.

— Quand on est mordu, on est mordu! grommela Mme Morgan. Et puis Jerry Garcia est presque aussi vieux que moi de toute façon!

— Ça s'entend! bougonna Frank.

— Rien ne vous obligeait à m'accompagner, Laurie et toi! répliqua-t-elle à son fils d'un ton enjoué. Je n'avais pas besoin de vous. Si vous n'êtes pas capables d'apprécier...

— On s'est beaucoup amusés, intervint Laurie en fronçant les sourcils à l'adresse de son mari. C'était... le pied.

Mme Morgan tourna son attention vers les nouveaux venus.

— La presse parle continuellement de ces horribles meurtres survenus à Freewood. Dans le campus même. Ça m'a rendue folle d'inquiétude. Ils n'ont toujours pas retrouvé la trace du coupable, si?

Sara soupira. Pourquoi fallait-il qu'elle parle de ça alors qu'ils venaient à peine d'arriver?

— Non, aucune trace, murmura-t-elle.

— Tu fais bien attention, j'espère!

— Évidemment.

Mme Morgan regarda longuement sa fille d'un air pensif. Puis elle parut s'extraire tout à coup de ses sombres pensées.

— Vous devez avoir faim? Vous n'avez pas touché à votre plateau dans l'avion, j'imagine. Si nous passions à table.

Elle se releva, prit Sara par la main et l'entraîna vers la salle à manger.

— J'ai une petite surprise pour vous : j'ai préparé un dîner de Thanksgiving.

— Maman ! Pourquoi ?..., commença Sara.

— Nous serons tous à votre mariage ce jour-là, pas vrai ? répliqua-t-elle en souriant à Liam. Alors j'ai pensé que ce serait une bonne idée de fêter Thanksgiving ce soir. Dinde, farce et tout ce qui s'ensuit.

— Quelle merveille ! s'exclama Liam. Je meurs de faim chaque fois que je descends d'un avion.

— Nous avons l'habitude de dîner à six heures. Ici, dans le Midwest, les gens aiment manger de bonne heure.

— Je connais bien les coutumes du Midwest, expliqua Liam. J'ai vécu à Chicago jusqu'à cet automne.

— Oh, j'adore Chicago ! Dave et moi y allions à la moindre occasion.

Elle soupira.

— Nous y avons passé notre lune de miel, dans un hôtel magnifique qui donnait sur le lac. Peut-être Sara et vous...

— Non, l'interrompit Sara, nous n'aurons pas le temps. Les cours reprennent juste après le mariage.

— Vous feriez peut-être mieux de le repousser au printemps, suggéra Mme Morgan en regardant sa fille dans le blanc des yeux. Cela vous donnerait la possibilité de faire un vrai voyage de noces. Vous auriez tout l'été...

Sara se mordit la lèvre. Maman n'a jamais brillé par sa subtilité, pensa-t-elle.

C'était sa manière « délicate » à elle de lui dire qu'elle avait tort de précipiter les choses.

— Quelle table magnifique, maman ! s'écria-t-elle pour faire diversion. C'est somptueux ! Tu n'aurais pas dû te donner tant de peine.

Elle aussi était capable d'être subtile.

— Laurie et Frank m'ont donné un coup de main, lui répondit sa mère tout en continuant à la fixer intensément.

— C'était grandiose ! s'exclama Liam en regagnant le salon.

Il tira une chaise près du fauteuil de son hôtesse tandis que Sara se laissait tomber sur le sofa.

— Cela faisait des années que je n'avais pas fait un dîner pareil !

— Liam, la flatterie vous ouvrira toutes les portes ! déclara Mme Morgan en lui tapotant la main avec familiarité. Puis elle gloussa de rire.

— La flagornerie n'est pas dans mes habitudes, protesta-t-il. Demandez donc à Sara.

Celle-ci leva les yeux au ciel.

— Il ne faut pas croire un mot de ce qu'il dit, maman. C'est un conteur, souviens-toi.

— J'ai beaucoup aimé l'histoire que vous nous avez racontée pendant le repas, reprit la mère de Sara. Dès lundi matin, j'irai à la bibliothèque et je leur demanderai tous vos livres, Liam.

Il la remercia, puis se pencha vers elle et se mit à lui parler à voix basse. Elle paraissait sous le charme.

Sara tendit l'oreille pour entendre ce qu'ils se disaient.

— Sara a toujours été la plus sage, murmura sa mère. C'était la petite dernière, mais elle donnait l'impression d'être très mûre pour son âge.

Au-delà de leurs chuchotements, Sara perçut des bruits d'eau provenant de la cuisine. Laurie et Frank étaient en train de faire la vaisselle. Elle avait proposé de les aider, mais ils avaient insisté pour qu'elle aille bavarder avec sa mère.

Elle bâilla, se sentant heureuse. Comblée.

— Il fait tellement chaud dans cette maison. Ça me donne envie de dormir, maman.

— Je regrette que Gary et Rich n'aient pas pu être là, soupira Mme Morgan. Il y a des semaines que je ne leur ai pas parlé. J'espère qu'ils pourront venir à votre mariage.

— En tout cas, j'ai été ravie d'apprendre que Frank et Laurie seraient des nôtres, répondit Sara. Je sais qu'ils passent généralement Thanksgiving chez la mère de Laurie.

— Ça va être magnifique, dit Liam d'une voix douce en se penchant davantage vers sa future belle-mère. La cérémonie aura lieu en plein air, à la lisière du bois. Derrière la maison du doyen.

Mme Morgan ne put cacher sa surprise.

— En plein air? Fin novembre? On va geler!

— Ce sera très court, promit Sara. J'ai dit à Liam qu'il était fou, mais il y tient beaucoup.

Liam était sur le point d'ajouter quelque chose, mais il s'arrêta brusquement quand une forme sombre bondit silencieusement de derrière le sofa pour atterrir sur ses genoux.

Il poussa un cri d'effroi et bascula brutalement en

arrière en fixant d'un air épouvanté le gros chat noir aux yeux jaunes pelotonné contre lui.

— Flint, je me demandais où tu étais passé! s'exclama Mme Morgan. Ce chat est fou. Pourquoi t'en prends-tu à Liam?

Celui-ci avait les yeux exorbités. On aurait dit que l'animal et lui se mesuraient du regard.

— Vous n'avez qu'à le pousser un peu, expliqua Mme Morgan. Il ne se rend pas compte à quel point il est lourd. Allez-y! Poussez-le.

Liam ne broncha pas. Il semblait pétrifié.

Le chat pencha la tête de côté sans détourner son attention tout en raclant doucement ses griffes sur le genou du visiteur.

Liam ne le lâchait pas des yeux. Les bras ballants, raides, impuissants.

Sara vit les prunelles de l'animal se refléter dans celles de Liam. La terreur se lisait sur le visage de celui-ci dont le menton tremblait perceptiblement.

— Repoussez-le, Liam, insista Mme Morgan. Liam! Liam! Qu'est-ce qui ne va pas?

— Euh... ce n'est rien, maman, intervint Sara d'une voix douce. C'est juste que Liam... est un peu superstitieux.

29

Sara était en train de tirailler sur sa chemise de nuit en flanelle lorsqu'elle se retrouva nez à nez avec Liam dans le corridor mal éclairé du premier étage. Elle étouffa un éclat de rire. Avec son grand pyjama à rayures, il avait l'air de sortir tout droit d'un film des années quarante.

Il pointa sa brosse à dents en direction de la salle de bains.

— Passe la première si tu veux.

— Inutile de chuchoter, mon chéri, dit-elle en l'embrassant sur la joue.

Puis elle laissa glisser ses lèvres le long de sa mâchoire jusqu'à ce qu'elles trouvent sa bouche.

Le parquet grinçait sous leurs pieds nus. Sara jeta un coup d'œil dans l'escalier. La maison était plongée dans l'obscurité. Sa mère avait gagné sa chambre au rez-de-chaussée quelques minutes après que Frank et Laurie furent partis pour réintégrer leur logis à quelques pas de là.

— Tu peux venir dans ma chambre si tu veux, lui souffla-t-elle à l'oreille. Rien ne t'oblige à dormir dans ce cagibi.

Il secoua la tête.

— Non, il vaut mieux pas, répondit-il.

Il la serra contre lui en pressant son visage contre le sien. Il avait la joue brûlante.

— Maman n'entendra rien, murmura-t-elle. Allons, Liam, nous ne sommes plus des adolescents. Inutile de nous cacher. Elle sait très bien qu'on couche ensemble.

— Je me sentirais mal à l'aise, avoua-t-il en souriant d'un air contrit.

Elle rit. Lui caressa tendrement le visage des deux mains.

— Tu es tellement vieux jeu et si bête parfois.

— C'est ce qui te plaît chez moi.

Elle l'embrassa de nouveau sur les lèvres.

— Mmm!... Entre autres.

Ils échangèrent un long baiser.

— Désolée pour le chat.

— Il m'a... surpris.

— Surpris?... Tu étais mort de trouille, oui!

Un autre baiser. Elle noua les mains derrière sa nuque.

— Si je ne l'avais pas pris sur mes genoux, qu'aurais-tu fait?

Pour toute réponse, il l'embrassa sur les paupières.

— Je ne m'y attendais pas, c'est tout. Il a surgi de nulle part. Je ne savais même pas que ta mère avait un chat.

— Un chat noir, le taquina-t-elle. Tu n'aimes pas les chats noirs, n'est-ce pas?

Il se libéra de son étreinte, les traits soudain figés.

— Bonne nuit, Sara. Fais de beaux rêves.

Puis il fit volte-face et se dirigea vers sa chambre en faisant grincer le parquet à chaque pas.

Elle le suivit sur la pointe des pieds et le rattrapa par la manche de son pyjama.

— Tu ne viens vraiment pas dans ma chambre? Pardonne-moi, Liam. Je ne voulais pas me moquer de toi. C'est juste que... enfin... avoue que cette histoire de chat noir est un peu ridicule.

— À demain, dit-il en lui déposant un baiser sur le front avant de refermer la porte de sa chambre derrière lui.

— Qu'est-ce que j'ai fait? chuchota-t-elle en collant sa joue contre la porte. Allons, Liam. Ce n'est pas si grave tout de même?

Au bout d'une minute environ, voyant qu'il ne réagissait pas, elle se retourna et gagna la salle de bains à pas de loup.

Elle s'était juré de ne pas se laisser attendrir par le fait de passer la nuit dans la chambre de son enfance. Elle s'empressa d'éteindre toutes les lumières pour ne pas voir ses vieilles affiches, les photos du lycée, toutes les babioles que sa mère avait gardées précieusement dans ce sanctuaire sacro-saint.

Je sais que je suis censée avoir toutes sortes de pensées émouvantes à l'idée de dormir pour la dernière fois en célibataire dans cette chambre, se dit-elle.

Mais je suis trop fatiguée. Et perturbée par Liam. Liam et ses superstitions idiotes. Il n'est pas question que je me mette à pleurnicher en serrant mon vieux panda contre mon cœur, comme si j'avais cinq ans.

J'aimerais tellement que papa soit là, pensa-t-elle en rectifiant la position de son oreiller. Tu me manques terriblement, papa. Je voudrais tant pouvoir te parler. Te présenter Liam. Il te plairait, papa. Il ne te ressemble pas du tout. Mais tu l'aimerais beaucoup quand même.

En songeant à son père, elle glissa peu à peu dans un sommeil profond, sans rêve, un sommeil d'enfant.

Elle fut brusquement réveillée par un hurlement et se dressa sur son séant dans le lit étroit, les yeux grands ouverts, le cœur battant.

Cela venait d'en bas.

— Maman!

Elle rejeta les couvertures, se leva précipitamment et courut dans le couloir tout en enfilant sa robe de chambre.

— Maman? Maman?

Au passage, elle aperçut Liam qui sortait de sa chambre en se frottant les yeux, son pyjama tout tire-bouchonné, les cheveux en bataille. Elle s'élança dans l'escalier et se rua vers la cuisine dont provenaient les cris déchirants de sa mère.

La lumière grisâtre du petit matin s'infiltrait par la fenêtre. En pénétrant dans la pièce, Sara vit une flaque noire par terre. Puis une forme inerte à ses pieds, à côté d'une boule de laine noire.

La vision encore embrouillée par le sommeil, elle crut d'abord que sa mère avait laissé tomber un chandail noir.

Mais très vite, elle vit les quatre pattes raides émergeant de la petite masse.

Et comprit que la boule de laine noire n'était autre que la tête du chat.

— F... Flint, bredouilla sa mère en désignant du doigt l'amas de fourrure noire.

Elle cillait continuellement des paupières, comme si elle n'arrivait pas à croire ce qu'elle voyait, comme si elle s'efforçait de chasser cette horrible vision de son esprit.

— F... Flint.

Sara sentit ses genoux se dérober sous elle. Elle se rattrapa de justesse au plan de travail en formica.

Le chat avait eu la tête arrachée. Son petit corps noir baignait dans une mare de sang, son propre sang; un enchevêtrement de veines rouges jaillissait de sa gorge béante.

— F... Flint.

— Que se passe-t-il?

Liam entra dans la cuisine en trombe, ses pieds nus claquant sur le linoléum, et courut vers Sara.

Elle lui saisit le bras.

— C'est le chat de maman. Il est...

— Quelqu'un a tué Flint, balbutia Mme Morgan sans parvenir à détacher son regard de la petite tête ronde.

Liam poussa un cri de surprise. Il traversa la pièce en deux enjambées et s'accroupit près du cadavre. Il examina le petit corps, puis son regard glissa sur la mare de sang, jusqu'à la tête.

— Un animal, marmonna-t-il.

Il se redressa en secouant la tête.

— Un raton laveur probablement. Ou bien un gros chien. Regardez, ajouta-t-il en dressant l'index, la porte de derrière est ouverte.

Mme Morgan émit une plainte étranglée en portant les mains à son visage.

— La porte?

Ils fixèrent tous les trois la porte grande ouverte.

Puis la mère de Sara se tourna vers Liam.

— Croyez-vous vraiment qu'un animal ait pu entrer par là, tuer Flint et ressortir par la même porte?

Liam hocha la tête d'un air grave.

— Que voulez-vous que ce soit d'autre?

30

Dans le couloir tapissé de miroirs, Liam ajustait son nœud papillon noir. Des éclats de rire lui parvenaient du salon, le froufrou d'étoffes soyeuses, les claquements de hauts talons sur le parquet.

Tandis que, le nez collé à la glace, il tripotait son nœud, il aperçut du coin de l'œil le reflet de Margaret, fort élégante dans un tailleur blanc cassé dont la veste ouverte laissait entrevoir un chemisier en dentelle blanc à col montant. Elle déambulait fébrilement dans l'entrée, les mains dans les poches de sa veste; puis elle rectifia la position du petit bouquet jaune et blanc qui ornait son revers avant de reprendre ses allées et venues, les bras ballants.

Margaret, tu es plus nerveuse que le futur marié, pensa-t-il. Un sourire détendit ses traits l'espace d'une seconde. Plutôt un spasme, à vrai dire. En fait, je me sens parfaitement calme. Surtout maintenant que la cérémonie est sur le point de commencer.

De nouvelles voix retentirent dans le salon. Qu'il ne reconnut pas. La porte d'entrée claqua. Des appels de bienvenue.

Il aurait souhaité limiter au maximum la liste des invités. Quatre ou cinq personnes tout au plus. Juste assez pour légitimer l'événement et faire en sorte que ce soit romantique. Pour Sara.

Mais elle avait insisté pour avoir un vrai mariage et convier toute sa famille, sa mère, ses frères, ses cousins, ses camarades de lycée et d'université.

Milton avait gentiment proposé que la célébration ait lieu chez lui. Sara avait sauté sur l'occasion : « Le cadre est tellement magnifique ! Quel endroit merveilleux pour commencer notre vie commune, Liam ! Si romantique ! »

Romantique.

Liam tapota la poche de sa veste de smoking pour vérifier que l'épingle à cheveux qu'il prévoyait de lui donner était bien là. L'aumônier du campus avait consenti à célébrer l'office habituel en dépit des circonstances un peu particulières. Sara jugeait cela amplement suffisant. Mais Liam voulait ajouter une note spéciale à la cérémonie.

Il songea à la conversation téléphonique qu'ils avaient eue la veille au soir. Sara lui avait paru si nerveuse, si puérile. Dès qu'elle se retrouvait parmi les siens, elle redevenait une petite fille.

Il l'avait appelée sous prétexte de s'assurer qu'elle était calme et sereine. En vérité, il voulait lui rappeler que, conformément à la tradition, elle devait porter quelque chose de vieux, quelque chose de neuf, quelque chose d'emprunté et quelque chose de bleu. Et qu'elle devait *absolument* le précéder chez Milton de peur qu'il ne la voie avant la cérémonie.

Pas de cafouillages, pour l'amour du ciel. Pas de cafouillages. Il le lui avait fait promettre solennellement.

Mais Mary Beth avait eu des ennuis de voiture. Elles avaient pris du retard et s'étaient garées devant chez Milton quelques secondes après Margaret et lui. Tu parles d'une amie !

Liam avait juré en silence et détourné le regard — assez

vite? —, tandis que Mary Beth criait des excuses. Il avait tourné le dos pendant qu'elle entraînait Sara dans la maison, sa robe de mariée dans les bras.

Pas de cafouillages.

Liam jeta un nouveau coup d'œil à Margaret dans la glace. Elle était toujours seule et s'exerçait à sourire.

Ne t'inquiète pas, Margaret. Nous y sommes presque. Tout va bien se passer, tu verras. Si seulement j'arrivais à faire ce fichu nœud correctement.

Une tape brutale sur l'épaule anéantit en un instant tous ses efforts.

— Je vous cherchais partout, Liam, s'exclama Milton d'une voix tonitruante, souriant fièrement comme s'il était le père de la mariée. Comment ça va?

— Pas trop mal, répondit Liam en lui rendant son sourire.

Milton avait tout d'un personnage de Dickens dans sa queue-de-pie. Liam eut envie de l'appeler « Squire ».

— Attendez! Je vais vous aider.

Avant que Liam ait eu le temps de protester, les gros doigts de Milton s'empêtraient dans le nœud papillon.

— Milton, je vous en prie...

— Il fait un froid de canard dehors, déclara celui-ci sans se soucier de l'agacement de Liam. Il n'est pas trop tard pour transférer la cérémonie à l'intérieur.

— Il ne fait pas chaud, c'est vrai, mais c'est si beau. Le ciel est d'une pureté cristalline. Les arbres enneigés étincellent au soleil. Ce sera romantique à souhait.

— Entendu, entendu.

Milton tira un dernier petit coup sec sur le nœud et recula d'un pas pour admirer son œuvre.

— Parfait. Vous avez de la chance, Liam. Je vous envie. Croyez-moi.

Je le sais pertinemment, pensa Liam sans humour.

— C'est tellement gentil à vous de nous accueillir ici pour ce grand jour, reprit-il. On ne saurait imaginer un cadre plus enchanteur.

Puis il ajouta :

— Sara vous sera reconnaissante jusqu'à la fin de ses jours.

Ce qui eut pour effet d'élargir le sourire de Milton.

Il chassa d'une chiquenaude un grain de poussière du revers de Liam.

— Il n'y a pas un seul membre de votre famille parmi les invités ?

— Non, personne, à part Margaret, répondit Liam d'une voix douce. Ma mère est morte quand j'avais dix ans. Avant que je vienne vivre en Amérique.

— Et votre père ?

— Il y a des années que je n'ai pas de nouvelles de lui. Margaret et moi... nous l'avons fui en quelque sorte. Il le fallait. C'est une longue histoire. Nous avons émigré et n'avons plus jamais entendu parler de lui depuis.

— Je... je suis désolé, fit Milton d'un ton grave.

Puis il jeta un coup d'œil à sa montre.

— Je ferais bien d'emmener tout le monde dehors. Le trio à cordes du département de la musique est arrivé. Ils sont déjà postés à l'orée du bois. Je ne voudrais pas qu'ils se gèlent les... violoncelles !

Sur ce, il s'éloigna d'un pas lourd.

Liam s'attarda encore un moment à l'abri dans le couloir tranquille. Il entendit Milton regrouper les invités et les prier de sortir. Des voix joyeuses mêlées au bruissement des manteaux. Il se demanda comme allait Sara. Mary Beth et elle avaient installé leur quartier général dans la chambre du maître de maison, où elles préparaient méticuleusement l'entrée de la mariée.

Elle va être si belle, pensa-t-il.

Il inspecta une dernière fois son nœud papillon. Presque droit. Puis il laissa échapper une sourde plainte en apercevant ses yeux dans le miroir.

Bleus.

Il avait les yeux bleus. Pas bruns. Bleus.

— Non, s'il vous plaît ! implora-t-il à haute voix. Non !

Il cligna les paupières. Une fois. Deux fois. Plusieurs fois d'affilée. Rapidement.

Toujours bleus.

— Pas aujourd'hui ! Non, s'il vous plaît..., supplia-t-il.

Sa phrase fut interrompue par l'apparition d'une épaisse langue violette qui surgit brusquement de sa bouche.

Elle continua à se déployer, violacée comme une

méduse, fourchue au bout. Liam bascula en arrière quand elle se heurta à la glace. Un mètre de long maintenant, voire plus. Grosse comme un salami. Tachetée, boursouflée, elle s'allongeait, s'allongeait à n'en plus finir. Frappant le miroir à grands coups.

Non! Pour l'amour du ciel! Pas aujourd'hui! Pas maintenant!

Il n'arrivait plus à respirer.

Pas maintenant. Pas maintenant!

La langue ondula puis elle s'enroula sur elle-même comme un tentacule.

Rentre là-dedans! Rentre! S'il te plaît!

Des bruits de pas. Liam se retourna et vit Milton traverser le salon. Il revenait le chercher.

La grosse langue immonde glissa rapidement le long de sa gorge, l'étouffant à moitié en se rétractant. Tandis qu'il haletait d'horreur, ses yeux retrouvèrent peu à peu leur couleur.

— Liam! s'exclama Milton. Que faites-vous encore dans ce couloir? Ça va?

Liam haussa les épaules. Il s'obligea à sourire.

— Je crois bien que j'ai un peu le trac.

CINQUIÈME PARTIE

31

— Je n'arrive pas à croire que j'ai enfin trouvé un homme bien! s'exclama Sara. Non. Mieux que ça. Il est *parfait*!

Elle tournoya gaiement sur elle-même en entraînant dans son sillage son voile en dentelle. L'image même de la jeune mariée au comble du bonheur.

— Arrête de bouger! brailla Mary Beth. Je venais juste d'arranger ta traîne. Tu as tout salopé.

Sara ricana d'une manière qui ne lui ressemblait pas.

— Ne dis pas « salopé » le jour de mon mariage.

Mary Beth la dévisagea, interloquée.

— Pardon? Et pourquoi pas?

— Ça porte malheur.

Ses yeux lançaient des éclairs sous le tulle transparent.

— Tu commences à parler comme Liam, bougonna Mary Beth.

— Je veux que tout se déroule à la perfection, reprit Sara d'un air songeur en s'approchant de la fenêtre. J'ai eu peu de chance avec les hommes. Mais maintenant, j'ai trouvé Liam. Il est si bon, si tendre et tellement... tellement *brillant*. Il tient énormément à moi. Cette fois-ci, je sais que je ne me suis pas trompée. Je vais faire en sorte que tout aille bien. Que tout soit parfait!

Mary Beth applaudit.

— Maintenant que tu as fait cette belle déclaration, si tu allais te marier?

— Oh mon Dieu! s'écria Sara en portant ses mains à son visage tout en guignant par la fenêtre. Ils sont déjà tous dehors. Ils attendent.

— Et se gèlent, ajouta Mary Beth avant de s'élancer à la poursuite de son amie. Eh! Attends-moi! Ils ne commenceront pas sans toi! Crois-moi!

Il avait neigé la veille, à peine un centimètre, mais c'était suffisant pour couvrir le sol d'un tapis d'une blancheur éclatante et faire scintiller les arbres comme s'ils étaient émaillés de diamants.

Sara s'avança dans la clarté du soleil, éblouie par la luminosité soudaine, aussi resplendissante que le paysage immaculé qui l'entourait.

C'était d'une telle beauté qu'elle en eut les larmes aux yeux. Et quand elle vit Liam qui l'attendait, si grave, si séduisant dans son smoking, son nœud papillon légèrement de travers, quand elle vit ses cheveux flotter dans le vent, son sourire quand il lui tendit la main, elle faillit éclater en sanglots, pleurer de joie face à toute cette splendeur.

Le pasteur était un petit homme chauve aux joues rebondies qui lui fit penser à un bonhomme de neige. Il ne lui manquait plus qu'un épi de maïs en guise de pipe et des yeux de charbon. Il tenait une Bible à la main qu'il s'abstint d'ouvrir. Pas un instant il ne se départit de son sourire tandis qu'il leur parlait. Le vent emportait ses paroles.

De la neige poudreuse tourbillonnait autour des chevilles de Sara. Le froid ajoutait encore à son état d'exaltation. Elle plongea son regard dans les yeux bruns de Liam que l'éclat du soleil rendait encore plus brillants.

Le pasteur rayonnant acheva son discours et adressa un petit signe à Liam en reculant d'un pas. Combien de temps avait-il parlé? Une minute? Dix? Vingt? Sara n'aurait pas su le dire.

Liam s'était tourné vers elle, exhalant des petits nuages blancs qui montaient vers le ciel. Il extirpa de sa poche quelque chose de scintillant qu'il lui tendit.

Un rayon de soleil? Une parcelle de soleil dans le creux de sa main?

Non. Une épingle en or. Une ravissante épingle à cheveux en or.

Puis il fit face aux invités rassemblés à la lisière du bois.

Y avait-il vraiment des gens qui les regardaient? Sara les avait complètement oubliés. Elle fit un effort pour concentrer son attention sur eux, aperçut sa mère, ses frères, tout le monde, blottis les uns contre les autres, emmitouflés dans leurs manteaux dissimulant leurs tenues élégantes, radieux, une ombre bleutée à leurs pieds.

— Sara, je t'offre ceci, déclama Liam d'une voix forte en lui glissant l'épingle dorée dans la main avant de refermer délicatement ses doigts autour de l'objet. L'épingle lui procura une impression de chaleur contre sa paume.

« Les mots sont de Yeats. Mais ils rendent compte de mes sentiments, poursuivit-il en lui souriant tendrement. Puis, prenant sa main dans la sienne, il récita un poème :

Attache tes cheveux avec une épingle d'or
Et noue tes tresses vagabondes ;
J'ai enjoint à mon cœur de bâtir ces pauvres vers ;
J'y ai œuvré jour et nuit,
Édifiant une beauté chagrine
Sur les batailles des temps jadis.
Il te suffit de lever une main pâle comme une perle,
de dompter ta longue chevelure, de soupirer,
Pour que le cœur de tous les hommes brûle
et se déchaîne ;
Les chandelles d'écume sur le sable blond,
Les étoiles montant au firmament d'où s'abat
la rosée,
Ne vivent que pour illuminer tes foulées.

Un long silence s'ensuivit. Sara ressentit un profond apaisement. On aurait dit que le vent lui-même s'était tu.

En serrant l'épingle d'or, elle déposa un baiser sur la main de Liam.

— À présent, je vous déclare mari et femme.

La voix semblait surgir de nulle part.

L'instant d'après, il l'embrassait, l'embrassait, et les applaudissements des convives résonnèrent sous les arbres étincelants de givre.

Parfait, pensa-t-elle. C'est parfait.

Ce fut à ce moment-là qu'elle vit Milton s'avançant dans la neige d'une démarche pesante. Une silhouette bleue se mouvant à toute allure. Elle vit le fusil dans ses bras, le long canon argenté, la crosse en bois qu'il serrait si fort. Elle vit l'arme et l'expression sinistre de Milton qui épaulait.

Pas le temps de crier. Ni d'esquiver. Ni de se cacher.

Pas le temps.

32

Les cris paniqués des oiseaux au moment où le coup partit. La détonation se répercuta dans les bois avant de s'évanouir dans un vacarme de claquements d'ailes.

Personne ne bougea.

Milton tira une deuxième fois. Puis une troisième.

Sara sentit ses genoux se dérober sous elle. Son sang se glaça.

Si parfait. Tout était si parfait. Et maintenant...

Liam lui pressa le bras.

— N'aie pas peur, chuchota-t-il.

— Hein ?

Une autre déflagration ébranla l'air. D'autres battements d'ailes. Plus lointains.

— C'est une vieille superstition, lui expliqua-t-il en se penchant vers elle.

Son souffle chaud lui frôla la joue.

— Les coups de feu ont pour objet de chasser les mauvais esprits.

Sara poussa un soupir.

— Ça a surtout chassé les oiseaux, répondit-elle d'une voix chevrotante.

— Des corbeaux affolés, murmura Liam. Jadis à Edimbourg, des jeunes gens cachés dans les taillis tiraient des coups de mousquet en l'air à l'approche des couples de jeunes mariés. On appelait ça un feu de joie.

— Liam... j'ai failli mourir de peur! Mon cœur s'est presque arrêté de battre. Pourquoi ne pas m'avoir avertie? le gronda-t-elle en le poussant du coude.

— Oh oh! s'exclama Liam en lui décochant un grand sourire. Notre première querelle d'amoureux!

Il l'embrassa avec passion, sa langue explorant avidement sa bouche. Sara coupa court à ce baiser fougueux en rejetant la tête en arrière.

— Tout le monde nous regarde, Liam!

Il rit. Ses yeux bruns étincelaient.

— J'ai épousé une fille bien timide! s'exclama-t-il en la saisissant par la taille.

— Je ne suis pas timide! protesta-t-elle d'un ton joyeux. Je viens de l'Indiana, souviens-toi. Les gens du Midwest n'aiment guère s'exhiber en public.

Il l'étreignit en approchant ses lèvres de son oreille.

— Que penses-tu des exhibitions en privé?

Elle releva la tête pour l'embrasser à nouveau. Manqua ses lèvres mais effleura sa joue. C'est le plus beau jour de ma vie, se dit-elle pour la centième fois. Son cœur battait à tout rompre sous sa robe en satin blanc. Elle se sentait si légère, comme si elle pouvait s'élever dans les airs et flotter dans le salon encombré de Milton. Elle se demanda si elle remettrait jamais les pieds sur terre.

Mary Beth interrompit sa rêverie en la faisant tournoyer sur elle-même avant de braquer son appareil photo sur elle.

— Encore une ou deux, Sara. Tu es resplendissante.

Sara ouvrit la bouche pour protester au moment où le flash explosa.

— Tu en as déjà pris cinq bobines, Mary Beth.

Encore un flash. Sara cligna les yeux, momentanément aveuglée. Les gens autour d'elle évoluaient dans des globes jaune vif.

Elle entendit Liam derrière elle en train de faire part de leur projet de lune de miel à quelqu'un.

— Nous allons au village des Pins. Il paraît qu'il y a un magnifique vieil hôtel là-haut. Nous n'y resterons malheureusement que deux jours. Pas plus. Les cours reprennent lundi.

Deux jours seulement, pensa-t-elle. Mais ça va être merveilleux. Rien que lui et moi. Personne que nous connaissons. Personne à qui faire la conversation. Le paradis !

Elle retrouva peu à peu une vision normale. Margaret surgit tout à coup de nulle part et la prit dans ses bras. Elle sentait le gardenia, un parfum capiteux, comme si elle avait eu la main un peu lourde ou s'était carrément baignée dedans. Elle plaqua sa joue brûlante contre la sienne.

— Je suis si heureuse pour vous deux, dit-elle. Je n'ai jamais vu Liam aussi radieux.

Elle l'étreignit encore une fois. Puis la famille de Sara fit cercle autour d'elle, lui serrant les mains, caressant sa robe, levant leurs verres à sa santé. Tout le monde souriait et parlait en même temps.

C'était si merveilleux d'être le centre de l'univers. Et si inhabituel.

Milton s'était approché d'elle à son insu. Il la coinça dans un coin de la pièce sans qu'elle pût lui résister. Les yeux larmoyants, le teint cramoisi, empestant un alcool plus fort que le vin, il l'entraîna dans l'entrée en direction du couloir tapissé de miroirs.

— Vous êtes si belle, Sara ! dit-il en souriant.

— Merci, Milton, répondit-elle en lui rendant son sourire. C'est si gentil à vous de...

Sa grosse main lui meurtrissait l'épaule.

— S'il vous cause le moindre ennui, l'interrompit-il d'un ton pressant, venez me trouver.

Elle rit. Il plaisantait sûrement. Non ?

— Non. Je suis sérieux. Si vous vous lassez de lui, je veux dire, si ça ne marche pas entre vous. Enfin,... je ne sais pas trop ce que je veux dire.

Il ferma les yeux un long moment. Quand il les rouvrit, son regard paraissait avoir retrouvé son acuité. Il continuait à lui malaxer l'épaule.

— Vous avez toujours la clé, n'est-ce pas ?

— Milton...

Elle chercha Liam dans la foule au-delà du corps massif de Milton et finit par le découvrir en compagnie de sa mère qui partageait une tranche de gâteau avec lui.

Un sourire lascif se dessina sur les lèvres de Milton.

— Je me rends compte tout à coup que j'ai oublié d'embrasser la mariée.

L'instant d'après, il écrasa ses grosses lèvres humides et spongieuses sur les siennes. Un baiser ardent, goulu.

— Je crois qu'il est temps que nous nous mettions en route, Sara et moi.

C'était Liam, accouru à la rescousse.

Milton recula de quelques pas en vacillant sur ses jambes. Un autre sourire tout aussi libidineux, destiné cette fois-ci à Liam, illumina son visage. Sara sentait encore le goût de ses lèvres. Le pauvre homme! Si seul! Tenait-il vraiment à elle à ce point?

Elle ne pouvait pas en vouloir à qui que ce soit un jour pareil. Le plus beau jour de sa vie où, comme dans un rêve, elle s'était avancée sur un tapis de neige paré de mille joyaux pour devenir l'épouse de Liam.

— Nous ferions mieux de partir tout de suite si nous voulons arriver aux Pins avant la tombée de la nuit, lança Liam en la prenant par la main.

Puis se tournant vers Milton :

— Je ne sais comment vous remercier.

— Vous avez vraiment de la chance! murmura Milton.

Il ajouta quelque chose, mais sa voix fut couverte par des éclats de rire retentissants juste derrière elle.

Liam et Milton échangèrent une solide poignée de main, puis son époux l'entraîna vers la chambre où étaient rangés les manteaux.

— Oh, maman! Mes frères! s'exclama-t-elle en se détachant de lui. Il faut absolument que je leur dise au revoir. Ils sont venus de si loin.

Nouvel assaut d'étreintes et de félicitations. Promesses de rester davantage en contact cette fois-ci. Brefs adieux aux autres invités. Margaret la serra encore une fois dans ses bras.

Tandis que Sara cherchait vainement Mary Beth dans la foule, Liam réapparut, son manteau sur le bras.

— Je ferais mieux de me changer, s'écria-t-elle. Je vais mourir de froid.

— Je mettrai le chauffage à fond dans la voiture, promit-il. Tu te changeras en arrivant à l'hôtel. Filons d'ici en catimini, d'accord? J'en ai assez de distribuer des sourires. J'ai les traits crispés à force. J'ai épuisé toutes mes réserves de charme. Si une seule personne me dit encore une fois que j'ai de la chance, je te jure que je l'étrangle!

Sara rit tandis qu'il l'aidait à enfiler son manteau.

— Toi... au bout de ton charme! C'est impossible. Sois sérieux, Liam.

Il passa son bras autour de ses épaules et la guida gentiment vers le hall, mais Milton surgit brusquement au bout du couloir, leur bloquant le chemin. Sara se laissa aller contre Liam tandis que leur hôte s'avançait vers eux d'une démarche incertaine en faisant glisser sa main le long de la glace.

— Tst! Tst! Passez par là, leur souffla-t-il.

Il les devança et les conduisit à une porte étroite qu'il ouvrit en étouffant un hoquet. Puis il se plaqua contre le mur pour les laisser passer.

— Je vous souhaite une merveilleuse lune de miel, les enfants, dit-il en hoquetant à nouveau.

Liam lui tapota l'épaule au passage et sortit le premier dans le jardin. Une fois dehors, Sara prit une profonde inspiration, ravie de sentir l'air frais, si doux, si apaisant, sur ses joues en feu.

— Oh, regarde, Liam, il neige! Comme c'est beau!

La porte se referma derrière eux. Elle prit le bras de Liam et ils s'acheminèrent prudemment vers le devant de la maison où Liam avait garé sa voiture.

Des flocons se posaient avec légèreté sur son front et ses cheveux. Elle tira la langue dans l'espoir d'en attraper un.

Ils avaient presque atteint le trottoir quand Liam se raidit tout à coup. Ses traits se durcirent. Il s'arrêta si brusquement qu'elle faillit valdinguer.

— Qu'est-ce qui se passe?

Il regardait fixement droit devant lui d'un air affolé. Immobile, cloué sur place, bouche béante.

— Liam?

— Oh non! gémit-il. Non. Oh non!

— Qu'est-ce qui ne va pas, Liam? demanda-t-elle en serrant son bras contre elle. Liam, réponds-moi.

33

— La porte, finit-il par bredouiller.

Sara se cramponna à lui tout en scrutant avec angoisse son visage déformé par l'effroi.

— La porte. Nous sommes sortis par la porte latérale, précisa-t-il en déglutissant avec peine.

Sara se mit à réfléchir à toute vitesse. Qu'est-ce que ça pouvait faire qu'ils soient sortis par la porte latérale ? Qu'est-ce que ça pouvait bien faire ?

— Oh mon Dieu, gémit-il.

Il se tourna vers elle et la dévisagea comme s'il se souvenait brusquement de sa présence.

— Tu comprends, il faut absolument sortir par le même chemin que celui que l'on a emprunté en entrant. On ne peut pas en prendre un autre.

— Mais, Liam... on est déjà dehors. Alors quelle différence cela peut-il faire ?

— Toute la différence, Sara. Toute la différence, murmura-t-il d'une voix triste. Nous sommes entrés par la porte de devant. Il fallait ressortir par là.

— Oh, Liam, quelquefois tes superstitions sont franchement bizarres ! s'écria-t-elle, se demandant comment il pouvait se mettre dans un état pareil pour rien. Va-t-il falloir que je m'inquiète tous les jours de savoir par quelle porte je suis entrée ou sortie ? ajouta-t-elle dans l'espoir qu'un peu d'humour le tirerait de sa torpeur.

Mais il ne semblait pas l'avoir entendue. Les yeux toujours hagards, la mâchoire crispée, il lui prit la main sans ménagement et fonça tête baissée en direction de la maison en l'entraînant de force.

— Nous allons ressortir, marmonna-t-il, se parlant à

lui-même. Tout ira bien. Nous entrerons par la porte de devant et ressortirons par le même endroit. Tout ira bien.

— Ohhh! Ohhh!

Elle sentait à peine le poids de son corps sur le sien. En serrant les bras autour de son cou, elle enfouit son visage brûlant contre sa poitrine.

— Ohhhhh! Ohhhh!

Quel merveilleux amant! Elle croisa les chevilles au bas de son dos et se cambra afin qu'il pénètre plus profondément en elle, prise d'un désir irrésistible de l'engloutir tout entier à l'intérieur de son être.

Il accéléra le mouvement. Plaquée contre lui, elle oscillait à la même cadence. Il avait fermé les yeux et chuchotait quelque chose en remuant à peine les lèvres. Un langage auquel elle ne comprenait rien.

— Ohhhh.

Les flammes dansantes des bougies éparpillées dans la chambre semblaient se balancer au même rythme qu'eux. Seize bougies blanches. Exactement. Liam les avait sorties de son sac et dispersées soigneusement dans la pièce. Une chambre obscure, défraîchie, pleine de courants d'air, mais néanmoins charmante avec son papier peint vert sapin, son mobilier lourd en bois foncé et le tableau des Alpes enneigées digne d'un calendrier au-dessus de la tête du lit.

— Pourquoi seize? avait-elle demandé, un peu étourdie, tout émue à la perspective de sa nuit de noces.

Extatique même et pas fatiguée le moins du monde par le long trajet sous la neige. Elle l'avait longuement observé pendant qu'il exécutait son rituel imperturbablement : son air absorbé, ses sourcils froncés assombrissant encore son regard si intense. Si sérieux.

— Pourquoi pas cent? Ou mille?

Il n'avait pas daigné sourire.

— Seize est un chiffre de pouvoir, Sara. Le quatrième pouvoir.

Elle l'avait suivi jusqu'à la commode où il avait disposé plusieurs bougeoirs en argent.

— Le quatrième pouvoir? Suis-je ta quatrième épouse?

Allons, Liam. Plaisante un peu avec moi. Tu n'es pas facile à dérider, dis-moi.

Mais ses traits demeuraient figés par la concentration. Il ignora sa question.

— Les êtres humains ont seize dents à chaque mâchoire. Crois-tu que ce soit un hasard ?

— Eh bien...

— Les ouvriers laissent seize centimètres entre les clous quand ils construisent une charpente.

— Tu peux me river ton clou ce soir, si tu veux ? riposta-t-elle en passant doucement la main sur le devant de sa chemise.

Ce genre de plaisanterie ne lui ressemblait guère. Elle sentit le sang lui monter aux joues. Cette remarque salace eut au moins l'avantage de l'extirper de son état de transe. Il plaça la dernière bougie dans son bougeoir et leva les yeux vers elle.

— Nous devons faire l'amour jusqu'à ce que ces bougies se soient entièrement consumées.

Elle l'embrassa sur la joue en pouffant de rire.

— Je suis partante, si tu l'es aussi.

Il ne souriait toujours pas, mais lui enlaça la taille, l'attira contre lui et l'embrassa avec une ardeur inattendue.

Puis il chuchota quelque chose, son souffle tiède lui chatouillant l'oreille :

— Je veux un enfant de toi, Sara. Le plus vite possible. Je veux que nous ayons un enfant. Un magnifique enfant. Tu rêves d'en avoir un toi aussi, n'est-ce pas ? acheva-t-il en pressant sa joue brûlante contre la sienne.

Ses paroles ne l'avaient pas surprise. Elle s'y attendait, y avait longuement réfléchi et s'était demandé quel moment il choisirait pour aborder la question avec elle. Depuis des semaines, elle pensait à un enfant. Son enfant. Leur enfant.

— Liam, je veux ce que tu désires, toi.

Il laissa échapper un cri de joie et se remit à l'embrasser avec une tendresse infinie.

Il lui fallut plusieurs minutes pour allumer les bougies d'autant plus qu'il refusa l'aide de Sara. Elle le regarda marmonner quelque chose chaque fois qu'il appliquait une allumette contre une mèche. Que signifiait cette étrange incantation ?

Ils firent l'amour une première fois sans même prendre la peine de se dévêtir complètement. Ils se jetèrent l'un sur l'autre avec une voracité presque animale en gémissant de plaisir, s'adonnant tout entiers à l'acte charnel avec une férocité dont Sara ne soupçonnait même pas l'existence. Ils avaient déjà couché ensemble bien des fois, mais jamais leurs ébats n'avaient été si érotiques.

Cette fois-ci, pourtant, ils furent de courte durée. Les six bougies témoins avaient à peine décliné.

Toujours en elle, Liam s'abattit sur son corps et pressa ses lèvres contre son oreille.

— Je suis si heureux, Sara!

Ces chuchotements la firent frissonner des pieds à la tête.

Comme elle s'apprêtait à répondre, il lui couvrit la bouche de baisers fougueux.

Quelques instants plus tard, ils recommencèrent à faire l'amour. Lentement cette fois-ci, avec plus de tendresse, moins de précipitation. Des ombres batifolaient sur le plafond tandis que les flammes continuaient à danser avec eux. Sara se cramponnait à Liam, se mouvant avec lui à l'unisson tout en prêtant une oreille attentive aux intonations tour à tour bourdonnantes et sifflotantes de sa douce mélopée.

— Est-ce du gaélique, Liam? chuchota-t-elle.

Il avait repris son incantation tout en allant et venant en elle, les yeux clos, un doux sourire flottant sur ses lèvres.

— Est-ce du gaélique? répéta-t-elle. C'est si beau. Que chantes-tu, mon amour?

Mais il n'avait pas l'air de l'entendre.

34

Tout à ses mots mêlés, Garrett leva à peine les yeux quand la porte du commissariat s'ouvrit en grand.

LOCNORTE. C'était sûrement facile. Mais il avait du

mal à se concentrer parce qu'il ne cessait de repenser à ce qui s'était passé le matin. Sa querelle avec Angel.

Une querelle? Non. Une attaque en règle plutôt.

Et Angel avait raison, bien entendu. Ce qui le mettait encore plus hors de lui. C'était vrai qu'il ne consacrait plus beaucoup de temps à Martin. À Angel non plus d'ailleurs.

Mais soyons juste. Si on me lâchait un peu de lest compte tenu du fait que j'ai trois meurtres sur les bras? Ce n'est pas comme si je passais mes journées à faire la fête ou à me tourner les pouces. Comme si je dormais la nuit ou si je prenais mes repas en paix. Comme si j'arrivais à réfléchir ou si je pouvais rester assis en essayant de penser clairement, comme si j'avais un seul moment tranquille ou... ou...

Du calme, mon vieux. Du calme.

Tu vas débrouiller tout ça. Tout remettre en ordre.

LOCNORTE.

Locnorte. On dirait le nom d'un poisson!

C'est ça, Garrett. Ressaisis-toi. Contrôle-toi.

CONTROLE.

C'était ça, le mot! CONTROLE

Muni d'un crayon, il remplissait les petits cercles avec satisfaction quand Ethan entra, la mine grave, sa casquette bien enfoncée sur son crâne déplumé, en compagnie d'un jeune homme vêtu d'un chandail jaune vif.

Il a l'air d'un crayon à papier, pensa Garrett, tambourinant sur son bureau nerveusement du bout des doigts tout en étudiant le nouveau venu. Ce pull jaune. Ce corps mince comme un roseau. Des cheveux bruns coupés en brosse, dressés au-dessus d'un visage en lame de rasoir.

Les yeux inquiets, jetant des regards furtifs dans la pièce en cillant continuellement ne cadraient pas avec le personnage. Il devait avoir dix-huit ou dix-neuf ans. Un étudiant, probablement. Garrett vérifia l'état de ses mains. Propres. Sans cals. Un étudiant. Sans aucun doute. Le teint brouillé. Il avait dû avoir de l'acné durant son adolescence. Un minuscule poignard en argent brillait à son oreille droite.

Le gamin s'éclaircit la voix. À deux reprises.

Garrett poussa son journal de côté et s'accouda sur son bureau.

Oh non, pensa-t-il en voyant le jeune homme hésiter avant d'emboîter le pas à Ethan. Non. S'il vous plaît. Pas des aveux. Encore une confession bidon!

Ils avaient eu droit à trois « coupables » jusque-là. Un par meurtre. Tous plus lamentables et grotesques les uns que les autres.

Qu'est-ce qui pouvait bien pousser ces idiots à s'accuser ainsi? Une excitation perverse? Un besoin désespéré d'attirer l'attention? De faire parler d'eux par n'importe quel moyen?

Laissons ça aux psy, avait-il décidé. Ce sont des malades. Il n'avait qu'une seule envie : les voir déguerpir. Hors du commissariat. Hors de sa vue.

— On tient peut-être quelque chose, Garrett, bougonna Ethan.

Ces derniers temps, il parlait la bouche en biais, comme s'il avait une chique calée contre la mâchoire. Garrett en avait conclu qu'il s'efforçait de se donner un air dur, impitoyable, en imitant les policiers des feuilletons télévisés qu'il aimait tant. Cela avait pour seul effet de le rendre quasiment incompréhensible.

Garrett garda les yeux rivés sur le jeune homme, scrutant son visage grêlé au teint de papier mâché.

— Que puis-je pour vous, fiston?

Le garçon se racla de nouveau la gorge.

Garrett lui désigna la chaise en bois près de son bureau. Le gamin s'y laissa tomber en se tordant les mains.

— Il dit qu'il a vu quelque chose, intervint Ethan. La nuit du dernier meurtre.

Un témoin oculaire?

Garrett sentit tous ses muscles se tendre comme un arc. Il se redressa brusquement.

— Comment vous appelez-vous?

— Craig Kline.

— Vous êtes étudiant?

Il hocha la tête en fourrant les mains dans les poches de son jean.

— En première année.

— Avez-vous assisté au meurtre, fiston?

— Non! lâcha-t-il.

Un cri de protestation. Perçant.

Garrett poursuivit patiemment, avec calme, sans hausser le ton, en plongeant son regard dans celui du jeune garçon, y cherchant la réponse à une seule question : Vrai ou faux ?

Tous ceux qui pénétraient dans son bureau lui inspiraient la même question : Vrai ou faux. Il fallait y répondre avant toute chose.

— Eh bien, qu'avez-vous vu ?

— J'étais sur le campus. Mercredi soir. Je sortais de la bibliothèque où j'étais allé faire des recherches.

Il avait manifestement répété cette partie de son discours. Il avait l'air de réciter.

Mais cela ne prouvait pas que c'était vrai.

— Il faisait nuit noire et il y avait du brouillard. Je m'en souviens parce que les lumières autour du Cercle étaient entourées d'un halo scintillant.

— Très poétique, commenta sèchement Garrett. Vous faites des études de lettres ?

Kline rougit.

— Désolé.

— Contentez-vous de rapporter à l'inspecteur Montgomery ce que vous avez vu, l'exhorta Ethan en prenant appui sur le portemanteau en bois vide voisin de l'autre bureau.

Kline se frotta le nez.

— Eh bien, d'abord j'ai entendu un cri.

— Un cri de femme ? demanda Garrett.

Il hocha la tête.

— Oui. Strident. Mais de courte durée. Elle s'est tue brutalement. Comme si on l'avait interrompue.

— Avez-vous vu la fille ?

— Non. Je l'ai cherchée. Je veux dire, quand j'ai entendu le cri, j'ai essayé de voir qui c'était, d'où ça venait. Mais il faisait trop sombre. Je n'ai vu personne.

Était-il vraiment venu jusqu'ici pour lui dire qu'il n'avait rien vu ? Cette hypothèse lui traversa l'esprit.

Patience.

— Que s'est-il passé ensuite, monsieur Kline ?

— Ensuite j'ai vu un homme en costume. Il courait à toute vitesse devant une rangée de buissons. Près du Weaver Hall.

Le pouls de Garrett s'accéléra. Il fixa son interlocuteur en plissant les yeux.

— En costume ? Quel genre de costume ?

— Un costume de monstre. Il portait une sorte de costume de monstre. Il détalait le long des taillis, puis il a bifurqué et disparu.

— Ouah !

Ethan émit un sifflement. De surprise ? D'incrédulité ?

— Bizarre, hein ?

Garrett l'ignora, gardant le regard braqué sur le jeune homme.

— Pouvez-vous me décrire ce costume ?

Kline avala sa salive en produisant des petits bruits de bouche sèche.

— Eh bien, je n'ai pas très bien vu. Le masque avait des yeux flamboyants, ça je m'en souviens. Tout rouges et flamboyants. Et de longues dents pointues.

— Et le reste du costume ?

— Plein de poils, m'a-t-il semblé. Vous savez, comme de la fourrure. De longs poils foncés, je crois. Il faisait nuit comme dans un four, alors...

Il laissa sa phrase en suspens, baissa les yeux.

— Un type en costume de monstre, marmonna Ethan en secouant la tête.

Garrett ferma les yeux en s'efforçant de réfléchir. Y avait-il un magasin de déguisements en ville ? Ou une boutique proche du campus où on louait des costumes ?

Il n'arrivait pas à s'en souvenir.

— Rafraîchissez-moi la mémoire, Ethan. Existe-t-il un magasin à Freewood où on loue des costumes ? Ou bien une boutique de farces et attrapes ? Un endroit où on trouverait des masques ?

Ethan saisit son minuscule menton dans le creux de sa main.

— Eh bien, chez K mart, on vend bien des costumes au moment d'Halloween. Ainsi que dans certaines petites boutiques. C'est à peu près tout, chef.

— Allez donc y jeter un coup d'œil, grommela Garrett. Et profitez-en pour rendre visite à ce type dans la Tenth Street qui fabrique les costumes pour les pièces de théâtre de l'école.

Il reporta son attention sur Kline.

— Cette affaire remonte à plusieurs semaines. Pourquoi avez-vous attendu si longtemps avant de venir nous voir ?

Kline toussota en écarquillant les yeux.

— Je crois bien que j'avais peur.

— Peur ?

— Peur que vous ne me croyiez pas. Faut dire qu'après ce que j'ai vu à la télé à propos du meurtre, je... enfin, je n'étais pas sûr d'y croire moi-même.

— Dans ce cas, pourquoi être venu ce soir ? insista Garrett en se penchant vers le jeune étudiant, déterminé à ne pas le lâcher d'une semelle, à sonder le fond de sa pensée.

— Je n'arrêtais pas d'y penser. Je savais qu'il fallait que je vienne. Je vous ai vu aux nouvelles demander à toute personne susceptible d'avoir des informations de se présenter. Alors...

C'était pitoyable, pensa Garrett. Chaque fois qu'on voit des flics à la télé qui appellent à l'aide, c'est pitoyable.

Mais quelle autre solution avait-il ?

Il ne pouvait tout de même pas rester planté là, face à cette caméra qui avait failli l'éborgner avec des dizaines de micros sous le nez et dire : « Écoutez, les gars, on n'a pas une seule piste. On a bien quelques empreintes qui ont l'air d'avoir été dessinées par Salvador Dali. Mais c'est tout. C'est notre seul indice, après trois crimes abominables. »

Pas moyen de s'en tirer comme ça.

Alors il avait imploré l'aide des téléspectateurs à la place. Et deux jours après Thanksgiving, ce môme se pointe avec une histoire à dormir debout au sujet d'un homme en costume de monstre.

Il s'adossa de nouveau à son fauteuil en soupirant.

— Merci d'être venu, monsieur Kline.

Puis il prit son crayon et le pointa dans la direction d'Ethan :

— Emmenez-le dans la pièce à côté et prenez sa déposition complète, voulez-vous ?

Ethan hocha la tête. Sa grosse pomme d'Adam sautilla dans sa gorge.

Kline se leva prestement en tirant sur ses manches. Il commença à suivre Ethan, mais, parvenu sur le seuil, il se retourna :

— Vous me croyez? demanda-t-il.

Garrett hocha la tête tristement en faisant tournoyer son crayon entre ses doigts.

— Oui, oui. Bien sûr. Je vous crois.

Après trois meurtres pareils, pourquoi ne croirait-il pas aux monstres?

35

Sara prit une salade croquante sur l'étalage et la pressa dans sa main. Je voudrais que ce soit ta tête, Liam.

Non, non, c'est faux. Qu'est-ce que je raconte?

Je ne suis plus fâchée.

Elle déposa la laitue dans son Caddie.

Certes, ils avaient eu une dispute idiote ce matin. Pas vraiment une dispute. Juste des mots.

Et alors!

Elle jeta deux poivrons jaunes dans le Caddie et continua son chemin dans l'allée en direction des concombres.

Tous les jeunes mariés ont des prises de bec. C'est forcé puisqu'on apprend à se connaître.

Elle se mordilla la lèvre. Mariés depuis deux semaines et ses superstitions commencent déjà à la rendre folle.

Non. Ne dis pas ça, se reprocha-t-elle.

L'incident de la matinée continuait néanmoins à la hanter. Qu'est-ce que ça pouvait bien faire qu'elle se soit levée du côté gauche du lit? Et qu'elle ait oublié de dire « À tes souhaits! » quand Margaret avait éternué?

Est-ce qu'ils ne pourraient pas se quereller pour des choses qui en valaient la peine au moins?

N'avait-il pas d'autres préoccupations que ces broutilles?

Ces questions-là, elle les lui avait posées le matin même.

En conséquence de quoi, il était sorti de ses gonds. D'accord, il était très superstitieux. Il croyait dur comme fer à tous ces signes occultes pour Dieu sait quelle raison. Entendu, mais tout de même. Il y avait des limites.

Franchement. Alors ne me fais pas la morale, Liam, sous prétexte que tout cela pour moi, c'est de la foutaise.

Et puis il y avait Margaret. Sœur Margaret, plantée là à les regarder se chamailler avec cette mine lugubre. Muette, essayant de se fondre avec le papier peint.

Margaret était si gentille. Pleine d'égards. Aux petits soins. Elle faisait de son mieux pour ne pas s'immiscer dans leurs affaires, passait le plus clair de son temps dans son petit magasin d'antiquités, à côté de la boulangerie. Quand elle n'y était pas, elle restait en haut dans sa chambre en ne faisant surface qu'à l'heure des repas ou lorsque Liam l'invitait à se joindre à eux.

La discrétion même. Il n'empêche que Sara sentait ses regards appuyés posés sur elle, la présence de cette troisième personne dans la maison. Un être en plus alors qu'ils auraient dû être seuls tous les deux, que leurs banales disputes d'amoureux auraient dû avoir lieu en tête à tête, à l'abri des regards indiscrets. De même que leurs rabibochages après tant de paroles blessantes, lâchées sous l'emprise d'une colère passagère.

Les propos agressifs qu'ils avaient échangés au petit déjeuner l'avaient obnubilée durant tout le cours de M. Barbant. Après quoi elle s'était rendue à la bibliothèque. Inutilement puisqu'elle n'avait pas avancé d'un pouce dans son travail, passant inlassablement en revue tout ce qu'elle lui avait dit.

En définitive, elle avait décidé de passer l'éponge. Ce n'était pas si grave que ça, après tout.

À présent, elle se sentit coupable d'avoir fait tant d'histoires. D'avoir eu des pensées aussi dures envers Liam. Liam. Son mari. Son merveilleux mari.

Elle avait résolu de lui préparer à dîner.

Les cours ayant repris dès le lendemain de leur retour après deux jours de lune de miel idylliques, ils avaient été si occupés qu'il leur avait fallu se contenter de commander une pizza ou des plats chinois soir après soir ou d'avaler un morceau en vitesse dans une des cafétérias du campus.

Ils n'avaient pas eu un instant de tranquillité, lui semblait-il. Et ce n'était pas fini. Ce soir, ils devaient assister à une représentation de *Macbeth* donnée par les étudiants d'art dramatique. Demain soir, ils avaient un dîner avec Milton pour fêter leur mariage.

Milton n'en avait-il pas fait assez en leur prêtant sa splendide demeure pour la cérémonie? Il n'avait vraiment pas besoin d'organiser un dîner en leur honneur de surcroît. Mais il avait insisté tant et plus, manifestement froissé par ses hésitations. « Nous n'avons pas eu le temps de fêter ça avant le mariage », avait-il déclaré de son ton bourru, le visage encore plus empourpré que d'habitude. Alors je me rattrape après.

Quel grand cœur! pensa-t-elle.

Elle tendit la main vers un flacon de vinaigrette toute faite, puis se ravisa. Non. Je la ferai moi-même. Je ferai tout moi-même ce soir. Pour notre premier dîner intime.

Non pas parce que je me sens coupable à cause de ce matin, Liam, mais parce que je veux te montrer que je ne suis pas simplement une petite étudiante, mais une vraie épouse.

Scampis. Riz sauvage aux épinards. Une jolie salade.

Elle s'était arrêtée en route chez le poissonnier de Dale Street pour acheter des crevettes fraîches. À présent, elle déambulait dans le petit supermarché voisin de la maison à la recherche des derniers ingrédients nécessaires à la confection d'une délicieuse salade composée.

Après avoir posé son panier sur le tapis roulant de la caisse, elle jeta un coup d'œil à sa montre. Presque cinq heures et demie. Elle aurait tout le temps de préparer le repas et de se changer pour le théâtre avant le retour de Liam.

Elle paya, prit le sac en papier plein à craquer dans ses bras et sortit du magasin en fredonnant un air joyeux parce qu'elle se sentait heureuse.

Je vais préparer un bon petit dîner pour mon cher mari.

Mari. Ce mot lui semblait encore si étranger. Étranger et démodé.

Elle prit la direction de la maison en marchant d'un pas alerte. On était en décembre. Un vent du nord glacial secouait les arbres nus le long du campus. Elle fit passer son sac à provisions sous son bras droit.

Je vais commencer par décortiquer les crevettes. Ensuite je m'occuperai de la salade.

Je suis impatiente de voir la tête de Liam.

« Sara, tu cuisines ? Tu as préparé un dîner ? Pour moi ? »

Non. Liam lui-même ne donnerait pas dans le ridicule à ce point-là.

Elle avait du mal à imaginer sa réaction. Il était l'être le plus imprévisible qu'elle avait jamais rencontré.

Imprévisible, certes, mais brillant.

Ma petite surprise le rendra heureux, ça j'en suis sûre !

La maison lui apparut dès qu'elle franchit le coin de la rue. Une violente bourrasque faillit lui arracher le sac des mains. Elle croisa deux filles qu'elle connaissait du campus, le visage à demi dissimulé sous leur cache-nez, la tête rentrée dans les épaules pour se protéger du froid qui leur mettait du vermillon aux joues ; elles semblaient pressées de rentrer chez elles.

Elle monta allégrement les marches du perron et posa ses provisions par terre pour chercher la clé dans son sac. Elle introduisit celle-ci dans la serrure tout en frottant son nez glacé et pénétra dans l'entrée, ravie de retrouver un peu de chaleur.

Elle se rendit directement dans la cuisine en tenant ses commissions en équilibre contre sa poitrine. Elle était sur le point de poser son fardeau sur la table quand elle vit Margaret.

Margaret devant la cuisinière, en train de remuer quelque chose dans une grande casserole fumante. Elle se retourna, lui sourit.

— Bonjour, Sara.

Son sourire s'effaça dès qu'elle aperçut le sac de provisions.

— Qu'est-ce que c'est que ça ?

— J'ai fait des courses, balbutia Sara, sentant son cœur se serrer, soudain consciente que le froid qui s'était engouffré avec elle dans la maison rôdait encore autour d'elle. J'ai pensé...

— Comme je suis rentrée de bonne heure, coupa Margaret, j'ai décidé de préparer un bon ragoût de veau. Liam adore ça.

— Mais...

Sa voix s'étrangla.

Margaret jeta un nouveau coup d'œil au sac de provisions posé sur la table. Soudain, elle comprit.

— Oh, Sara. Je suis désolée. Tu avais prévu de faire la cuisine ce soir. Comment aurais-je pu le savoir?

Elle posa la longue cuillère en métal contre la paroi du faitout, courut vers Sara d'un air contrit, la prit dans ses bras.

— Je suis désolée, répéta-t-elle. Vraiment navrée, ma chérie. Tu aurais dû me le dire.

Sara avait l'impression d'avoir dix ans. Elle se sentait parfaitement ridicule.

Et Margaret qui l'étreignait comme une gamine en pleurs.

Non, ce n'est pas juste, se dit-elle. Margaret est si gentille, si bonne. Ce n'est pas sa faute. Elle n'a rien fait de mal.

Et maintenant elle ne sait plus où se mettre. À cause de moi.

— Ça n'a aucune importance, dit-elle en se forçant à sourire tout en s'extirpant des bras de sa belle-sœur. Je vais mettre les crevettes au frigidaire. On les mangera dimanche.

Elle renifla ostensiblement.

— Mmm! Ce ragoût sent délicieusement bon, Margaret. C'est exactement ce qu'il nous faut avec le froid qu'il fait ce soir.

Des bruits de pas approchaient rapidement. Elle se tourna vers la porte au moment où Liam apparut. Il était en train de retirer son manteau.

— Eh bien, mes deux femmes favorites, je suis là de bonne heure. Qu'est-ce qu'on mange?

— J'ai trouvé ça vraiment très bien, dit Margaret en suivant Sara dans l'allée. Quel bonheur d'écouter la belle langue de Shakespeare en étant confortablement assis dans un fauteuil.

Une bourrasque souleva brusquement son manteau comme une voile de bateau. Elle le resserra autour d'elle et le boutonna avec peine.

— Eh bien! Ça s'est drôlement rafraîchi.

Liam s'était arrêté pour bavarder avec une étudiante, de sorte qu'ils étaient les derniers à quitter l'Ayers Hall. Par les portes encore grandes ouvertes, Sara vit les lumières de l'auditorium décliner. Il y avait beaucoup de monde à la représentation. À présent, l'ensemble du public composé principalement d'étudiants et d'enseignants, outre quelques gens de la ville, traversaient le Cercle par petits groupes, s'acheminant vers les résidences du campus, un restaurant, un bar ou leur domicile respectif.

Le vent cinglait violemment au coin du bâtiment. Sara releva le col de sa veste; ses cheveux voltigeaient en tous sens. Dans le hall de l'auditorium, Liam causait toujours en faisant des grands gestes. L'étudiante, vêtue d'un gros manteau en raton laveur qui avait dû appartenir à sa grand-mère, riait à gorge déployée. Un rire aigu, strident.

— Lady Macbeth était merveilleuse, n'est-ce pas ? poursuivit Margaret, se rapprochant de Sara pour tâcher de se mettre à l'abri.

Les arbres dépouillés tout autour du Cercle se courbaient en gémissant.

— Si expressive et si crédible. Cette jeune femme a vraiment du talent à mon avis.

— Effectivement, reconnut Sara sans quitter Liam des yeux. Tout ce sang sur ses mains ! Ça faisait un effet bœuf.

— Un peu dégoûtant, répliqua Margaret en faisant la grimace. Dommage que la toile de fond soit tombée à un moment donné. Ça m'a un peu perturbée. Je plains les pauvres gamins qui...

— C'est une pièce maudite, intervint Liam qui venait de les rejoindre en courant, les mains enfoncées dans les poches de son manteau noir. Tu ne le savais pas ?

Il sourit à Sara tout en rectifiant le col de sa veste.

— Une malédiction pèse sur elle. Connais-tu l'histoire ? L'acteur qui était censé incarner le personnage principal lors de la toute première représentation fut retrouvé mort juste avant le lever de rideau. Il n'interpréta jamais ce rôle. On raconte qu'il hante la pièce depuis lors. Les acteurs sont très superstitieux vis-à-vis de cette pièce.

— Les acteurs sont très superstitieux, un point c'est tout, renchérit Margaret.

Les lumières de l'auditorium venaient de s'éteindre tout à coup. Le trottoir s'assombrit.

— Ceux qui jouent cette pièce ne la désignent jamais par son nom, poursuivit Liam en prenant Sara par le bras. Ils disent simplement « La pièce écossaise ».

Sara se rendit compte qu'il s'était abstenu lui aussi de prononcer ce nom prétendument maudit.

— Est-ce de cela que tu parlais avec ton étudiante ? le taquina Margaret. Elle avait l'air fasciné en tout cas.

— Elle me trouve fascinant, riposta Liam en lui décochant un grand sourire.

Sara le poussa gentiment du coude.

— Si je comprends bien, tu fascines tout le monde, hein ?

Il rit.

— Allons ! Tu ne vas pas le nier, si ?

Ils s'engagèrent dans l'allée conduisant à High Street. Liam entre elles deux, les tenant l'une et l'autre par le bras. Ils n'avaient fait que quelques pas quand une silhouette titubante surgit devant eux.

Sara ne la vit pas tout de suite. Penchée devant Liam, elle était en train de répondre à Margaret qui lui avait posé une question. Liam la tirailla par le bras pour tâcher de contourner l'intrus.

Mais il leur bloquait le chemin.

Sara se tourna vers lui... et le reconnut aussitôt.

— Chip ! s'exclama-t-elle. Qu'est-ce que tu fais là ?

Ses yeux brillaient dans la pénombre. Il les plissa en s'efforçant de concentrer sa vision sur elle. Le vent lui hérissait les cheveux. Son blouson en cuir était ouvert, révélant une grosse tache sur le devant de son col roulé.

— Sara...

Il fit un pas chancelant dans sa direction, les yeux mi-clos ; un étrange sourire se dessina sur ses lèvres, puis s'effaça.

— Sara...

— Chip, s'il te plaît !

— Regarde-le, Sara, commença-t-il en désignant Liam.

Sa main bougeait frénétiquement comme s'il ne la contrôlait plus.

— Il est bien trop vieux pour toi, Sara !

— Chip !

Elle sentit Liam se raidir. Il la saisit par la manche de sa veste.

— Tu le connais, Sara?

Son ton était désapprobateur.

— Il pourrait être ton p-père! reprit Chip en brandissant un doigt accusateur dans la direction de Liam.

— Va-t'en, Chip, dit-elle d'une voix douce mais ferme. Va-t'en. C'est inutile.

Chip braqua ses yeux hagards sur Liam bien qu'il eût manifestement du mal à concentrer son attention.

— Ton p-père, répéta-t-il d'un ton méprisant. Je ne veux pas d'ennuis, Sara. Je suis là pour t'aider. Et te mettre en garde. Tu ne te rends pas compte de ce que tu fais. Tu ne...

— Va-t'en, Chip! Tu as bu, lâcha-t-elle entre ses dents, les poings crispés.

Ce n'est pas vrai. Dites-moi que je rêve. Je n'arrive pas à croire que cette scène soit véritablement en train de se produire.

Elle vit Margaret reculer de quelques pas, s'écarter de l'allée, les traits figés par la peur. La peur ou la désapprobation?

— Vous les prenez au berceau! bredouilla Chip, ses yeux larmoyants toujours fixés sur Liam. Le vent jouait avec ses cheveux blonds, les agitant en tous sens.

— Chip, je t'en supplie, reprit Sara d'une voix tremblante en s'efforçant de ne pas hausser le ton.

Liam la lâcha et avança d'un pas.

— Elle ne veut pas vous parler maintenant, fit-il en posant la main sur l'épaule de Chip.

Celui-ci se dégagea si brusquement qu'il perdit l'équilibre.

— Retirez vos sales pattes, bougonna-t-il.

Il se remit d'aplomb *in extremis* et bondit en avant.

Liam s'interposa en le saisissant par les revers de son blouson.

— Voulez-vous qu'on vous ramène chez vous? Vous feriez bien d'aller dormir un peu.

Chip émit une plainte rauque et recula, le regard fou, un filet de salive à la commissure des lèvres.

Je n'ai jamais eu aussi honte de ma vie, pensa Sara. Comment vais-je expliquer ça à Liam?

— Fais attention, Liam, lança Margaret qui avait battu en retraite sur l'herbe à plusieurs mètres de là, les bras croisés devant elle en un geste protecteur.

— *Fais attention, Liam,* l'imita Chip avant de pousser un ricanement strident.

Son sourire s'effaça tandis qu'il se redressait, lissant le col de son blouson des deux mains tout en reportant son attention sur Sara.

— Chip, s'il te plaît, va-t'en, insista-t-elle.

La lumière d'un réverbère voisin se reflétait dans le bleu de ses prunelles.

— Je sais pourquoi ton professeur a dû quitter Chicago précipitamment.

Liam fronça les sourcils en jetant un rapide coup d'œil à Sara. Les poings serrés, il fit un pas dans la direction de Chip.

— Tu veux savoir pourquoi? persifla Chip sur le ton d'un enfant de quatre ans. Tu veux savoir pourquoi ton cher mari a dû quitter Chi-chicago?

Sara ferma les yeux. Elle avait envie de se boucher les oreilles. *Ce n'est pas vrai. S'il vous plaît. S'il vous plaît. Faites qu'il disparaisse.*

Quand elle rouvrit les yeux, Chip était toujours là à la toiser d'un air mauvais.

— Tu veux connaître la vraie raison?

Liam réagit si brusquement que Margaret poussa un cri de surprise. Il saisit Chip par les épaules, lui fit faire volte-face et le força à s'éloigner.

Chip protesta avec véhémence. Liam s'efforçait manifestement de le raisonner, mais Sara ne pouvait pas entendre ce qu'il disait. À son grand soulagement, Chip ne lui opposa aucune résistance et se laissa guider. Il trébucha, mais Liam le retint et l'entraîna rapidement vers la rue en maintenant fermement son emprise sur lui.

Margaret s'approcha de Sara à pas de loup et lui pressa la main. La sienne était glaciale.

— Un ancien petit ami, murmura-t-elle.

Sara hocha la tête.

— Il... il m'a suivie depuis New York. Je n'arrive pas à croire qu'il fasse l'imbécile comme ça. Il sait que Liam et moi sommes mariés. Pourquoi est-ce qu'il est encore là?

Liam revint, les mains dans les poches, l'air grave.

— Un petit drame de la vie courante, commenta-t-il à voix basse en regardant Sara dans les yeux. Ça ne vaut pas Shakespeare!

— Je suis vraiment désolée, répondit-elle en secouant la tête.

L'expression de Liam s'adoucit.

— Ce n'est pas ta faute. Alors, c'est ça Chip, hein ? Aussi charmant que tu me l'avais laissé entendre.

Sara soupira tristement.

— Je ne sais plus où me mettre.

— Je suis impatient de rencontrer le reste de tes amis, fit-il en pouffant de rire.

— Laisse-la tranquille, intervint Margaret.

Elle frissonna en s'enveloppant dans son manteau.

— Mon Dieu, quelle angoisse !

Elle considéra Liam d'un œil critique, les sourcils froncés, avant d'ajouter :

— Vous nous avez impressionnées, monsieur le Héros.

Il haussa les épaules.

— Il suffit parfois d'une bonne décharge d'adrénaline...

— Je ne sais vraiment plus où me mettre, répéta Sara en lui prenant le bras. Je me demande bien comment il a fait pour nous trouver. Comment a t-il pu savoir où nous étions ce soir ?

Liam lui tapota la main.

— Ne t'inquiète pas. Il était trop ivre pour faire du tort à qui que ce soit.

Il sourit.

— Je dois dire que je ne serais pas mécontent de boire un verre moi aussi.

Ils prirent la direction de Yale Avenue. Sara flageolait sur ses jambes. Elle revoyait en pensée la perle de salive au coin de la bouche de Chip.

Soudain elle s'arrêta et leva les yeux vers Liam.

— De quoi parlait-il au fait ? Pourquoi as-tu quitté Chicago ?

Il sourit instantanément.

— Pour te rencontrer, évidemment.

En arrivant à la maison, Margaret monta aussitôt dans sa chambre. Sara s'installa sur le divan du salon. Liam servit deux verres de porto, lui en tendit un, s'assit à côté d'elle et passa son bras autour de ses épaules.

— Ma pauvre chérie ! Tu es frigorifiée. Bois un peu. Ça te fera du bien.

Elle avala une petite gorgée. Le liquide ambré lui brûla la gorge, mais cela lui fit tout de même du bien. Elle but encore un peu, puis se blottit contre l'épaule de Liam.

Il se mit à lui parler de la première pièce de Shakespeare qu'il avait vue, *Henri V*, dans un petit théâtre de lycée quand il avait seize ans. Il lui fit part de la surprise qu'il avait éprouvée en entendant cette langue pour la première fois, la frustration de comprendre sans comprendre, de son irrésistible envie de tout savoir et tout digérer, chaque vers, chaque mot, sur-le-champ.

Elle l'écoutait à moitié, hochant la tête et souriant de temps à autre, laissant le porto la réchauffer de l'intérieur. Elle continuait à penser à Chip sans parvenir à chasser sa honte, ou sa curiosité.

Savait-il vraiment quelque chose de grave à propos de Liam ? Ou se comportait-il une fois de plus comme le sale garnement qu'il était ?

Comme Liam se penchait vers elle pour l'embrasser, elle pressa deux doigts sur ses lèvres.

— Pourquoi es-tu parti de Chicago ?

Il fallait à tout prix qu'elle l'interroge encore une fois.

— Chip faisait-il l'idiot ou...

Il écarta sa main avec tendresse. Sourit.

— J'ai déjà répondu à ta question...

— Allons, Liam. Dis-moi la vérité. J'ignore pour ainsi dire tout de toi. Pour quelle raison as-tu quitté Chicago ?

Elle pointa son index vers lui tout en lui décochant une œillade malicieuse.

— À cause d'un scandale, peut-être ?

Son regard parut se ternir. Il détourna les yeux en tordant la bouche.

— Je ne veux pas t'inquiéter avec les sombres histoires de mon passé.

Elle regretta instantanément de l'avoir taquiné.

— Quelles histoires ?

Il hésita, la dévisagea d'un air pensif comme s'il essayait de deviner quelle serait sa réaction s'il lui racontait tout.

— Liam, si nous ne pouvons pas nous confier l'un à l'autre... Elle laissa sa phrase en suspens.

Il soupira.

— J'ai effectivement été obligé de quitter Chicago.

J'ignore ce que ton ami a pu découvrir, si tant est qu'il ait découvert quoi que ce soit. Je ne sais pas pourquoi il s'est donné tant de peine pour se renseigner sur mon compte.

— Je suis désolé pour Chip. Liam, je...

— À Chicago, je fréquentais une femme du nom d'Angela. J'ai dû partir à cause d'elle, lâcha-t-il brutalement, d'une seule traite, en plongeant son regard dans le sien, analysant sa réaction.

Pourquoi est-il si anxieux ? songea-t-elle. Il ne sait donc pas que je l'aime. Qu'est-ce que ça peut me faire qu'il y ait eu une femme dans sa vie avant moi ?

— Liam...

— Non. Laisse-moi finir. Angela était mon assistante. En réalité, c'était juste une dactylo. Elle s'est chargée de taper les manuscrits de mes deux derniers livres. Les choses se firent d'elles-mêmes, comme on dit. Elle était plus âgée que toi. Elle avait presque le même âge que moi. Nous eûmes une liaison. Ces mots... paraissent si banals. Cela dura près de deux ans, je crois, pour s'achever tragiquement.

Sara frotta tendrement sa nuque contre son épaule. Il semblait bouleversé. Tenait-il encore à Angela ? se demanda-t-elle. Était-ce la raison pour laquelle il agissait d'une manière si bizarre, si inattendue ?

— Un beau jour, je me suis décidé à rompre, poursuivit-il en détournant la tête, conscient que nous n'aboutirions à rien. Je pensais qu'elle en était arrivée à la même conclusion. Mais je l'avais sous-estimée. Je veux dire que j'avais sous-estimé la profondeur de ses sentiments. Elle... elle eut une sorte de dépression nerveuse.

— Oh, je suis désolée, bredouilla Sara.

Liam hocha les épaules.

— Il fallut l'hospitaliser. Je ne savais pas très bien comment réagir. J'étais vraiment navré pour elle et rongé par la culpabilité, bien évidemment. Mais finalement, j'en vins à penser que cette dépression était une espèce de stratagème pour me garder auprès d'elle, m'obliger à rester sous sa coupe.

« À ma grande surprise, je m'aperçus que je lui en voulais terriblement d'essayer de me rouler de cette façon. De se donner tant de peine pour prouver qu'elle valait mieux que moi, qu'elle avait davantage de sensibilité que moi. Des pensées toutes aussi absurdes les unes que les autres, bien entendu. Provoquées par la culpabilité.

Il braqua son regard sur elle. Un sourire étrange, sans gaieté, flottait sur ses lèvres, révélant ses dents étincelantes. Elle ne lui avait jamais vu cette expression.

— La culpabilité est le moteur de ma vie, lâcha-t-il finalement, sans une once d'émotion.

— Que veux-tu dire, Liam ?

Un frisson la parcourut. Ce sourire énigmatique la mettait mal à l'aise. Elle avait envie de l'effacer. De l'embrasser pour le faire disparaître.

— Qu'entends-tu par là, pour l'amour du ciel ?

— Je ne voulais plus faire de mal à Angela, poursuivit-il, ignorant sa question, mais je n'avais pas le choix. Il fallait que je parte. Quand la proposition de Moore State m'est parvenue, j'ai sauté sur l'occasion. Dans des circonstances normales, je l'aurais déclinée poliment. Mais elle tombait à pic. C'était la porte de sortie que j'attendais.

Son sourire finit par se dissiper. Ses yeux sombres retrouvèrent leur intensité. Sara se pelotonna contre lui en frottant sa joue contre la sienne.

— Angela était toujours à l'hôpital. Je m'en allai sans lui faire mes adieux. C'était si bon de partir, je dois l'avouer. Comme si j'avais brisé des chaînes qui m'emprisonnaient.

Il secoua la tête.

— Je ne voulais vraiment pas te parler de tout ça.

Elle l'étreignit avec passion.

— Hé ! s'exclama-t-elle en prenant brusquement du recul. Hé ! Attends ! Tu crois que c'est Angela ?

— Angela qui quoi ? demanda-t-il en la regardant fixement.

— Tu crois que c'est elle qui me passe des coups de fil menaçants et qui m'a envoyé ces pattes de lapin sanguinolentes ?

Il se frotta nerveusement le menton avant de se passer la main dans les cheveux.

— Peut-être. Je ne vois pas très bien...

Il continua à réfléchir, les yeux rivés sur son verre de porto.

— Ça pourrait bien être elle, en effet. J'aurais dû y songer. Mais je ne pense jamais à elle. Je veux dire que pas une seule fois elle ne m'a traversé l'esprit depuis que je suis ici.

Dieu merci, songea Sara, soulagée d'apprendre que la jeune femme avait cessé de l'obnubiler et que l'énigme des terribles menaces dont elle avait fait l'objet était peut-être élucidée.

— Tu as peut-être raison, reprit-il d'un air songeur. Elle est très perturbée, la pauvre! Mais inoffensive, crois-moi, Sara, totalement inoffensive.

Se sentant rassurée, Sara noua ses mains derrière la nuque de Liam et attira son visage vers le sien.

— Et toi? demanda-t-elle d'un ton taquin. Es-tu parfaitement inoffensif, toi aussi?

Il rit.

— Pas en ta présence, répondit-il, les yeux pétillants, avant de l'embrasser tendrement, avec une douceur infinie. Quand je suis avec toi, au contraire, je suis vraiment *dangereux*.

36

Liam s'approcha du lavabo et tendit le cou vers la glace crasseuse. Il tira le col de sa chemise de son pull-over ras-du-cou. Changea d'avis. Le remit en dessous.

Il entendit la chaîne de l'urinoir contre le mur carrelé derrière lui. Milton le rejoignit près des lavabos en remontant la fermeture éclair de son pantalon.

— Vous n'auriez pas dû vous faire aussi élégant, railla-t-il tout en ajustant le nœud de sa cravate lie-de-vin.

Puis il jeta un coup d'œil désapprobateur au pull-over de Liam.

— Comme on devait se retrouver chez Spinnaker, j'ai

pensé que tout le monde serait en tenue décontractée, expliqua celui-ci.

— Vous savez très bien pourquoi j'ai choisi cet établissement pour donner un dîner en votre honneur, poursuivit Milton en reportant son attention sur le miroir.

Des deux mains, il lissa en arrière ses cheveux blancs qui reprirent aussitôt leur position comme s'ils étaient montés sur des ressorts.

— C'est là que vous vous êtes rencontrés, Sara et vous.

— Vous êtes tellement sentimental, Milton, lança Liam.

— Et vous, vous avez tellement de chance, riposta le colosse d'un ton plein de rancœur et ce n'était pas la première fois qu'il s'exprimait ainsi. Un sacré veinard, grommela-t-il. Sara est une fille merveilleuse. Je regrette de ne pas l'avoir repérée en premier.

Liam préféra ne rien ajouter. Il essaya de s'imaginer Sara avec Milton. À cette pensée, les muscles de sa nuque se raidirent.

Milton se pencha sur le lavabo et ouvrit les deux robinets à la fois. Trop fort. L'eau éclaboussa sa veste. Il poussa un cri et s'empressa de baisser la pression. Après quoi, il entreprit de laver ses énormes mains.

Liam se coiffa et remit son peigne dans la poche de son pantalon avant de faire couler prudemment un filet d'eau.

— Pourriez-vous me passer la savonnette ?

Milton acheva de se frictionner les mains avant de lui tendre le petit morceau de savon. Liam commença à le frotter entre ses paumes en pensant à autre chose.

— Oh !

Le savon tomba dans le lavabo.

— Flûte ! Flûte ! Flûte ! bougonna Liam, réprimandant son reflet dans le miroir.

— Qu'est-ce qui ne va pas ?

Liam secoua la tête d'un air inquiet.

— Un savon ne doit jamais passer de main en main, dit-il.

Puis levant les yeux vers Milton :

— Il faut toujours le poser avant que quelqu'un d'autre le prenne.

Milton fut pris d'un grand éclat de rire qui secoua son double menton au-dessus du col de sa chemise blanche trop étroit.

— Vous et vos superstitions ! Vous m'avez fait peur. Je pensais que vous aviez vraiment un problème.

Liam pouffa de rire à son tour.

Milton s'essuya les mains et sortit des toilettes.

Liam entendit la porte se refermer derrière lui. Il regarda fixement la petite savonnette. Considérant avec une horreur croissante ce qu'il venait de faire.

Puis il ouvrit la bouche en grand — aussi grand que possible — et émit un hurlement douloureux.

Il porta brusquement les mains à sa tête et empoigna ses cheveux avec sauvagerie, tel un forcené, en se martelant les tempes, encore et encore, s'arrachant les cheveux, se giflant avec force, les yeux fermés, la tête rejetée en arrière tandis qu'un long cri montait des profondeurs de son être.

La grosse langue violacée jaillit entre ses lèvres. Elle produisit un claquement humide en se heurtant à la glace.

Liam s'en empara malgré le savon qui lui couvrait les mains et s'efforça de la repousser dans sa bouche. Elle ne cessait d'échapper à ses doigts glissants en se tortillant dans tous les sens, mais il se démena comme un beau diable et parvint finalement à se la renfoncer dans la gorge. Puis il serra les dents pour lui barrer le passage.

Quelques instants plus tard, ses cheveux noirs impeccablement peignés, il regagnait la table d'une démarche désinvolte, les mains dans les poches. Sara croisa son regard et il lui décocha un sourire radieux.

37

Le souffle de Chip embuait la vitre. Il la frotta de sa main gantée et jeta un coup d'œil à l'intérieur du restaurant. La table de Sara se trouvait tout au fond, mais il voyait clairement son visage. Son sourire rayonnant. Elle saisit la manche du professeur et éclata de rire en rejetant la tête en arrière.

Il essuya de nouveau le carreau en s'efforçant de retenir sa respiration. Un vent glacial s'engouffrait par rafales au coin du bâtiment. Le froid s'insinuait sous son manteau. Trop absorbé par le spectacle muet qui se déroulait dans la salle de restaurant, il ne prit même pas la peine de le boutonner.

Il avait la nuque brûlante. Les verres d'alcool qu'il avait engloutis dans le bar d'en face — du Red Label — lui avaient laissé un goût amer dans la bouche, mais ils lui tenaient encore chaud, et c'était ce dont il avait besoin.

Il vit le gros éléphant au teint cramoisi se mettre debout et porter un toast en levant sa coupe de champagne. Soudain pris de vertige, Chip s'appuya des deux mains contre la vitrine. Les convives trinquaient en silence autour de la table. Chip imaginait les cliquetis délicats. Tout le monde souriait.

Un serveur de grande taille, coiffé d'une queue de cheval, lui bloqua soudain la vue. Il esquissa un geste impatient de sa main gantée pour qu'il bouge. Des voitures passaient dans la rue derrière lui avec fracas. Les yeux plissés, le nez collé à la vitre de nouveau embuée, Chip garda sa position.

Le serveur finit par baisser son plateau et s'en aller. Entre-temps, le professeur s'était levé à son tour. Il parlait avec animation, un grand sourire plaqué sur sa figure de fouine, en faisant de grands gestes avec sa coupe à champagne. Une jeune femme aux cheveux blonds, très courts — sa sœur? —, le regardait d'un air béat.

Une nouvelle bourrasque souleva les pans de son manteau. Les yeux braqués sur Sara, observant son regard pétillant, son rire enthousiaste en réaction à ce que le professeur — son Liam — était en train de dire, Chip ne sentait pas le froid, mais seulement la brûlure de la colère et celle de l'alcool qui n'avait pas pu l'apaiser.

— Liam, marmonna-t-il avec dégoût en essuyant la buée une fois de plus. Pourquoi est-ce que je suis là dehors à me geler, Sara? Tu sais que tu m'appartiens.

Il chancela et faillit s'abattre contre la vitre. Mais son regard resta impassible. Il la vit lever les yeux vers Liam en rosissant, un sourire admiratif, émerveillé, se dessinant sur ses lèvres.

Non et non.

Tu ne resteras pas avec lui, Sara. Il n'est pas question que tu passes ta vie avec ce faux-jeton.

Toute la tablée s'esclaffa. Des rires si joyeux.

Mais cela ne durera pas, prédit Chip sans détacher les yeux de Sara. Tu ne riras plus, Sara, quand tu le quitteras. Plus de champagne. Fini les discours spirituels et complaisants du grand professeur.

Et tu le quitteras, Sara, crois-moi, tu le quitteras pour revenir avec moi quand je t'aurai dit ce que je sais. Ce que j'ai découvert à propos de ton brillant professeur.

— Liam, Liam, murmura-t-il en regardant ce nom tant haï embuer la vitre. Liam, ça rythme avec...

Il était à court d'inspiration.

Dedans, ils avaient recommencé à trinquer. Les rires et les acclamations redoublèrent. Sara était si jolie quand elle rougissait. Elle fit un bref commentaire et tout le monde rit de plus belle. Liam lui déposa un baiser sur la joue.

Non. S'il te plaît. Non.

Il décida qu'il avait encore besoin d'un Red Label. Peut-être même deux. Pour se donner du courage. Il avait la bouche sèche. Il fallait qu'il s'humecte le gosier. Il allait devoir s'exprimer d'une voix forte quand il s'agirait de dire à Sara ce qu'il savait. Quand il entrerait dans le restaurant, s'approcherait de leur table d'une démarche désinvolte et... ruinerait leur vie. À votre santé !

Un toast en mon honneur.

Un toast en l'honneur de Sara et moi.

Je vais te sauver, Sara.

Tu ne peux pas vivre avec le professeur et je sais pourquoi. Je vais t'arracher à ses griffes. Je sais tout sur lui. Tout.

Je devrais t'en vouloir, Sara. Je devrais te punir d'avoir pris la fuite, de m'avoir obligé à te courir après, à me battre pour ce qui m'appartient. J'ai de la fierté, tu sais.

C'est moi qui ai demandé ta main en premier, tu te souviens ? Je t'ai demandé de m'épouser.

Tu te rappelles, n'est-ce pas ?

Oh, laisse tomber.

Ça, c'est le passé. Je vais me montrer magnanime. Tu verras. Je vais passer outre mon orgueil. Pas de châtiment. Ni de rancœur. Je te reprendrai et te ramènerai à New York avec moi. Ou peut-être irons-nous vivre à Los Angeles quand ma société de production sera sur pied. Et nous ne reparlerons jamais de tout ça. Jamais. C'est promis.

Un jour, peut-être, nous rirons de l'erreur que tu as commise.

Il braqua son regard sur leur table. Le serveur était en train de disposer les assiettes. Liam caressa les cheveux de Sara et les repoussa gentiment derrière ses épaules.

Chip sentit sa gorge se serrer. Elle ne vous appartient pas, professeur. Enfin plus pour longtemps en tout cas.

Le gros bonhomme rubicond aux cheveux blancs en bataille s'était mis à manger dès qu'on l'avait servi. Il y avait quatre ou cinq autres personnes autour de la table que Chip ne connaissait pas. Il ne leur avait pas prêté la moindre attention.

Il se détourna de la fenêtre, surpris de constater qu'il haletait. Il fallait qu'il se réchauffe un peu et se calme les nerfs avant le grand moment.

Il avait tout le temps d'aller boire un verre en face, décida-t-il. Un bock à bière au néon rouge trônait dans la devanture du Pitcher. Des lattes en faux bois couvraient le bas de la façade. Des cactus dans de grands pots en argile de part et d'autre des portes battantes style western. Un piètre effort pour donner au bar l'apparence d'un vieux saloon.

Pas du tout son genre d'endroit. Rien à voir avec le bar qu'il fréquentait à New York dans la 3ᵉ Avenue. Mais cette ambiance factice ne changeait rien au goût du scotch.

Il poussa les portes et s'avança dans la salle à peine éclairée. Surtout des étudiants assis autour des petites tables rondes, un verre de bière moussante à la main, ou bien debout au bar. La jeune serveuse rousse à la narine ornée d'un faux diamant le zieuta avec familiarité.

— Un Red Label ? Pur ?

— Vous lisez dans les pensées ? gloussa-t-il.

— Ça fait pas un quart d'heure que vous êtes parti, riposta-t-elle en tordant la bouche.

Il hocha la tête.

— Oh.

Il avait l'impression que ça faisait des heures.

Elle lui versa un demi-verre bien tassé qu'elle posa brutalement devant lui.

— Autant le remplir tout de suite, fit-il.

Ses yeux ne s'étaient pas encore accoutumés à la pénombre.

La première gorgée le brûla. La deuxième le réchauffa.

Il s'adossa pesamment au bar et fixa son attention sur un jeune couple que le juke-box nimbait d'une lueur bleutée. Des étudiants. La fille, vêtue d'un jean et d'une chemise de flanelle trop grande pour elle, était assise sur les genoux du garçon. Un garçon ou un homme. Il avait l'air plus âgé qu'elle. Ou était-ce l'éclairage? Elle l'embrassa. Encore et encore. Sur les joues. Le front. Les paupières. Comme s'ils étaient tout seuls. Comme si personne ne les regardait.

Cela rendit Chip fou furieux.

Il avait l'impression que sa tête allait exploser. Il descendit de son tabouret. Les jambes en coton. La gorge nouée. Tout ce bon whisky. Gâché. Il jeta un billet de vingt dollars sur le comptoir. Puis un autre.

Pénétra dans le halo de lumière bleutée. Regarda la fille embrasser le type. Encore. Des petits baisers doux qui donnaient à Chip une furieuse envie de se gratter la figure.

Retour dans la nuit. Le choc du froid. Le vent cinglant sur son visage. Un emballage de jus d'orange tout aplati dérivait sur le trottoir.

Il traversa la rue dans la direction du restaurant. Trébucha contre le bord du trottoir, mais réussit à ne pas perdre l'équilibre. La lumière bleue le suivit sur le trottoir en tournoyant autour de lui. Une lumière glaciale qui le fit frissonner.

Attention de ne pas se cogner le front contre la vitre. Il leva les yeux. Timidement presque. Braqua son regard sur la table du fond.

Vide.

Plus personne. Deux aides-serveurs en tablier blanc en train de débarrasser.

Oh non!

Combien de temps était-il resté dans ce bar? Il essaya de réfléchir, tenta de regarder sa montre, mais la lumière bleue l'empêchait de voir les aiguilles sur le cadran.

Non!

Combien de scotchs? Combien de temps? Combien de temps? Beaucoup trop.

Mais il pouvait les rattraper. Il pouvait encore leur gâcher leur soirée. Effacer ces sourires niais, suffisants. Emmener Sara à l'écart et lui dire ce qu'il savait.

Il s'écarta de la vitre en la repoussant des deux mains. Fit volte-face et s'élança en chavirant vers le coin de la rue. Il sentait encore le contact glacé du carreau contre ses mains.

Mes gants. Qu'est-ce que j'ai fait de mes gants?

Il pensait encore à ses gants lorsque le premier élancement de douleur lui transperça l'épaule.

La lumière bleue vacilla.

Il eut froid au dos avant que la souffrance lui arrache un cri.

Alors il vit la lame. Puis la main gantée, sombre.

La lame glissa de son épaule. Plus bas, toujours plus bas presque jusqu'à sa taille, lacérant aisément sa chemise, sa peau.

Froid. Et puis mouillé.

Le sang chaud — *son* sang — jaillissait en bouillonnant au contact de l'air froid. En produisant une sorte de sifflement.

Il chancela. Baissa les yeux sur le jet de sang qui giclait sur ses chaussures.

Encore une autre entaille. De l'autre côté de sa poitrine. Tissu et peau se déchirant simultanément.

Il ouvrit la bouche, n'émit qu'un gargouillis.

Son regard se détacha de ses pieds pour suivre la trajectoire du couteau.

Mais la lampe bleue s'éteignit.

Et il ne sentit plus ni le froid ni la douleur.

38

— Oui, je sais, je sais.

Penché sur son bureau, le combiné du téléphone coincé dans le creux de son épaule, l'inspecteur Montgomery effleura du doigt la photographie encadrée de son fils.

En face de lui, Walter, les yeux braqués sur lui, remuait les lèvres comme s'il prenait part à la conversation. Garrett fit pivoter son fauteuil pour ne plus voir sa bouille.

— Je sais, monsieur. Mais vous devez vous rappeler..., commença-t-il d'un ton calme.

Il soupira quand la voix perçante du marshall de Medford lui déchira le tympan.

— Oui, je sais, je sais. Un autre soupir de frustration.

— Nous sommes peu nombreux au commissariat, réussit-il finalement à placer. Six seulement. Et pas très bien équipés, monsieur. Je serai le premier à l'admettre. Et puis toute cette effervescence — les journalistes, les caméras...

Il n'acheva pas sa phrase. Il avait fallu que la quatrième victime soit le rejeton d'un gros bonnet d'une chaîne de télévision nationale. Les équipes de télé qui avaient envahi Freewood jubilaient presque. Tout ce monde-là grouillait dans les rues comme des fourmis sur un croûton de pain, sillonnant le campus en tous sens, passant les lieux des crimes au peigne fin, bondissant de-ci de-là comme des lapins sans arrêter de causer, tous en même temps, jacassant, jacassant, se recoiffant à la hâte avant de se remettre à jacasser. Une jeune reporter d'un journal télévisé lui avait même proposé dix mille dollars s'il acceptait de débiter devant la caméra les détails les plus horribles concernant les meurtres.

Il l'avait envoyée promener. Trop vite, peut-être. Plus tard, Angel avait longuement épilogué sur tout ce qu'ils auraient pu se procurer avec dix mille dollars en lui faisant remarquer qu'il n'y avait rien d'amoral dans le fait de divulguer des informations que tout le monde connaissait déjà.

Ce en quoi elle se trompait lourdement.

On s'était bien gardé de révéler à la presse à quel point ces crimes étaient ignobles, violents, inhumains.

Inhumain. Un terme on ne peut plus approprié, pensa Garrett.

Inhumain. Personne n'était au courant non plus pour les empreintes. Faites de volutes bizarres en zigzag avec des pointes aiguës qui n'avaient strictement rien d'humain. L'ordinateur central avait failli péter son unité de disques quand on avait essayé de les comparer à celles répertoriées dans le fichier.

Bien évidemment, on l'avait accusé, lui et ses hommes, d'être totalement incompétents. Ils n'étaient même pas fichus de relever des empreintes correctement, une technique que la police utilisait pourtant depuis le milieu du xixe siècle.

Garrett savait que les journalistes de la télé paieraient cher pour qu'on leur parle de ces empreintes. Et des corps déchiquetés. Réduits en lambeaux. Des fragments d'êtres humains éparpillés sur le campus comme des provisions qui auraient dégringolé d'un sac en papier déchiré.

Quant à la déposition du témoin oculaire, elle les rendrait dingues ! Cette histoire du gamin qui avait vu le meurtrier filer en costume de monstre.

Combien seraient-ils prêts à débourser pour celle-là ?

— Je ne pourrais plus jamais fermer l'œil si je vendais cette histoire à la presse, si elle me rapportait ne serait-ce qu'un centime, avait-il dit à Angel.

Mais il ne dormait déjà plus depuis un bon bout de temps.

Alors qu'est-ce que ça pouvait bien faire ?

— Très bien, monsieur, je comprends. C'est entendu, souffla-t-il d'un ton morne dans le combiné.

Pas une once d'émotion dans sa voix. Il raccrocha.

— Alors qu'est-ce qui se passe ? demanda Walter.

Il se pencha en avant et son fauteuil gémit lamentablement sous lui.

Le grincement fit écho dans le crâne de Garrett. Tous

les sons lui parvenaient exacerbés ces derniers temps. Il se frictionna les tempes.

— On nous remplace. Quelle surprise !

Walter n'en croyait pas ses oreilles.

— Ils nous retirent l'affaire ?

Garrett hocha la tête d'un air lugubre.

— Il ne l'a pas vraiment dit comme ça. Mais les féds ne vont jamais vouloir marcher avec nous. Ils vont nous prendre la balle des mains et jouer tout seuls.

Pourquoi est-ce qu'il se mettait à parler comme s'il était question d'un match de foot ? Était-il plus déçu de son échec qu'il n'était prêt à l'admettre ? Cherchait-il à dédramatiser la situation ?

Laisse tomber ! se dit-il. Es-tu flic ou bien psy ?

À moins que ce ne soit ni l'un ni l'autre ?

— Mais... mais, bredouilla Walter en saisissant son bureau métallique de ses pattes roses toutes potelées, on a fait tout le boulot.

Garrett fronça les sourcils.

— On n'a pas fait grand-chose. À part reluquer les cadavres et puis reluquer les photographies des cadavres.

Walter se frotta le menton.

— Ce sont tous ces journalistes qui vous mettent dans cet état.

— Y a de quoi, bordel ! lâcha Garrett en expédiant son crayon à l'autre bout de la pièce.

Celui-ci heurta le mur et rebondit sur le sol en linoléum.

Walter en resta bouche bée. Quand l'inspecteur Montgomery perdait-il le contrôle de lui-même ? Jamais.

— Quatre meurtres, marmonna-t-il en secouant sa tête ronde. Quatre meurtres et on n'a pas été fichu...

— Je ne suis pas sûr qu'il s'agisse de quatre meurtres, murmura Garrett tout en continuant à se frotter les tempes.

Pas vraiment un mal de tête. Juste une palpitation sourde qui ne voulait pas s'en aller.

— Hein ? Walter le dévisagea d'un air interdit.

— Il se peut que ce soit trois meurtres d'un côté et un autre par ailleurs, répondit Garrett d'une voix douce, s'efforçant de réfléchir tout en se demandant ce qui le prenait tout à coup de partager sa théorie avec Walter.

— Je ne comprends pas, avoua ce dernier.

Ce n'était pas la première fois que Garrett l'entendait faire cette remarque.

— On a quatre corps réduits en pièces, chef. Comptez. Un. Deux. Trois. Quatre, ajouta-t-il en comptant lui-même sur ses doigts.

— On a trois corps déchiquetés, corrigea Garrett, et un quatrième *tranché*, débité comme un saucisson.

Walter cogita ça un bon moment.

— Ce qui signifie...

— Ce qui signifie à mon avis que rien ne prouve que le quatrième meurtre soit lié aux trois autres. Ce jeune homme — Chip Whitney — a été attaqué au couteau. D'accord, on l'a salement balafré et mutilé. Mais cela, avec un instrument tranchant et non pas à coups de griffes ou je ne sais quoi.

— Vous voulez dire qu'il pourrait y avoir deux assassins en ville ?

Walter devint encore plus pâle que d'habitude.

Garrett se leva pour aller récupérer son crayon.

— Je ne sais pas. Je sais seulement que, dans le cas des trois premiers meurtres, il n'y avait aucun indice concernant une arme quelconque. Ces cadavres étaient dans un piteux état. J'ai la nausée rien que d'y penser. Et je n'arrête pas d'y penser.

Il se pencha pour ramasser son crayon.

— Le corps de Whitney n'était pas beau à voir non plus. Mais les types du labo ont déterminé que l'arme du crime était un couteau doté d'une lame de huit centimètres. Ça fait une différence avec les trois autres affaires.

La bouche de Walter s'ouvrit lentement tandis que ses yeux exorbités restaient fixés sur Garrett.

— Deux assassins ici à Freewood ? *Deux* assassins ?

39

— Je... j'arrête pas de penser que c'est ma faute, bre-douilla Sara, les yeux rougis, en serrant nerveusement ses paumes l'une contre l'autre sur ses genoux.

Mary Beth se pencha et prit ses mains dans les siennes.

— Comment peux-tu dire une chose pareille ? répondit-elle d'une voix étouffée. Tu sais que c'est faux.

— Mais Chip ne serait jamais venu à Freewood si je n'avais pas été là, gémit Sara.

Une larme solitaire coula le long de sa joue bouffie. Il ne lui en restait plus guère en réserve, elle le savait.

Cramponnée à Liam, elle avait pleuré, pleuré toute la nuit. Non pas parce qu'elle aimait encore Chip, mais parce qu'elle se sentait coupable.

Les tasses blanches remplies de café étaient restées intactes sur la table basse devant elles. Mary Beth s'était hâtée de rentrer chez elle dès qu'elle avait reçu l'appel de Sara au bureau après avoir suggéré à celle-ci de la retrouver là-bas. Elle n'avait même pas pris le temps de se changer en arrivant et portait encore la petite jupe noire stricte et le pull à col roulé foncé qu'elle avait mis le matin pour aller au travail. Le jean délavé de Sara était tout froissé, son T-shirt bleu à manches longues taché devant.

— Je suis venue directement du commissariat, murmura-t-elle en dégageant ses mains de celles de son amie pour écarter quelques mèches rebelles. Liam ne vou-lait pas que j'y aille. Mais il fallait absolument que je leur dise que je connaissais Chip et que je leur explique pourquoi il était ici.

Mary Beth se pencha pour prendre sa tasse.

— Liam ne voulait pas que tu y ailles ?

Sara secoua la tête.

— Il a vu dans quel état j'étais. Il... il a été merveilleux avec moi cette nuit. Il m'a serrée dans ses bras jusqu'au petit matin en me laissant pleurer sans cesse de me répéter que je n'avais aucune raison de me sentir coupable.

— Il a raison, déclara Mary Beth d'un ton ferme en inclinant dangereusement sa tasse.

Quelques gouttes de café coulèrent sur le côté. Son regard était rivé sur Sara.

— Ce n'est pas toi qui as invité Chip à te rejoindre ici. Et tu n'as strictement rien à voir dans cette tragédie.

— Mais c'est tellement bizarre, répliqua Sara en essuyant une larme. C'est tellement bizarre de connaître quelqu'un qui a été assassiné.

Mary Beth hocha la tête. Elle but rapidement une gorgée de café et reposa sa tasse sur la table.

— Que s'est-il passé au commissariat ?

Sara soupira.

— J'ai parlé avec un policier. L'inspecteur Montgomery. Je crois bien qu'il s'appelle comme ça. Un Noir avec une voix très douce. Il a été très gentil, très compréhensif. Il m'a demandé quand j'avais vu Chip pour la dernière fois et si je connaissais quelqu'un susceptible de lui en vouloir au point de le tuer. Il m'a posé une ou deux autres questions.

Elle changea de position, allongea les jambes.

— Il a bien vu que j'étais bouleversée. Il ne m'a pas gardée très longtemps. Il avait l'air passablement perturbé lui aussi.

— Perturbé ?

— Oui. Il m'a dit qu'on avait décidé de retirer l'affaire des mains de la police locale. Le FBI doit prendre la relève. Il a ajouté qu'il ne se sentait pas capable de démasquer un tueur en série. Je ne sais pas pourquoi il m'a dit ça. Il m'a semblé que...

Elle laissa sa phrase en suspens.

Elles restèrent un moment silencieuses. Sara entendit le plafond craquer ; quelqu'un déambulait dans l'appartement du dessus. Les sons mats d'une batterie provenant d'une stéréo résonnaient derrière la cloison.

La vie suivait son cours. Pour la plupart des gens, c'était une journée comme les autres.

— Le père de Chip est arrivé au commissariat au

moment où je partais, confia-t-elle à Mary Beth. J'ai vu une limousine blanche se garer dans le parking; il est sorti de l'arrière comme un zombie.

— Qu'est-ce que tu lui as dit?

— Je... Rien du tout. J'étais incapable de l'affronter, avoua-t-elle en évitant le regard de son amie. J'ai pris l'autre sortie. Avant qu'il ait eu le temps de me voir... Enfin... Que pouvais-je lui dire?

— Chip était-il proche de son père? demanda Mary Beth.

Sara hocha la tête.

De nouveaux piétinements à l'étage au-dessus. Un nuage éclipsa tout à coup le soleil, plongeant la pièce dans une semi-obscurité. Des ombres grises glissèrent le long des murs.

Sara soupira encore une fois.

— Pourquoi voudrait-on tuer Chip? Qu'est-ce qui a bien pu pousser quelqu'un — un étranger — à l'assaillir dans la rue et à l'assassiner de sang-froid? C'est vraiment trop horrible, Mary Beth. Et totalement incompréhensible.

— Bois un peu de café, Sara. Il faut que tu cesses de penser à tout ça. Il faut que tu te changes les idées d'une manière ou d'une autre. Que tu...

— Mais comment veux-tu? Je connais quelqu'un qui s'est fait assassiner. Sauvagement. Et *oh mon Dieu*!

Elle porta brusquement les mains à son visage.

— Qu'est-ce qu'il y a? Sara...

— J'en connais deux! s'écria-t-elle. Quatre meurtres sur le campus. Et je connais deux des victimes. Chip et cette jeune assistante. Devra Brookes. Je l'ai rencontrée. Dans un restaurant. Peu de temps avant sa mort. Oh, mon Dieu, Mary Beth. Mon Dieu! Comment est-ce possible? J'en connais deux! Comment est-ce possible?

40

Plantée devant la table du petit déjeuner où Liam était attablé, Sara resserra la ceinture de son peignoir de coton bleu.

— Grrrrr... Je grogne contre toi, Liam, fit-elle en rejetant en arrière ses cheveux qu'elle n'avait pas encore brossés.

Liam, déjà habillé à sept heures et demie — pantalon de coton ample, chemise de sport blanche et gilet en laine marron sans manches, les cheveux impeccablement peignés, encore humides après sa douche —, haussa négligemment les épaules en la gratifiant d'un sourire qui se voulait apaisant.

— Je ne peux pas manger ces œufs. Pardonne-moi, ma chérie, dit-il en repoussant son assiette.

— Grrrr.

Elle mit les mains en griffes et laboura l'air telle une tigresse en colère.

— Tu peux grogner autant que tu veux. Je t'avais prévenu qu'il ne fallait pas acheter d'œufs après le coucher du soleil. C'est une superstition très ancienne, mais...

— Oui ! Très ancienne ! s'écria-t-elle, comme si cela suffisait à prouver qu'elle avait raison. Très ancienne et très sotte.

— Sara, s'il te plaît. Ne te fâche pas. Assieds-toi.

Elle n'avait pas envie de lâcher prise ce matin. Elle avait mal dormi. Chip était mort depuis deux semaines, mais son visage continuait à la hanter. Elle le voyait chaque fois qu'elle fermait les yeux, chaque fois qu'elle essayait de détendre son esprit.

Deux semaines. Et elle n'avait pas passé une seule nuit normale depuis.

Pourquoi me poursuis-tu, Chip ? T'en iras-tu un jour ?

Ce matin-là, en regardant Liam sortir prudemment du lit du côté droit et faire trois fois le tour de la chambre avant de compter ses pas jusqu'à la salle de bains, elle avait failli devenir folle.

— J'étais loin de me douter que tu avais tant de superstitions, Liam, avait-elle grommelé d'une voix somnolente.

Il n'avait pas répondu.

Elle s'était levée, bien que son premier cours n'eût lieu qu'à onze heures, et lui avait préparé des œufs brouillés accompagnés de toasts qu'il avait refusés avec désinvolture en apprenant qu'elle avait acheté ces œufs la veille au soir en sortant de la bibliothèque.

— Ce n'est parce qu'une poignée d'Irlandais ignorants avaient peur d'acheter des œufs dans le noir il y a plus de trois cents ans que cela doit t'empêcher de manger mes œufs brouillés ! s'écria-t-elle avant d'être prise d'une quinte de toux.

Elle se servit une tasse de café et en but une gorgée qui lui brûla la gorge.

Il lui décocha son sourire de petit garçon, sachant que cela marchait généralement avec elle.

— Je t'en prie, Sara. Ne m'en veux pas !

Mais elle était déterminée à ne pas se laisser charmer si facilement cette fois-ci. Elle reposa sa tasse avec brutalité.

— Quand suis-je supposée acheter des œufs ? Je te serais reconnaissante de me donner précisément le créneau horaire où cela porte chance d'en acheter.

Son sarcasme lui fit froncer les sourcils.

— Ne t'inquiète pas pour ces œufs, ma chérie, répondit-il en tendant le bras vers la cafetière. Tu ferais mieux de te soucier de ta thèse. Laisse Margaret s'occuper des courses.

Comme s'il lui avait donné un signal d'entrée, les pas de Margaret résonnèrent à cet instant précis dans l'escalier. Quelques secondes plus tard, elle pénétrait dans la cuisine d'une démarche hésitante. Elle portait un gros pull en laine beige et un pantalon noir moulant.

— Puis-je vous joindre ?

— Est-ce qu'on a l'air disjoint ?

Sara bougonna. C'était une mauvaise blague que Liam

avait lue quelque part et dont il raffolait pour Dieu sait quelle raison. Margaret et lui se donnaient la réplique tous les matins ou presque. Et chaque matin — jusqu'à ce jour —, Sara avait ri. Aujourd'hui, ce rituel absurde ne fit qu'ajouter à sa mauvaise humeur.

Pourquoi Margaret ne prenait-elle pas son petit déjeuner en haut dans sa chambre ? pensa-t-elle, furibonde. Ne pourrions-nous pas avoir une matinée tranquille, Liam et moi ? Et nous chamailler sans qu'elle soit là à nous regarder de ses yeux de merlan frit ?

J'ai vraiment les nerfs en pelote, se dit-elle en avalant une gorgée de café. Margaret est adorable. Elle se donne tant de mal pour ne pas se mêler de nos affaires.

Et je devrais être un peu plus tolérante envers Liam. Il est tellement merveilleux, si affectueux, si tendre. Il semble si heureux avec moi. Quand je songe aux trésors de compréhension qu'il a déployés à propos de l'histoire de Chip.

Margaret se servit une tasse de café et se dirigea vers le réfrigérateur pour prendre du lait. Sara en profita pour se glisser derrière Liam et noua tendrement les bras autour de son cou. Elle renifla son aftershave avec bonheur avant de lui déposer un baiser sur la nuque.

Il tourna la tête pour l'embrasser.

— Deux tourtereaux, susurra Margaret, adossée au frigidaire.

Elle secoua la tête en souriant.

— Coo coo coo, roucoula Sara, faisant de son mieux pour imiter l'oiseau en question.

Après le petit déjeuner, ils passèrent au salon. Margaret ouvrit les rideaux. Une pâle lumière grise se déversa dans la pièce. Sara jeta un coup d'œil au ciel plombé ; de gros nuages s'amoncelaient au-delà de la cime des arbres.

Liam s'installa confortablement sur le canapé pour feuilleter une pile de papiers. « Des notes de conférence », fit-il en réponse à la question muette de Sara. Margaret disparut bientôt dans la cuisine. Sara entendit l'eau couler dans l'évier.

Pourquoi fait-elle la vaisselle ? se demanda Sara avec agacement. Je lui ai dit que j'allais m'en occuper. Pourquoi se précipite-t-elle toujours pour la faire si je ne m'y attelle pas à l'instant où nous nous levons de table ?

En s'approchant du bureau de Liam, Sara aperçut la cage du lapin. Vide. Pourquoi ne s'en débarrassait-il pas? *Je ferais peut-être bien de le faire moi-même. Un jour où il sera sorti.*

Elle fit mine d'ouvrir le premier tiroir du bureau, puis se ravisa.

— Où sont tes ciseaux, Liam?

— Dans le premier tiroir, à droite, répondit-il sans prendre la peine de lever le nez.

— Ça fait deux mois que je vis ici et je continue à avoir l'impression d'être en visite, se plaignit-elle. Je ne trouve jamais rien.

— Il faudrait que tu aies un bureau à toi, marmonna-t-il.

Elle ouvrit le tiroir. Des ciseaux, des crayons à papier, une règle, des paquets de cartes à index. Le tout impeccablement rangé. Elle eut envie de tout mettre en pagaille, de promener sa main dans le tiroir jusqu'à ce qu'il soit sens dessus dessous. *Il faut que je sème un peu le désordre, que j'apporte de la fantaisie dans la vie de Liam,* songea-t-elle.

Elle se reprocha aussitôt ces pensées puériles. *Mais qu'est-ce que j'ai aujourd'hui à la fin?*

Elle prit les ciseaux.

Liam posa ses notes sur ses genoux et lui sourit.

— Qu'est-ce que tu fais?

Elle referma le tiroir d'un coup de hanche.

— Oh, tu sais, les photos du mariage que Mary Beth a finalement fait développer. Celles que je t'ai montrées hier. J'ai envie d'en envoyer quelques-unes à maman. Et puis je vais découper l'annonce de la cérémonie parue dans le journal du campus et...

Les ciseaux lui échappèrent et rebondirent sur le tapis. Elle se pencha pour les ramasser.

— Non! hurla Liam en se levant d'un bond.

Tous ses papiers se dispersèrent sur le tapis.

— N'y touche pas!

— Hein?

Sara se redressa, interloquée.

— Qu'est-ce qu'il y a?

Liam traversa la pièce en deux enjambées.

— Il ne faut jamais ramasser ses ciseaux soi-même.

— Pardon?

— Si tu les ramasses, ta vie sera écourtée.

— Ne sois pas ridicule!

— Il faut que quelqu'un d'autre le fasse pour toi.

— Pas question! cria-t-elle.

Liam plongea à terre, mais elle était plus près. Au moment où il tendait la main vers la paire de ciseaux, Sara s'en empara.

Liam poussa un cri, comme sous l'effet d'une vive douleur.

Margaret apparut à ce moment sur le seuil.

— Que se passe-t-il?

Liam se releva, haletant, foudroyant Sara du regard. Elle brandit les ciseaux tel un trophée.

— Liam, quelquefois tu vas un peu loin avec tes superstitions.

Son expression se radoucit peu à peu. Elle eut droit une fois de plus à son sourire de gamin.

— Tu as raison. Je suis désolé, fit-il en reculant d'un pas. Je tâcherai de m'améliorer, je te le promets.

— Mais que s'est-il passé pour l'amour du ciel? insista Margaret.

— Rien de grave, répondit Sara sans quitter Liam des yeux.

Elle regrettait déjà de s'être montrée aussi intraitable. Il avait l'air si troublé, le pauvre! Pourquoi ne pas l'avoir laissé ramasser cette paire de ciseaux puisque cela avait tant d'importance pour lui?

— Je me suis un peu emballé, dit Liam à l'adresse de Margaret.

Il était sur le point d'ajouter quelque chose lorsqu'on sonna à la porte.

— Tu attends quelqu'un? demanda-t-il en se tournant vers Sara.

Elle secoua la tête, posa les ciseaux sur le bureau. Liam se dirigea vers l'entrée.

Margaret s'approcha de la fenêtre et jeta un coup d'œil sur le perron.

— Oh! s'exclama-t-elle, surprise. C'est un policier, Liam!

41

Garrett appuya de nouveau sur la sonnette en levant les yeux vers le ciel qui s'assombrissait à vue d'œil. Il va y avoir une tempête. Faisait-il assez froid pour qu'il neige ?

Il enleva ses gants et les fourra dans les poches profondes de son manteau ouvert qui laissait entrevoir son uniforme. Il avait attaché sa carte d'identité policière avec un trombone à l'écritoire à pince qu'il tenait sous le bras. Les gens demandaient toujours à la voir par les temps qui couraient. L'uniforme ne suffisait plus.

Il vit quelque chose bouger par la fenêtre de devant. Un éclair de couleur. Une femme à demi dissimulée par le reflet du ciel sur la vitre guignant dans sa direction. Puis il entendit des pas approcher.

Il n'était que neuf heures du matin, mais il avait déjà frappé à une bonne vingtaine de portes. C'était une excellente idée de commencer tôt pour choper les gens avant qu'ils partent au travail.

Il avait pensé qu'il détesterait ce porte-à-porte. Passer au crible l'ensemble des logements voisins du campus ? Questionner tous les résidents ? À quoi cela pouvait-il bien servir ?

Sandusky, le chef de l'unité du FBI, au visage de poupon, lui avait assuré qu'il serait probablement surpris du résultat. Garrett avait détesté la manière dont il lui avait passé un bras protecteur autour des épaules en lui parlant comme à un môme de six ans. Avec un ton condescendant ! Quel âge pouvait-il bien avoir, celui-là ? On lui donnait quatorze ans avec ses joues blanches et lisses et ses yeux bleus de bébé. Depuis quand les agents du FBI se mettaient-ils à peloter les gens ?

Il est peut-être homo, pensa Garrett en ricanant. Il se pourrait qu'il ait un penchant pour les grands flics noirs.

Non. C'est juste un arrogant salopard qui se prend pour je ne sais qui parce qu'il se trouve que c'est une grosse pointure fédérale, et non pas un minable flic de campus incapable de relever correctement les empreintes d'un cadavre.

Au moins je ne suis plus enfermé à longueur de journée dans ce fichu commissariat, se dit-il. Voilà pourquoi il était content que les types du FBI l'aient chargé de faire ces visites à domicile. Je peux prendre un peu d'exercice et respirer l'air pur au lieu de rester le derrière cloué sur mon fauteuil dans ce bureau étouffant à regarder ce gros clown de Walter en train de saupoudrer sa chemise de sucre glace en avalant beignet sur beignet.

C'est vrai, quoi, merde! Ça fait du bien d'être dehors et d'aller d'immeuble en immeuble, sans se fouler. Il avait le temps de réfléchir. À sa vie. Aux meurtres.

Angel l'avait écouté sérieusement quand il lui avait expliqué sa théorie selon laquelle ces assassinats avaient été perpétrés par un monstre inhumain. Mais il avait vu une lueur de doute briller dans ses yeux verts. De doute et d'inquiétude. Était-ce sa santé mentale qui la préoccupait?

Eh bien, pourquoi pas?

Il n'était plus le même depuis le jour où il avait vu son premier cadavre. Cette pauvre fille à la calotte crânienne béante, ses cheveux en tas sur l'herbe, les vaisseaux sanguins déchirés se déversant de son crâne comme des serpents entortillés.

Il ne se sentait plus du tout le même. Il ne voyait plus les gens de la même façon. Il ne pouvait plus regarder qui que ce soit sans penser à son crâne, ses veines, à la tête qu'il aurait, le scalp arraché.

Fou? Probablement.

Ces meurtres l'étaient aussi. L'assassin ne pouvait être qu'un monstre.

Il entendit un verrou qu'on tirait. La porte s'entrouvrit. Il s'attendait à un regard stupéfait, l'habituelle expression d'effroi. Les gens avaient peur de se retrouver face à face avec un flic sur le pas de porte; il apportait forcément une mauvaise nouvelle.

Un homme brun. Entre trente et quarante ans. Une

allure de professeur avec son gilet marron sans manches, sa chemise blanche impeccable. Il le dévisageait sans sourciller, mais Garrett détecta de la surprise dans ses yeux. De la peur aussi? Il n'en était pas sûr.

— Bonjour. En quoi puis-je vous être utile? lui demanda-t-il d'une voix douce et agréable.

Une pointe d'accent étranger.

— Professeur O'Connor?

— Oui, répondit-il en plissant les yeux.

— Votre femme est venue me voir récemment, à propos du meurtre de Chip Whitney.

— Oui, je sais. Elle était très secouée, la pauvre! Moi aussi, bien sûr.

— Vous le connaissiez? demanda Garrett en changeant son écritoire de main.

— Non. C'est l'état de Sara qui m'a bouleversé, reprit-il en se passant la main dans les cheveux. De toute façon, nous sommes tous sens dessus dessous à cause... de ces meurtres. Il y a de quoi, avouez-le.

Garrett plongea son regard dans celui du professeur.

— Je suis chargé de faire une enquête en porte-à-porte, professeur. Je n'en ai que pour une minute. Vous connaissiez l'une des victimes, n'est-ce pas?

Sans attendre de réponse, il se mit à tourner rapidement les pages de son écritoire pour s'arrêter sur un cliché en couleurs représentant la deuxième victime. Tout sourire, dans sa robe bain-de-soleil jaune citron. La plage et l'océan en toile de fond. Ses cheveux flottant dans le vent.

O'Connor regarda attentivement la photo et hocha la tête.

— Mme DeHaven. C'était notre propriétaire. Cet immeuble lui appartenait. Quel terrible choc!

— Quand l'avez-vous vue pour la dernière fois? Vous aurait-elle fait part d'un éventuel conflit ou d'un malentendu quelconque avec l'un de ses locataires? Avez-vous le moindre soupçon sur une personne susceptible d'avoir été en bisbille avec elle? D'anciens locataires? D'autres occupants actuels de cette maison?

Le professeur répondit à toutes ses questions sans hésitation, avec calme et pondération. Il n'avait pas le moindre indice. Il ne connaissait pas les autres locataires. N'avait jamais entendu la propriétaire se plaindre de qui que ce soit et affirmait avoir avec elle des relations « on ne peut plus cordiales ».

Bredouille, en conclut Garrett. Des voix féminines lui parvenaient de l'intérieur. L'épouse et la sœur, pensa-t-il en se souvenant de son entrevue avec Mme O'Connor. Il faudrait qu'il leur parle à elles aussi.

Deux jeunes joggers, des étudiants probablement, apparurent au coin de la rue. Ils ralentirent l'allure en l'apercevant sur le perron, braquèrent leurs regards dans sa direction pour voir qui il interrogeait, mais détournèrent ostensiblement la tête au moment où ils passaient devant la maison au pas de course.

— Je doute de pouvoir vous être utile, monsieur l'inspecteur, fit le professeur, manifestant pour la première fois un certain agacement.

Garrett tourna quelques pages afin de lui présenter la photo de la première victime. Charlotte Wilson. Une photo d'école. Lorsqu'elle était en dernière année de lycée. Elle avait l'air d'avoir douze ans.

— Connaissiez-vous cette jeune femme, docteur O'Connor ? Charlotte Wilson ?

Le professeur examina le cliché avec attention. Il avala sa salive.

— Eh bien, à vrai dire...

— Oui ?

— Je l'ai rencontrée brièvement. C'est la jeune femme que j'étais censé engager comme secrétaire. Mais elle... Je venais d'arriver en ville. Ma sœur et moi étions occupés à emménager. C'est tout juste si j'avais le temps d'aller à mon bureau. J'ai dû lui parler une ou deux fois à cette pauvre fille. Et puis... quand elle a été assassinée...

Le sang de Garrett ne fit qu'un tour. Il fixa son regard sur le professeur. Surprit la gêne dans ses yeux bruns.

— Alors vous connaissiez aussi Charlotte Wilson ? Donc vous connaissiez les trois victimes ?

Le professeur s'empourpra.

— Eh bien... oui. Mais superficiellement. De vagues connaissances.

Garrett essaya d'autres questions tout en griffonnant quelques mots au bas de la fiche de Charlotte Wilson.

— Avez-vous rencontré des proches de Charlotte Wilson? L'avez-vous vue en compagnie d'amis? Aviez-vous des relations en commun? Vous a-t-elle jamais dit quoi que ce soit concernant ses proches? Vous a-t-elle jamais paru anxieuse, désemparée?

Le professeur n'avait aucune réponse à lui donner.

Mais Garrett sentit son cœur s'emballer. Il avait mis le doigt sur quelque chose. De louche? Ou s'agissait-il simplement d'une coïncidence? Tout de même. Trois sur trois. Il en connaissait trois sur quatre!

Se pouvait-il qu'il n'en sache pas davantage? Était-ce possible?

Les questions fusaient de toutes parts dans son esprit. Il se mit en garde : Ne t'excite pas trop. Tu n'as pas élucidé l'affaire. Tu n'as encore rien trouvé.

Mais trois sur trois?

Essayons quatre.

Un coup de vent souleva les pages de son écritoire. Le ciel s'assombrit tout à coup. Les deux hommes levèrent simultanément les yeux vers les nuages. Le docteur O'Connor frissonna.

— Je devrais sans doute vous inviter à entrer, inspecteur. Mais il faut que vous m'excusiez, ajouta-t-il en jetant un coup d'œil à sa montre, je suis déjà en retard pour ma conférence. Mes étudiants...

— Voici la quatrième victime, l'interrompit Garrett en brandissant la photo de Devra Brookes.

Vraiment sexy avec cette mèche rousse sur l'œil, un sourire rusé illuminant son joli minois. Garrett l'avait vue cent fois, mais il secoua la tête. Ils auraient tout de même pu dénicher une photo de meilleure qualité!

Le professeur baissa les yeux sur la photo. L'étudia longuement. Pour finir, il secoua la tête lui aussi.

— Non, désolé. Celle-ci, je ne la connais pas. Je ne l'ai jamais vue de ma vie.

Le cœur de Garrett se serra.

— En êtes-vous sûr, professeur? Elle s'appelle...

Avant que Garrett ait eu le temps d'achever sa phrase, Sara passa la tête par l'entrebâillement de la porte.

— Devra! s'exclama-t-elle. Liam, c'est Devra.

— Ah oui.

Deux ronds écarlates apparurent sur les joues du professeur O'Connor.

— Effectivement, je la connaissais.

Quatre sur quatre.

42

Sara suivit Margaret dans la maison. Elle soupira d'aise, heureuse d'être enfin rentrée.

— Quelle journée épouvantable!

Elle entendit Liam fermer la porte. Il passa devant elle, la mine sombre, l'air las, des poches sous les yeux, et jeta son manteau sur le dossier du canapé.

— Je vais m'occuper personnellement de cette affaire, Sara, dit-il en croisant les mains derrière sa nuque.

Margaret prit le manteau de Liam et alla le ranger dans le placard de l'entrée.

— Est-ce qu'on ne ferait pas mieux de prendre un avocat? Tu ne crois pas qu'on aurait dû en avoir un avec nous au commissariat, Liam?

Il s'approcha de la fenêtre et regarda tomber la neige.

— Nous n'avons pas besoin d'un avocat. Nous n'avons rien à nous reprocher. Ces types du FBI se raccrochent désespérément à la moindre lueur d'espoir.

Sara se laissa tomber sur le dossier du canapé.

— Une journée entière au commissariat. À répondre inlassablement aux mêmes questions.

— Tout est ma faute, fit Liam à voix basse. Je n'aurais pas dû mentir à propos de Devra. Je ne sais pas ce qui m'a pris. Je crois bien que c'est à cause de la manière dont ce policier me dévisageait comme une bête curieuse. Du coup, j'ai eu l'impression que j'avais vraiment quelque chose à cacher.

Il vint se placer derrière Sara et se mit à lui masser tendrement les épaules.

— C'est une terrible coïncidence. Et la police est... tellement désemparée. Ils sautent sur n'importe quoi. Y compris le concours de circonstances le plus absurde.

— Mmmm... Ça fait du bien, ronronna Sara. Tu as les mains douces pour un assassin, Liam.

Il arrêta aussitôt de la masser.

— Ce n'est pas drôle, Sara.

— Je vais faire du thé, annonça Margaret en se dirigeant vers la cuisine. Quelqu'un en veut une tasse?

— Il me faut quelque chose de plus fort, répondit Liam.

— Il me faut quelque chose de frais, renchérit Sara. Il faisait une chaleur insoutenable dans ce commissariat. Et ce radiateur qui n'arrêtait pas de toquer. Ça me rendait folle.

Margaret disparut dans la cuisine. Sara l'entendit faire couler l'eau, puis poser la bouilloire sur la cuisinière.

Liam s'arrêta de lui pétrir le dos et recula de quelques pas.

— En tout cas, nous leur avons dit tout ce que nous savons. Ce qui n'est pas grand-chose. Espérons qu'ils renifleront une autre piste et nous laisseront tranquilles.

Il enleva son pull-over et le jeta par-dessus son épaule avant de s'approcher du bar et de se servir un grand verre de whisky.

Sara l'observa en silence tout en réfléchissant. Quelle terrible coïncidence. Coïncidence?

Bien sûr qu'il s'agissait d'une coïncidence.

Comment pourrait-il en être autrement?

Pauvre Liam. Elle ne s'était pas rendu compte qu'il connaissait les quatre victimes. Il ne lui en avait jamais parlé. En fait, il n'avait jamais abordé la question des meurtres avec elle, hormis pour marmonner qu'ils étaient abominables, que ses étudiants étaient épouvantés. Mais cela avait dû le troubler énormément, pensa-t-elle. Quatre meurtres. Quatre personnes que Liam connaissait d'une manière ou d'une autre.

Oui, se dit-elle. Cela avait dû le bouleverser. Surtout quelqu'un d'aussi superstitieux que lui.

Pauvre Liam. Pauvre Liam, si superstitieux. Et pourtant

il avait tout gardé pour lui. Pourquoi? Pour la protéger, elle? Sûrement.

Elle traversa la pièce et l'enlaça, le prenant par surprise de sorte qu'il renversa quelques gouttes de scotch sur le tapis.

— Oh Liam, tu les connaissais tous.

— Pas vraiment, murmura-t-il en pressant sa joue brûlante contre la sienne. Je les connaissais à peine. Arrêtons de parler de tout ça, Sara. Je n'ai aucune envie...

Il s'écarta brusquement d'elle en brandissant son verre dans sa main droite.

— Je vais me changer. Veux-tu que nous dînions ici ou préfères-tu sortir? Une petite promenade dans la neige nous calmerait peut-être et nous éclaircirait les idées. Qu'en penses-tu? Toutes ces questions. Ces hommes en uniformes gris avec leurs petits yeux ronds comme des billes braqués sur nous, nous bombardant de questions idiotes. Allons dîner dans un endroit agréable. Boire une bonne bouteille. Peut-être même nous enivrer un peu, histoire de nous détendre. Qu'en dis-tu?

Il débita tout ça à toute vitesse, d'une voix tendue que Sara n'avait jamais entendue auparavant, puis sortit de la pièce avant qu'elle ait eu le temps de répondre.

Elle resta plantée au milieu du salon, les bras croisés sur sa poitrine. Le pauvre! Il en avait vraiment assez d'entendre parler de tout ça. Elle regarda par la fenêtre. Il neigeait plus fort à présent. Les flocons étincelaient sous le halo du réverbère d'en face. La nuit tombait de si bonne heure. Elle jeta un coup d'œil à sa montre. Cinq heures passées de quelques minutes et il faisait déjà nuit noire.

Le téléphone se mit à sonner, résonnant bruyamment dans la pièce vide. Elle s'approcha de la table basse, près du canapé, et décrocha.

— Allô? fit-elle avant de s'éclaircir la voix.

— Vous êtes Sara O'Connor? La nouvelle femme de Liam?

Une voix féminine, nerveuse. Presque un murmure.

— Oui. Qui êtes-vous? répondit Sara d'un ton plus sec qu'elle ne l'aurait voulu.

— Euh... vous ne me connaissez pas. Je m'appelle Kristen Verret. Je.. je sortais avec... euh... Liam autrefois.

— Comment?

— Je vivais avec Liam. Liam et Margaret. Il faut que je vous parle, Sara. Je dois vous mettre en garde...

Sara sentit son sang se figer dans ses veines. Elle eut un coup au cœur.

— Qui êtes-vous? Que me voulez-vous?

— Écoutez-moi, Sara. Je vous appelle pour vous mettre en garde à propos de Liam.

— Êtes-vous Angela? Dites-moi?

Sara serra le combiné à le rompre en se souvenant de l'histoire d'Angela à Chicago, Angela obnubilée par Liam.

— Angela? Non. Je viens de vous dire qui j'étais. Je m'appelle Kristen. Êtes-vous libre? Pouvez-vous venir me voir?

— Hein! Mais vous êtes folle! Pourquoi voulez-vous que je vienne vous voir?

— Il faut absolument que je vous parle de Liam. Je vous en prie. Vous êtes en danger. En grand danger. Écoutez-moi.

— Angela, je sais qui vous êtes et je sais parfaitement de quoi vous voulez me parler, mais...

— Pouvez-vous venir tout de suite? Je suis au College Inn. Dans Fairmont Street.

— Il n'en est pas question. Écoutez-moi, Angela, ou Kristen, quel que soit votre nom, cessez de me téléphoner. Je ne plaisante pas. Si vous me dérangez encore une fois, j'appelle la police. Je n'hésiterai pas une seconde, croyez-moi.

— J'essaie de vous aider, Sara.

— Je vais raccrocher. Inutile de rappeler, lâcha-t-elle d'une voix tremblante de rage, et de peur.

— Venez demain après-midi. S'il vous plaît. Je serai dans ma chambre. Nous n'en avons pas pour longtemps. Il faut que je vous parle. Demain, Sara, je vous en prie.

Sara prit une profonde inspiration avant de répliquer. Mais c'était inutile. Son interlocutrice avait raccroché.

Elle entendit un autre clic sur la ligne.

Elle monta l'escalier quatre à quatre et fit irruption dans la chambre à coucher. Liam était devant la commode en train de se regarder dans la glace, son verre vide posé devant lui. Il ne s'était pas encore changé. Il avait les yeux larmoyants.

— Est-ce que tu as décroché ici et écouté la conversation que je viens d'avoir au téléphone ? demanda-t-elle en fixant l'appareil reposant sur la table de chevet comme s'il pouvait lui répondre à la place de Liam.

Celui-ci se tourna lentement, la mine défaite.

— Euh... Non. Tu étais au téléphone ?

— Oui. Encore un coup de fil bizarre.

Liam se gratta la tête et plissa les yeux comme s'il avait du mal à concentrer son attention.

— Angela ?

— Je ne sais pas, bredouilla Sara. Elle m'a dit qu'elle s'appelait Kristen. Qu'elle vivait avec toi avant. Est-ce que tu as vécu avec quelqu'un qui s'appelait Kristen ?

Un sourire éclaira le visage de Liam.

— Ça ne me dit rien.

— Liam...

— C'est tellement difficile de se souvenir de toutes ces femmes, poursuivit-il, les yeux luisants de malice.

Sara comprit qu'il la taquinait.

— Pour te dire la vérité, j'ai eu une bonne dizaine d'épouses avant toi.

Il se frotta le menton.

— Onze, je crois bien ? Je ne suis plus très sûr. Je voulais t'en parler, Sara, mais le moment ne me semblait jamais bien choisi.

Il rit.

— Ne prends pas cet air effaré. Je plaisante. Ça se voit, il me semble.

Il s'approcha d'elle et l'enlaça tendrement en pressant son visage contre le sien.

— Ne t'inquiète pas des autres femmes. Tu es la seule, Sara, murmura-t-il. Tu es la seule. Ma seule femme.

Il l'embrassa.

— Sois sérieux, Liam, je t'en prie, l'implora-t-elle. Elle m'a fait très peur. Elle m'a dit de venir la voir, que j'étais en danger.

Elle se pelotonna contre lui, se sentant rassurée, en sécurité dans ses bras.

— C'est peut-être cette folle d'Angela. Si elle est en ville, je m'en occupe, lui dit-il d'une voix douce en lui passant la main dans les cheveux. Nous devrions peut-être nous faire mettre sur liste rouge.

— Tu crois vraiment que c'était elle? Connais-tu quelqu'un du nom de Kristen? insista-t-elle.

Il continua à lui caresser les cheveux. Blottie contre lui, elle entendait les battements de son cœur.

— Non, personne. C'était sûrement Angela. La pauvre! Elle est si désemparée.

Il lui releva gentiment le menton et sourit. Il avait les yeux fatigués et rougis.

— La journée a été rude. Essayons d'oublier tout ça. Allons dîner quelque part. Rien que nous deux. Et cesse de t'inquiéter, Sara. Tu n'as aucune raison de t'inquiéter.

Elle se força à sourire.

— Je sais, chuchota-t-elle. Je sais.

43

— Liam m'inquiète, dit Sara en se mordillant la lèvre.

Elle enfonça les mains dans les poches de son manteau, regrettant d'avoir oublié ses gants.

— Pourquoi dis-tu ça?

Mary Beth dérapa sur le sol verglacé, mais retrouva vite son équilibre. Il n'était tombé que quelques centimètres de neige. Seulement il avait plu depuis et la pluie avait gelé. En cette fin d'après-midi, le soleil avait de la peine à filtrer à travers l'épaisse couverture de nuages gris.

Elles se dirigeaient vers la bibliothèque aux colonnes blanches à l'autre extrémité du Cercle. Soudain, Sara entendit des cris. En se retournant, elle aperçut un groupe d'étudiants qui s'efforçaient d'improviser une bataille de boules de neige près de la rangée de taillis. Mais la neige était trop dure pour qu'ils puissent ramasser grand-chose. D'autres étudiants chargés de sacs à dos, recroquevillés sur eux-mêmes pour se protéger du vent glacial, s'acheminaient par groupes de deux ou trois le long des allées qui se croisaient entre les bâtiments des salles de cours coiffés de neige.

Mary Beth enfonça son bonnet sur son front. Elles ne marchaient que depuis quelques minutes, mais elles avaient déjà les joues teintées de vermillon.

— Oh, mon Dieu ! La lune de miel est déjà finie ? Que lui arrive-t-il à ton Liam ? Es-tu sur le point de me révéler quelque horrible problème sexuel ?

— Sûrement pas, ricana Sara.

Mary Beth fit la moue.

— Dommage.

La glace craquait sous leurs bottes.

— Pourquoi est-ce qu'ils ne répandent pas du sel sur ces allées ? demanda Sara en s'agrippant promptement à l'épaule de son amie à l'instant où elle sentit qu'elle commençait à glisser.

— Nous avons eu des restrictions de budget, répondit Mary Beth en levant les yeux vers une bande d'étudiants qui s'essayaient au patinage.

Elle s'arrêta.

— Et puis, nous avons d'autres chats à fouetter. Avec ces meurtres, on n'a guère le temps de s'occuper de l'état des chemins.

En se tournant vers Sara, elle ajouta :

— Est-ce que tu vas me dire, oui on non, pourquoi tu m'as tirée hors de mon bureau douillet ?

— Eh bien... c'est... oh, je ne sais pas par où commencer.

Elle avait été tellement impatiente de se confier à Mary Beth. Elle y avait pensé toute la matinée, répétant mentalement ce qu'elle lui dirait. Tout de suite après son cours, elle avait couru au bureau de son amie et l'avait obligée à venir faire un tour dehors pour pouvoir lui parler sans être interrompue.

À présent qu'elles étaient seules, ses griefs contre Liam lui paraissaient ridicules. Il était si merveilleux. Si tendre avec elle. Elle l'aimait tant. Elle eut brusquement le sentiment qu'en se plaignant de lui auprès de Mary Beth elle le trahirait.

— J'étais censée travailler pour Milton aujourd'hui, dit-elle en jetant un coup d'œil par-dessus son épaule en direction du bâtiment de l'administration dont le dôme vert disparaissait sous un bonnet de neige. Mais je l'ai appelé pour lui dire que je ne me sentais pas bien. D'ailleurs, je ne me sens vraiment pas bien. Après hier...

— Je sais, je sais. Tu m'as déjà raconté tout ce qui s'était passé hier, la coupa Mary Beth d'un ton légèrement agacé. Six heures au commissariat. Ça a dû être horrible. Mais que voulais-tu me dire à propos d'aujourd'hui ? Allons, Sara. Lâche le morceau.

— Ses superstitions me rendent dingue ! explosa-t-elle.

Mary Beth la dévisagea avec étonnement.

— Pardon ? Ses superstitions, tu dis ?

— Au début, je trouvais ça plutôt charmant, avoua Sara en secouant la tête, débitant les mots à toute vitesse, soudain avide, maintenant qu'elle s'était lancée, de tout déballer d'un coup afin qu'on n'en parle plus. Il passe un temps fou à se documenter sur le folklore, les contes et tous ces trucs-là, et en parle sans arrêt. Au départ, ça m'a paru plutôt touchant qu'il croie dur comme fer à ces superstitions qu'il connaît toutes par cœur. Enfin, je n'ai pas vraiment pris ça au sérieux. Et je ne pensais pas qu'il y accordait une telle importance.

Parvenues au pied des marches de la bibliothèque, elles s'arrêtèrent. Mary Beth prit le bras de Sara ; elles firent volte-face et repartirent dans la direction d'où elles étaient venues.

— Qu'est-ce qui t'énerve exactement ? s'enquit Mary Beth en ajustant son écharpe.

— Tout, gémit Sara. De la minute où il se lève le matin en prenant soin de mettre les pieds par terre du côté droit du lit, jusqu'à ce qu'il se couche, il doit se plier à un rituel quelconque. Au départ, ça m'amusait. Je trouvais ça émouvant. Intéressant. Je ne sais pas.

Mary Beth plongea son regard dans celui de son amie.

— Enfin, est-ce grave ? Crois-tu qu'il soit obsessionnel et compulsif ?

Sara sentit la culpabilité la gagner.

— Oh, je n'en sais rien. J'exagère peut-être. J'y suis probablement plus sensible en ce moment parce que j'ai les nerfs à vif. Je l'aime tant, Mary Beth. Je veux que tout aille bien entre nous. Mais... tout de même... nous avons encore eu une matinée épouvantable.

— Que s'est-il passé?

Mary Beth l'observait d'un air inquiet. Sara fut soulagée de voir qu'elle prenait la chose à cœur au lieu de s'adonner à ses habituelles plaisanteries et remarques sarcastiques. Elle se comportait comme une véritable amie.

— Ne ris pas. J'ai oublié de dire: « À tes souhaits », quand il a éternué.

Mary Beth se garda de rire.

— Est-ce un crime?

Sara hocha la tête.

— Il a pris la mouche. Ce n'était pas la première fois que j'oubliais. Nous nous étions déjà disputés à ce sujet. Bref, je me suis excusée, mais ça ne lui a pas suffi. Il a entrepris de m'expliquer pourquoi on dit « À vos souhaits! », quand quelqu'un éternue. Le bruit de l'éternuement attire les mauvais esprits. On dit « À vos souhaits! », très fort, pour les chasser.

Mary Beth laissa échapper une longue bouffée d'air.

— Et tu penses que Liam croit aux mauvais esprits?

— Non. Évidemment que non! s'empressa-t-elle de répondre. Enfin, ça m'étonnerait. Comment pourrait-il? Il est si intelligent. Ce n'est pas possible.

Elle se mordit la lèvre si fort qu'elle sentit le goût du sang.

— Mais il était dans tous ses états parce que tu as oublié de dire « À tes souhaits »?

— Ce n'était que le début, reprit Sara en soupirant.

Deux filles les dépassèrent au pas de course, manquant de justesse de les bousculer.

— Pardon! cria l'une d'elles par-dessus son épaule, ses longs cheveux flottant dans le vent.

— Après le petit déjeuner, poursuivit Sara, je l'ai vu rentrer dans la maison avec un grand seau rempli de terre.

— Comment a-t-il fait pour trouver de la terre aujourd'hui? Tout est gelé! Il a dû creuser sous la glace.

— Il faut croire, répondit Sara en haussant les épaules. Je lui ai demandé pourquoi il apportait un seau de terre dans le salon.

— Et alors?

— Il m'a répondu que c'était une vieille superstition du Sussex ou de je ne sais où. Il paraît que cela porte bonheur de rapporter de la boue dans la maison en janvier. Ça s'appelle le Beurre de janvier!

— Ah bon! s'exclama Mary Beth en faisant la grimace. Il faut que je pense à faire de même ce soir en rentrant chez moi.

— S'il te plaît. Ce n'est pas drôle!

Mary Beth saisit Sara par la manche.

— Pardon. Excuse-moi.

— Ce n'est pas fini. Nous avons embauché une femme de ménage, Mme Layton, qui vient chez nous une fois par semaine. En fait, c'est Milton qui nous l'a dénichée. Eh bien, figure-toi que ce matin, j'étais en haut en train de m'habiller quand j'ai entendu un tintamarre pas possible venant de la salle à manger. Liam beuglait comme un forcené. Je me suis précipitée en bas. Sais-tu ce qui l'avait mis dans cet état? Je te le donne en mille. Mme Layton avait ouvert la porte d'entrée pour expédier la poussière dehors avec un balai.

Elle prit une profonde inspiration avant de continuer.

— Et Liam hurlait: «Vous êtes en train de chasser toute la chance dehors.» Toute la chance dehors!

— Je n'arrive pas à le croire, murmura Mary Beth.

— Ensuite, il lui a pris le balai des mains et s'est mis à ramener toute la poussière dans la maison. Il était déchaîné. On aurait dit qu'il était... fou!

— Bizarre! commenta Mary Beth en secouant la tête.

— Quant à la pauvre Mme Layton, elle ne savait plus que penser, poursuivit Sara, à bout de souffle. Elle a éclaté en sanglots et nous a annoncé qu'elle ne viendrait plus. Elle a pris son manteau et est partie en courant sans même attendre que je la paie.

— Eh bien, dis donc. Comment est-ce que Liam a réagi?

— Après son départ, il s'est excusé profusément. Il avait vraiment honte, je crois. Il n'arrêtait pas de me dire qu'il était désolé en me suppliant d'essayer de le comprendre. Pour finir, il m'a promis de ne plus se laisser emporter comme ça.

— J'ai l'impression qu'on a un candidat pour le Prozac!

— Mary Beth, s'il te plaît!

— Ça pourrait le soulager un peu, Sara.

— Il n'est pas fou. Il est juste... juste...

À présent, elle se sentait vraiment coupable de s'être confiée à Mary Beth. Elle aurait dû se douter qu'elle ne la prendrait pas au sérieux. Mary Beth tournait toujours tout en dérision.

— Tu fais des études de psychologie, renchérit Mary Beth. Tu pourrais peut-être demander à quelqu'un de ton département d'avoir un entretien avec lui. Juste une petite conversation amicale. Histoire de le convaincre d'aller voir un psy.

Je n'aurais jamais dû lui parler de tout ça, pensa Sara. Jamais. D'abord, elle blague. Ensuite, elle prend les choses au tragique.

— Un psy? Je doute de pouvoir persuader Liam d'aller consulter qui que ce soit, dit-elle. Il va bien. Toutes ces histoires de superstitions et ces contes sont pour lui une source de grande joie. Il en raffole. C'est totalement inoffensif, au fond, non?

Garrett ouvrit la porte du secrétariat et passa la tête par l'entrebâillement. Personne, mais l'ordinateur était allumé, l'écran répandant une lueur bleutée.

— Monsieur le doyen? Êtes-vous là?

Il entendit quelqu'un tousser. Des grondements lui parvinrent du bureau voisin.

— Monsieur le doyen? répéta-t-il. Je suis l'inspecteur Montgomery.

Quelques secondes plus tard, Milton Cohn apparaissait sur le seuil de son bureau, ajustant sa cravate bleu marine avant d'essuyer avec un grand mouchoir les gouttes de sueur qui perlaient sur son front écarlate. Il tendit à Garrett une main brûlante et moite.

— J'étais en train de faire un peu d'exercice, dit-il de sa voix de baryton enroué. Désolé. Je ne vous ai pas entendu entrer.

Il recommença à s'éponger le front.

— Il n'y a pas un autre meurtre?

— Non, répondit Garrett en levant les mains pour l'inciter à garder son calme. Dieu merci, non. Comme je vous l'ai expliqué sur votre répondeur, j'ai simplement besoin de vous poser quelques questions.

Milton émit un soupir de soulagement.

— Vous m'avez fait peur.

Il fit signe à Garrett de s'asseoir en face de lui avant de se laisser tomber lourdement dans son fauteuil, encore tout essoufflé.

— C'est gentil à vous d'avoir accepté de me recevoir si tard, reprit Garrett en désignant le ciel qui s'assombrissait. Je vous remercie de votre coopération, ajouta-t-il en sortant un petit calepin et un crayon.

— Je me suis efforcé d'aider la police dans la mesure de mes moyens, rétorqua sèchement Milton tout en étudiant attentivement le visage de l'inspecteur. Ces crimes m'ont bouleversé plus encore que quiconque. À titre personnel, ainsi qu'au nom de l'université.

Il s'éclaircit énergiquement la voix.

— Comme je vous l'ai dit, je connaissais l'une des victimes. Devra Brookes.

Garrett hocha la tête. Il fit semblant de jeter un coup d'œil sur ses notes, mais il n'y avait rien d'écrit sur la page qu'il avait sous les yeux.

— J'ai besoin de vous interroger à propos d'un membre du personnel enseignant, expliqua-t-il en levant les yeux vers Milton.

Une lueur de curiosité brilla dans le regard du doyen.

— Quelqu'un qui donne des cours dans cette université? Vous ne croyez tout de même pas...

— Ce sont des vérifications de routine, l'interrompit Garrett.

Je perds mon temps, pensa-t-il, se sentant tout à coup parfaitement ridicule. Qu'est-ce que je fais ici? Pourquoi est-ce que je m'obstine à suivre cette piste nébuleuse? Les gars du FBI m'ont pris pour un imbécile quand j'ai amené ce professeur, sa femme et sa sœur de force au commissariat.

Il connaissait les quatre victimes. Et alors! Qu'est-ce que ça prouvait? On ne voyait pas très bien comment ce type plutôt timide et effacé pourrait être le cinglé qui réduisait des gens en pièces à mains nues.

Qu'est-ce que je fiche ici? Pourquoi est-ce que je m'acharne sur ce gars-là?

— Que pouvez-vous me dire à propos de Liam

O'Connor ? demanda-t-il au doyen. Il n'est ici que pour une courte période, n'est-ce pas ?

Milton se redressa en grommelant.

— Liam ? Pourquoi est-ce que Liam vous intéresse ?

— Les agents du FBI et moi-même avions eu un petit entretien avec lui pas plus tard qu'hier, lui révéla Garrett en se demandant s'il faisait bien de le mentionner.

Peu importe. De toute façon, il perdait son temps.

— Liam est un digne membre de la communauté universitaire, hautement réputé, très estimé, répondit pompeusement Milton. Je ne vois vraiment pas...

— Il se trouve qu'il connaissait les quatre victimes, l'interrompit Garrett, las de toutes ces palabres.

La bouche de Milton s'arrondit sous l'effet de la surprise.

— Mais cela ne veut rien dire, inspecteur, riposta-t-il après un moment de réflexion. Freewood est une petite ville, après tout.

Garrett hocha la tête.

— Je me raccroche désespérément au moindre indice, monsieur le doyen. Réfléchissez bien. Pouvez-vous me dire quoi que ce soit concernant le professeur O'Connor qui pourrait...

— Je ne peux vous dire que du bien à son sujet, coupa Milton. Que du bien. Je n'arrive même pas à croire que vous m'interrogiez sur lui...

Moi non plus, pensa amèrement Garrett.

— Liam est un intellectuel de réputation internationale. Ses livres ont été publiés dans le monde entier. C'est un professeur..., déclara Milton en s'empourprant de plus en plus à mesure que l'excitation le gagnait. Ce n'est pas...

— Je sais, je sais, protesta Garrett en levant la main. Comme je vous l'ai dit, je suis désespéré. Je pensais simplement que vous pourriez...

— Je ne peux strictement rien vous dire à propos de Liam, grommela le doyen. Ses antécédents, ses références, sa réputation, tout est impeccable. L'administration de l'université de Chicago était navrée de le voir partir. Ils lui ont fait promettre de...

— Chicago ?

Garrett gribouilla le nom sur son calepin.

— Il est venu de Chicago? Et pourquoi a-t-il quitté cette université?

— Je... je ne sais pas très bien, bredouilla Milton. Je crois qu'il avait besoin de changer d'air. Il m'a dit qu'il lui fallait une atmosphère plus calme pour pouvoir se concentrer sur son nouveau projet de livre. Vraiment, inspecteur, je vous assure...

Garrett se leva d'un bond en fermant brusquement son calepin.

— Vous avez raison, monsieur. Je m'excuse. Je perds mon temps. Je vous suis infiniment reconnaissant de m'avoir reçu. J'espère...

— J'espère que vous dénicherez de meilleures pistes que celle du professeur O'Connor, fit Milton en secouant la tête.

— Moi aussi, marmonna Garrett entre ses dents.

Il remercia une nouvelle fois le doyen avant de sortir précipitamment de son bureau.

Milton s'accouda sur son bureau, la tête entre les mains, et réfléchit intensément. La police, le FBI n'ont manifestement pas l'ombre d'un indice, se dit-il.

Quatre meurtres. Quatre meurtres d'une violence inouïe. Et ils tournent en rond en posant des questions à propos d'un homme qui passe sa vie à lire des histoires de lutins et d'elfes.

Ce policier n'arrivait même pas à dissimuler son sentiment de ridicule.

Que croyait-il que j'allais lui dire? Que je soupçonnais depuis longtemps Liam d'être un tueur en série?

Quatre meurtres. Quatre...

Liam était en ville depuis si peu de temps. Quatre mois à peine. Quatre...

Quatre...

Un laps de temps si court pour faire connaissance avec les quatre victimes. Toutes les quatre...

Il jeta un coup d'œil à la pendule. Cinq heures et demie passées. Ce qui voulait dire qu'il n'était que quatre heures et demie à Chicago.

Je me demande si Jimmy Pinckney est encore dans son bureau.

Jimmy serait plié en deux en apprenant que les flics de Freewood soupçonnaient Liam de crime. Liam avait passé quatre ans dans le département de Jimmy. Au moins quatre ans.

Quatre... Quatre...

Ça faisait un moment que je voulais appeler Jimmy de toute façon. Pour savoir comment s'était passée l'opération de son fils.

Il compulsa son Rolodex. Trouva le numéro du bureau à l'université de Chicago. Le composa en tapant du pied.

Une secrétaire lui répondit :

— Je suis désolé, monsieur. M. Pinckney vient de sortir. Je ne pense pas qu'il soit rentré chez lui, mais, oh... attendez. Justement le voilà. Ne quittez pas.

Quelques secondes plus tard, la voix surprise de Pinckney sur la ligne :

— Milton, tu es encore en vie?

— Je sais, je sais. Ça fait une éternité que je pense à t'appeler.

Ils bavardèrent un moment de choses et d'autres. Oui, le fils de Pinckney allait très bien. Oui, il faisait atrocement froid à Chicago cet hiver. Cela n'avait rien de nouveau!

— Jimmy, je t'appelle pour te raconter une histoire à propos de Liam.

— Liam? Comment va-t-il? Comment supporte-t-il le choc culturel?

Milton hésita.

— Eh bien... à vrai dire, je ne sais pas très bien. Nous passons par une période plutôt sinistre ici, Jim. Tu as dû en avoir des échos par la presse.

— L'assassinat du fils du magnat de la télévision près du campus? Et les autres? Oui. Nous sommes au courant de ce qui se passe en Pennsylvanie. Surtout si les nouvelles sont mauvaises.

— On en a vu des vertes et des pas mûres, Jim. Tu sais...

— Ça me rappelle ce qui s'est passé ici ces deux dernières années.

— Comment?

— Tu sais bien, Milt. Les crimes sur le campus. C'était tellement effroyable. Nous en avons eu trois. Plus abominables les uns que les autres. On n'a jamais élucidé l'affaire. Crois-le si tu veux. Trois meurtres et le type court toujours.

Un temps. De la friture sur la ligne.

— C'est drôle que tu me parles de Liam, reprit Pinckney. Deux agents du FBI sont venus me trouver dans mon bureau au printemps dernier. Pour m'interroger à son sujet. Liam, tu te rends compte? Il semble qu'il connaissait les trois victimes... les trois personnes assassinées.

Milton serrait le combiné si fort qu'il en eut une crampe à la main. Des chiffres défilaient à toute allure dans son esprit.

Trois?

Trois? Quatre?

Trois plus quatre?

La voix de Pinckney se dissipa derrière le grondement de son cerveau en pleine activité.

— Alors qu'est-ce que tu voulais me raconter à propos de Liam? Hein? Milton? Milton? Tu es encore là? Milton? Janet... Je crois que nous avons été coupés.

Milton arpentait frénétiquement son bureau, les mains derrière le dos. Impossible. C'était impossible.

Il n'y avait pas d'autre mot.

Mais sept sur sept?

Impossible.

Une coïncidence impossible.

Il avait des chatouillements dans la nuque. Des gouttes de sueur lui dégoulinaient sur le visage, dans les yeux.

Impossible.

Mais il les connaissait tous. Liam les connaissait tous.

Il y a une chose qu'il faut absolument que je fasse, décida-t-il en prenant son téléphone.

Il faut que je prévienne Sara.

44

Sara ferma la porte d'entrée derrière elle et courut répondre au téléphone.

— Il y a quelqu'un ?

Pourquoi est-ce que personne ne décrochait ? Elle avait entendu la sonnerie retentir un nombre incalculable de fois tandis qu'elle se débattait avec son trousseau de clés.

À bout de souffle, elle s'empara du combiné.

— Allô ?

Elle entendit un déclic, puis le bourdonnement régulier de la tonalité.

On avait fini par raccrocher.

Ses bottes avaient laissé des empreintes humides sur le sol. Elle se pencha pour se déchausser. Le froid s'attardait sur son manteau, lui collait à la peau. Elle laissa tomber son sac par terre en frissonnant.

Puis elle se dirigea vers la salle à manger en se demandant où ils avaient bien pu passer.

La pièce était plongée dans l'obscurité. Elle jeta un coup d'œil dans l'escalier. Pas de lumière non plus à l'étage. Margaret devait être sortie.

Elle enleva son manteau et le rangea à la va-vite dans le placard de l'entrée. En se frictionnant les bras, elle retourna au salon et alluma une lampe. Elle passa rapidement la pièce en revue. Les pages du journal du matin disséminées sur le canapé. L'aspirateur contre le mur. Une boîte de cire jaune sur la table basse à côté d'un chiffon taché.

Mme Layton. Elle avait filé sans finir son travail. Le drame de la matinée avec la femme du ménage lui revint à l'esprit.

La culpabilité la tenailla de nouveau. Pourquoi avait-elle fait ces confidences à Mary Beth ? Pourquoi lui avoir déballé toutes ces histoires ? Après toutes ces années, elle aurait dû savoir qu'elle ne devait pas se livrer à elle sans retenue.

Mary Beth est une bonne amie, se dit-elle, mais je ne devrais pas m'en remettre à elle. Je suis une femme mariée à présent — et plus une étudiante inexpérimentée. C'est à Liam que je devrais me confier. Qu'est-ce qui m'a pris ? Un petit accroc de rien du tout et je vais geindre auprès de Mary Beth comme une gamine de six ans.

Elle se tapa le front. À quoi pensais-je ? Elle aurait voulu reprendre la journée au début. Mettre le compteur à zéro et tout recommencer.

Toujours frigorifiée, incapable de se réchauffer, elle alla vérifier le thermostat dans l'entrée avant de se rendre à la cuisine pour mettre de l'eau à chauffer.

Un mot affiché sur le frigidaire attira son attention. C'était l'écriture alambiquée de Margaret les informant, Liam et elle, qu'elle ne serait pas là ce soir. Elle dînait avec une jeune femme dont elle avait fait la connaissance dans sa boutique, puis elle assisterait à un concert donné par le quatuor de l'université.

Rien que Liam et moi ce soir. Pour une fois, pensa-t-elle. Elle jeta un coup d'œil à la pendule. Six heures passées elle n'avait rien prévu pour le repas.

La sonnerie du téléphone retentit à nouveau. Elle eut un pincement au cœur. Pourvu que ce ne soit pas Liam qui m'annonce qu'il rentrera tard. Je n'ai vraiment pas envie de rester toute seule. Et je suis impatiente de le voir.

Elle prit le combiné sur son support mural. C'est peut-être Mary Beth. Si c'est elle, je vais m'empresser de lui dire d'oublier tout ce que je lui ai dit cet après-midi.

— Allô ?

— Allô, madame O'Connor ?

— Oui ? Oui, c'est moi, Mme O'Connor.

Elle se troublait encore en entendant son nouveau nom. Mais brusquement, son estomac se serra. Était-ce encore cette femme ? Cette Angela qui rappelait ?

— Je suis désolée de vous déranger. Cathy, la secrétaire du professeur O'Connor.

— Oh, oui, Cathy. Comment allez-vous ?

Elle poussa un soupir de soulagement.

— Que se passe-t-il ? Mon mari est-il là ?

— Non. Il est parti de bonne heure. Mais il m'a demandé de confirmer son vol pour Dallas et cela m'était sorti de la tête. Je voudrais téléphoner à la compagnie avant de partir, mais j'ai besoin des numéros de vol. Pouvez-vous trouver les billets ? Ça me rendrait service.

Dallas. Elle avait complètement oublié cette conférence que Liam devait donner là-bas la semaine suivante. Un engagement qu'il avait accepté avant de savoir qu'il viendrait enseigner à Moore State. Il lui avait d'ailleurs avoué que cela ne l'enchantait guère d'y aller, mais il tenait à honorer sa promesse.

— Pas de problème, Cathy, dit-elle. Ils sont probablement quelque part sur sa table. Donnez-moi une minute. Ne quittez pas.

Elle laissa pendre le combiné au bout de son fil et courut au salon. Elle alluma la lampe halogène et inspecta rapidement la table. Des piles de papiers, de journaux et de magazines professionnels. Un livre sur les mythes celtes. Quelques dossiers. Un gros presse-papiers en verre. Le tout impeccablement rangé.

Au premier coup d'œil, pas trace des billets. Elle entreprit de fouiller la première pile de documents. Puis la deuxième. Puis celle des journaux et magazines.

Il les avait peut-être rangés à part dans l'un des tiroirs.

Elle ouvrit celui du haut. Quelques carnets. Plusieurs stylos à bille. Non. Ils n'étaient sûrement pas là. Liam est trop organisé, trop méthodique pour les mettre là. Je parie qu'il a une chemise quelque part intitulée *VOYAGE*.

Elle passa au deuxième tiroir. Encore de la paperasse ? Non. Des factures. Le tiroir des factures.

En tirant un peu plus, elle aperçut une boîte blanche rectangulaire calée tout au fond. Une boîte de papier à lettres. Était-ce là dedans qu'il conservait ses documents de voyage ?

Elle l'extirpa de sa cachette et souleva le couvercle en la posant dans le carré de lumière blanche émanant de la lampe du bureau.

Des clichés. Des instantanés. De vieilles photographies d'école.

Il ne me les a jamais montrées. Qui sont ces gens ?

Liam. Liam très jeune. Dix-neuf ou vingt ans, brandissant deux doigts derrière la tête d'un jeune homme blond pour lui faire des cornes. Souriants l'un et l'autre. Une autre photo de Liam, un peu plus âgé, vêtu d'une veste de sport qui lui allait mal, une affreuse veste en laine avec d'énormes épaules rembourrées, posant gauchement à côté d'une jeune femme radieuse.

Je n'ai pas le temps de regarder tout ça. De toute façon, je ne devrais pas fouiller dans ses affaires.

Mais une autre photographie éveilla son attention. Celle d'une jeune femme brune en bikini noir, quelque part sur une plage, un sourire espiègle flottant sur ses lèvres.

Qui est-ce ? Sara ne put réprimer sa curiosité, d'autant plus qu'elle lui ressemblait de façon frappante. À qui s'adressait ce regard malicieux ?

Elle retourna la photo. Une légende oblitérée par le temps. Elle eut du mal à déchiffrer les mots à demi effacés : *Avec tout mon amour, Kristen.*

À la cuisine, la bouilloire se mit à hurler.

45

— Liam !

Il entra dans le salon d'une démarche désinvolte, son manteau grand ouvert, un bouquet de roses rouges enveloppé de papier de soie dans une main, un sac en plastique rempli de provisions dans l'autre, et lui sourit tendrement.

Sara venait de raccrocher. Cathy allait devoir attendre que Liam trouve ses billets lui-même.

Elle tenait toujours la photo de Kristen serrée dans son poing.

Liam lui mit les fleurs dans les bras.

— Je suis désolé pour ce matin, ma chérie.

— Liam, je...

— Je sais. J'étais complètement dans mon tort. Je me suis emporté bêtement. J'ai... disjoncté, comme diraient mes étudiants.

Son sourire s'agrandit.

— Mais je vais me rattraper ce soir. Je te le promets.

Il l'embrassa en écrasant un peu le bouquet. Son visage était glacé, mais il avait les lèvres toutes chaudes.

Elle se dégagea rapidement de son étreinte.

— Liam, il faut que je te demande quelque chose.

— J'ai rapporté de quoi dîner, poursuivit-il en désignant le sac en plastique. J'ai quitté le bureau de bonne heure et me suis arrêté au Jardin de Szechuan en passant.

Il renifla bruyamment.

— Mmm! Ça sent délicieusement bon, tu ne trouves pas? J'ai pris deux portions de beignets aux légumes. Ton plat préféré.

Il l'attira à lui et se remit à l'embrasser.

— Offrons-nous une belle soirée en amoureux, Sara. Laisse-moi te faire oublier ce qui s'est passé ce matin.

Son cœur se mit à palpiter. Elle ne pouvait jamais résister à ce sourire. À ces yeux bruns, si doux, si profonds, empreints d'amour, de vénération pour elle.

Mais elle tenait toujours la photographie.

Elle posa le bouquet et la brandit.

— J'ai trouvé ça, Liam, bredouilla-t-elle d'une voix chevrotante en dépit des efforts qu'elle faisait pour se contrôler.

Il braqua son regard sur le cliché, posa son sac par terre.

— Qu'est-ce que c'est? demanda-t-il.

— C'était dans une boîte au fond de l'un des tiroirs de ton bureau. Je cherchais tes billets d'avion et j'ai pensé que tu les avais peut-être mis là. Mais j'ai trouvé ça à la place.

Il prit la photo et se mit à l'examiner avec attention en fronçant les sourcils, ses yeux bougeant latéralement comme s'il lisait.

— Qui est-ce?

— C'est Kristen, s'écria-t-elle d'une voix étranglée. Lis la légende. C'est Kristen. La femme qui m'a appelée hier. Tu m'as dit que tu ne connaissais personne de ce nom. Pourtant la voilà. Kristen.

Il continua à regarder fixement le cliché. Le retourna. Lut la légende en question. Le remit à l'endroit. Puis leva les yeux vers Sara.

— Je ne l'ai jamais vue de ma vie.

— Liam...

— Où as-tu trouvé ça ? Dans une boîte ? Quelle boîte ?

Elle fit volte-face et l'entraîna vers le bureau. Le parquet craquait sous ses pas. Elle ne l'avait jamais remarqué auparavant, mais à cet instant, chaque bruit lui semblait bizarrement amplifié, le son mat de ses talons sur le sol, sa respiration, ses déglutitions.

La lampe du bureau brillait avec l'intensité d'un projecteur. La boîte était au milieu du bureau où elle l'avait laissée. Le couvercle posé à côté. Elle n'avait pas refermé le tiroir.

— Là, fit-elle en lui désignant l'endroit.

La mine renfrognée, Liam saisit la boîte et en passa rapidement le contenu en revue.

Au bout d'un moment, il la reposa et leva les yeux vers Sara.

— Ces photos ne m'appartiennent pas.

— Hein ?

— Cette boîte n'est pas à moi. Elle est à Margaret. Ce sont ses vieilles photos à elle.

— Ah bon ? s'écria Sara d'une voix aiguë.

Elle serra les mains sur sa poitrine comme pour empêcher son cœur de s'affoler.

Disait-il la vérité ? Oui ou non ?

Il jeta encore un coup d'œil à la photo de Kristen avant de la remettre avec les autres.

— Les déménageurs ont dû se tromper de bureau. Je ne connais pas cette Kristen. Son visage ne me dit rien du tout. Ce devait être une amie de Margaret. On lui posera la question quand elle rentrera.

Sara avala sa salive avec difficulté.

— Oh, Liam. Je suis désolée. Quand j'ai vu cette photo, j'ai...

Il l'embrassa pour l'empêcher de continuer. Tout doucement d'abord, puis avec passion. Quand il s'écarta finalement d'elle, un sourire radieux illuminait son visage.

— J'adore les femmes jalouses, dit-il.

— Non, j'ai eu tort, bredouilla-t-elle. Je n'aurais pas dû tirer des conclusions si hâtives.

— Je suis particulièrement ravi d'avoir une épouse qui peut se montrer jalouse d'une vieille photographie toute passée, ajouta-t-il en la serrant tendrement dans ses bras. J'ai beaucoup de chance, Sara. Beaucoup de chance.

— C'est moi qui ai de la chance, murmura-t-elle.

Au moment où il inclinait la tête pour l'embrasser de nouveau, le regard de Sara tomba sur la photo de la jeune femme au sourire taquin. Était-il sincère ?

Comment pouvait-elle en douter ?

Tout de suite après le dîner, il l'entraîna en haut dans leur chambre.

— Ce sera une nuit pas comme les autres, lui chuchota-t-il.

Son souffle chaud lui chatouilla l'oreille. Elle frissonna. Comme elle tendait la main vers l'interrupteur, il la saisit au passage.

— Pas de lumière ce soir, mon amour.

Ses lèvres lui frôlèrent la joue. Puis ses mains brûlantes glissèrent doucement le long de son dos et se faufilèrent sous son pull-over tandis qu'il lui déposait de tendres baisers sur le visage.

Il la débarrassa de son pull et l'embrassa à pleine bouche, sa langue batifolant avec la sienne, tout en continuant à la caresser. Puis il laissa échapper un petit cri de plaisir.

— Déshabille-toi, murmura-t-il au bout d'un moment. Je reviens tout de suite.

Il disparut dans la pénombre. Une pâle lueur s'infiltrait par la fenêtre, projetant des reflets sur le tapis, lui donnant l'impression de flotter en plein ciel, d'être sur le point de s'envoler. Elle sentait encore le contact de ses mains sur son corps, le goût de ses lèvres sur les siennes tandis qu'elle enlevait le reste de ses vêtements qu'elle abandonna en tas sur le tapis avant de se glisser sous les couvertures.

Liam, j'ai envie de toi. Où es-tu passé, Liam ? J'ai terriblement envie de toi.

Il réapparut quelques secondes plus tard éclairé par la flamme orangée d'une bougie. Elle vit son sourire enchanteur, la lueur d'excitation qui brillait dans son regard.

Il portait une longue bougie blanche. Quand il la posa sur la commode, elle s'aperçut qu'il tenait un petit coffret dans l'autre main qu'il plaça à côté du bougeoir.

Finalement il se tourna vers elle. Il était si séduisant dans cette lumière tamisée, ses prunelles luisant comme des joyaux parmi les ombres. Si beau. Viens à moi, Liam. Je t'en prie, rejoins-moi. J'ai tellement envie de toi.

— Je t'ai promis une nuit spéciale, dit-il à voix basse.

Presque un murmure. Il parlait vite, d'un ton exalté, et ses yeux continuaient à jeter des éclairs.

— Une nuit très spéciale pour ma belle Sara.

Sur ce, il prit le coffret et le brandit à deux mains.

— Je sais que tu ne vis pas dans le monde de la magie et de la superstition comme moi, ma chérie. Mais ceci est une cérémonie irlandaise ancestrale que les nouveaux époux exécutent chez nous depuis des siècles.

Sara s'appuya au dosseret du lit en tirant les couvertures sous son menton. Qu'allait-il faire ? se demanda-t-elle, soudain anxieuse. Elle avait envie de lui dire de poser cette boîte et de venir se coucher auprès d'elle. Comment réagirait-il ?

Mais il avait un air si sérieux, si ardent. Elle ne voulait pas le blesser. Il était tellement plus romantique qu'elle.

Je vais me plier à ce cérémonial parce qu'il est si merveilleux et que je l'aime tant. Je l'aime, lui, ses fichues superstitions et tous ses rites.

— Qu'y a-t-il dans ce coffret, Liam ? demanda-t-elle à mi-voix.

C'était peut-être un cadeau pour elle. Un cadeau spécial. Un bijou ayant appartenu à sa mère, une bague transmise de génération en génération dans sa famille.

Il posa un doigt sur ses lèvres pour lui faire signe de ne plus parler, puis se dirigea vers le lecteur de compacts sur une étagère près de l'armoire en évoluant avec grâce parmi les ombres dansantes. Quelques secondes plus tard, une douce musique flottait dans la chambre. Du Bach. Un concerto pour flûte.

Si émouvant, pensa-t-elle. Si romantique.

Il se mit à réciter des vers en harmonie avec la musique. Du gaélique ? Elle n'entendait pas très bien.

Il porta à nouveau son doigt à ses lèvres. Lui sourit.

Puis il ouvrit la boîte.

Était-ce un bracelet? Un vieux pendentif? Une émeraude?

Il sortit l'objet de son coffret et le tint un instant dans la lueur orangée de la bougie.

Une main. Une main.

Sara étouffa un gémissement

— Elle provient d'un mannequin de bois, dit-il doucement, d'une voix à peine audible au-delà des sons mélodieux de la flûte.

Il la brandit dans sa direction afin qu'elle prit mieux la voir.

— Seulement une main de mannequin, mais elle paraît tellement réelle, tu ne trouves pas?

— Oui, murmura-t-elle en se cramponnant aux couvertures.

— Il faut que ce soit le cas, ma chérie, si l'on veut que la magie fonctionne.

La magie? Que s'apprêtait-il à faire?

Pas d'émeraude? Ni de joli pendentif qu'il tenait de sa mère?

Que pouvait-il vouloir faire avec une main que l'on aurait crue vivante? Et que marmonnait-il?

Sara se pencha en avant, rassurée par la chaleur de son sourire, par la lueur d'excitation qui brillait dans son regard. Bercée par le rythme lyrique, si envoûtant des mots étranges qu'il chuchotait.

Il se retourna vers la commode, sortit la bougie blanche de son bougeoir et la glissa dans la main du mannequin. Cette main qui serrait maintenant la bougie dans sa poigne de bois, il la leva haut devant lui et la flamme l'enveloppa de reflets orangés.

Il la rabaissa jusqu'à ce que cette flamme vînt danser devant son visage. Quand il se remit à parler, son souffle la fit s'incliner très bas.

— *Que ceux qui sont endormis restent endormis*, déclama-t-il. *Que ceux qui sont éveillés restent éveillés.*

Quelques secondes plus tard, la main en bois reposait sur la commode, ses doigts étroitement enlacés autour de la bougie. Liam vint se glisser près de Sara et l'attira contre lui, en silence.

Il la pénétra rapidement, brutalement presque. Elle gémit, ferma les yeux, s'arc-bouta pour aller à sa rencontre.

Ils firent l'amour avec plus de passion que jamais.

La bougie s'était presque entièrement consumée, des gouttelettes de cire blanche coulant à flots sur la main de bois, quand Liam explosa finalement en elle en poussant un cri de joie.

46

En se réveillant le lendemain matin, Sara se sentit toute raide, courbaturée, la tête bourdonnante. Elle tendit la main vers Liam en plissant les yeux à cause de l'éclat éblouissant du soleil.

À sa grande surprise, il n'était plus là.

Elle se redressa, les paupières mi-closes, tout en se massant les tempes. Elle avait les jambes en coton. Sans doute à cause de l'ardeur de leurs ébats.

Une bonne douche me fera du bien, se dit-elle. Elle tapota le creux laissé par la tête de Liam dans son oreiller, regrettant qu'il ne fût pas là pour la serrer dans ses bras. Ce cher Liam! Elle repensa à la nuit précédente. Ils avaient fait l'amour longtemps, passionnément, avec un mélange de férocité et de tendresse.

— Où es-tu, Liam? murmura-t-elle d'une voix ensommeillée.

Elle jeta un coup d'œil au réveil. Presque dix heures! Elle ne s'était pas réveillée. Pourquoi l'avait-il laissée dormir si longtemps? Son cours avait lieu à onze heures et elle avait prévu de se rendre à la bibliothèque dès l'ouverture pour faire quelques recherches préparatoires et organiser ses notes.

Elle se leva précipitamment et courut à la salle de bains en entraînant dans son sillage le dessus-de-lit qui s'était entortillé autour de sa jambe.

Une douche chaude. Une aspirine. Et puis je file d'ici, pensa-t-elle. La journée commence mal.

Milton laissa la sonnerie retentir six fois. Sept. Huit.

— Allons, Sara. Décrochez!

Il pianotait du bout des doigts sur son bureau. Frustré, il finit par raccrocher brutalement.

Il avait essayé de l'appeler toute la soirée de la veille, mais le téléphone devait être décroché. Si seulement elle avait la bonne idée de passer par le bureau...

Que lui dirait-il quand il la verrait?

Il ne cessait de se poser la question sans parvenir à trouver de réponse.

— Sara, vous n'êtes pas en sécurité. Il se pourrait que votre mari soit un dangereux tueur en série...

Liam?

Elle lui rirait au nez.

Comment ai-je pu avoir une idée pareille? Liam est un être si amène, si courtois. Ce n'est pas possible. Et pourtant, si...

Il connaissait les sept victimes.

Voilà ce que je dirai à Sara.

À Chicago aussi, il y a eu des meurtres. Horribles. Inhumains. Et Liam connaissait toutes les victimes. *Toutes.*

Il faut à tout prix que je la prévienne. Je n'ai pas le choix. Je dois la convaincre qu'elle est en danger. Elle m'écoutera quand elle verra que je suis sérieux. Quand je lui dirai : Sept sur sept, elle ne rira pas.

Et puis après?

Elle n'aura qu'à aller chercher ses affaires et venir quelques jours chez moi jusqu'à ce que nous décidions de la conduite à tenir.

Il avait rappelé le policier qui était venu lui rendre visite dans son bureau, mais on lui avait répondu que l'inspecteur Montgomery était en patrouille. On lui ferait part de son appel dès qu'il rentrerait au commissariat.

Il sortit à la hâte son manteau de l'armoire et s'en enveloppa tout en se ruant dans le couloir. Faut que j'aille prendre l'air. J'ai l'impression que je vais exploser. Exploser.

Dehors, il faisait gris et froid. Le vent soufflait par rafales. Des nuages menaçants s'amoncelaient dans le ciel. Un ciel qui lui parut à la mesure de son humeur.

Il enfonça les mains dans les poches de son manteau qu'il ne prit même pas la peine de boutonner et se ramassa sur lui-même pour se protéger des bourrasques. Un flocon de neige humide vint s'écraser sur son front brûlant. Puis un autre.

Il traversa le Cercle à grandes enjambées, sans prêter la moindre attention aux étudiants qui allaient et venaient dans les allées voisines, marchant droit devant lui en respirant à pleins poumons avec l'espoir que l'air frais l'apaiserait.

À mi-chemin de la bibliothèque, il tomba nez à nez sur Sara.

Ils poussèrent un cri à l'unisson.

Des flocons de neige dans ses cheveux noirs. Les yeux rougis, hagards. Il la saisit par les épaules.

— Sara... !

— Désolée, Milton. Il faut que je me dépêche. Je suis en retard, je ne me sens pas très bien, je...

— J'ai essayé de vous joindre.

— Je sais, je sais. Je suis désolée de ne pas être venue travailler hier. Je crois que j'ai la grippe ou quelque chose comme ça. Je ne pense pas que je pourrai venir aujourd'hui non plus...

Elle passa devant lui. Blême dans la lumière grise.

— Il faut que je vous parle. Tout de suite.

— Ce n'est pas possible, Milton. Je suis déjà en retard.

— Mais Sara... C'est très urgent. Je dois...

— Mon cours va commencer!

Elle se mit à courir, son sac à dos rebondissant sur ses épaules.

— Désolée, Milton! Je vous appelle plus tard.

— Non!

Il s'élança à sa poursuite. Il avait de la neige dans les yeux.

— Sara, écoutez-moi!

Sa voix lui revint en écho à cause du vent.

— Non, attendez!

Mais il n'arrivait pas à la suivre. Un éléphant pourchassant une gazelle.

— Il faut absolument que je vous parle, Sara.

Des gamins s'interpellaient d'un bout à l'autre du Cercle en poussant des cris perçants.

L'avait-elle entendu? Son appel avait-il été noyé par leurs hurlements?

Pourquoi refusait-elle de lui accorder une seconde?

Il grogna de rage. Son cœur battait à tout rompre. En fourrant les mains dans les poches de son manteau, il pivota sur ses talons à contrecœur et reprit le chemin du bâtiment de l'administration.

L'inspecteur l'avait sans doute rappelé.

Je peux peut-être me débrouiller pour qu'on arrête Liam avant... avant...

Il ne voulait pas aller jusqu'au bout de sa pensée.

Garrett appuya encore une fois sur la sonnette. Tendit l'oreille. Pas de réaction. Il n'y avait personne. Ils n'étaient probablement pas rentrés de leur travail. Il regarda l'heure. Presque cinq heures et demie. Il faisait déjà nuit. Il avait pour ainsi dire terminé sa journée. Je vais finir ce pâté de maisons et j'arrête.

Il descendit les marches du perron et s'étira. Il avait mal au dos. J'ai l'habitude de rester assis toute la journée, pensa-t-il. Ça va vraiment me faire du bien d'arpenter les trottoirs à l'air pur.

À moins que ça ne me tue.

Et si je décrochais un peu plus tôt. Je pourrais rentrer à temps pour donner son dîner à Martin.

Il alla se planter sous l'éclairage d'un réverbère et parcourut à la hâte la liste des maisons et appartements. Il avait abattu de la besogne depuis ce matin.

Sans découvrir quoi que ce soit.

Encore une journée perdue.

Personne n'avait rien vu ni entendu. Pas le moindre indice.

Il donna un coup de pied dans un bloc de glace au pied du réverbère. La masse céda sous le poids de sa botte et des fragments allèrent voltiger sur la chaussée.

J'ai eu mon jour de chance la semaine dernière, pensa-t-il, découragé. Quand j'ai déniché ce professeur qui connaissait les quatre victimes. Ça a été mon moment de gloire.

En conduisant le professeur, sa femme et sa sœur au commissariat pour les confier aux mains des agents fédéraux, il avait commencé à gamberger. Garrett Montgomery, héros local.

Il se voyait déjà aux nouvelles de onze heures — non —, sur la chaîne nationale, expliquant comment il avait débusqué l'assassin. C'était très facile, en réalité. Pas de problème. Deux et deux font quatre. Ce n'est pas sorcier. Il y a suffisamment de temps que je suis dans la police pour savoir quand je dois suivre mon intuition. Je n'ai rien d'héroïque. J'ai fait mon travail, c'est tout.

Foutaises.

Le professeur s'en était tiré. Naturellement.

Pourquoi est-ce qu'un foutu professeur de collège — réputé qui plus est, une véritable célébrité —, en ville pour une seule année, pourquoi est-ce qu'un type pareil se mettrait à zigouiller des gens sur le campus?

Plus il y réfléchissait, plus il se sentait ridicule. Le gaillard n'avait pas l'air très costaud ni sportif. Comment aurait-il pu mettre ces pauvres femmes en pièces?

Impossible.

Garrett avait gaspillé le temps de tout le monde. Je fais mon boulot. Après tout, c'était la seule piste qu'il avait pu trouver durant toutes ces semaines d'efforts. Et le type était en relation, de près ou de loin, avec toutes les victimes. D'ailleurs, il lui avait semblé nerveux.

Et puis il a fallu que j'aille voir le doyen de l'université. Qu'est-ce que je croyais qu'il allait me dire? Oh, oui, nous savons que le professeur aime tuer des gens de temps en temps. Mais ses cours sont tellement prisés, il a une si bonne réputation, nous avons décidé de passer outre.

Il a dû me prendre pour un fou.

Je suis sans doute fou. Fou ou bête comme mes pieds. Ou les deux.

Je devrais retourner voir ce professeur pour lui présenter mes excuses.

Mais les vrais flics ne s'excusent pas, si?

Il tourna au coin de la rue et chercha sa voiture. Où s'était-il garé déjà? Dans Jackson Street?

La neige tombait dru à présent. La plupart des maisons demeuraient plongées dans l'obscurité. Une camionnette passa dans un bruit de tonnerre; des skis dépassaient de la vitre arrière. Il entendit un crissement de pneus au loin. Un pauvre diable glissant sur la route verglacée. Walter et plusieurs de ses collègues avaient probablement dû s'occuper de la circulation aujourd'hui pour faire face à tous les accrochages.

Il se demanda tout à coup comment allait Walter. Eh, ne me dites pas que ce gros porc me manque! Pas question!

Je passerai peut-être le voir au bureau demain. À moins qu'il ne continue à faire du porte-à-porte comme moi.

Il eut un petit rire amer. Cette mission n'avait ni queue ni tête. C'était le stratagème que les agents fédéraux avaient concocté pour éviter de les avoir dans les pattes.

Il traversa la rue en dérapant sur la chaussée. Les arbres étincelaient dans l'obscurité, du givre suspendu comme des habits à leurs branches nues.

La créature lui tomba brutalement dessus du haut d'un arbre.

Garrett poussa un grognement. La saisit à bras-le-corps. Il crut d'abord que c'était un gros chimpanzé. Elle noua ses membres pesants autour de lui.

Il plongea son regard dans des yeux ronds, tout jaunes. Elle était couverte d'une épaisse fourrure exhalant une odeur nauséabonde. Insoutenable. De pourriture.

Ce n'était pas un singe.

Elle rapprocha son visage du sien. Pour l'embrasser, pensa-t-il.

Une douleur cuisante le saisit sur le côté de la tête, si violente qu'il poussa un hurlement.

Il entendit le bruit de la déchirure couvrant son cri. Un autre élancement. Atroce. Ce fut alors qu'il vit son oreille dans la gueule de la bête.

Mon oreille. Elle m'a arraché l'oreille!

Ses yeux jaunes brillaient d'une clarté intense. Elle cracha l'oreille brune et plate comme une chip. Puis la rattrapa dans sa patte velue avant de la fourrer à nouveau dans sa gueule, la mâchant bruyamment en découvrant les dents, ses grosses lèvres noires étirées en un sourire satisfait.

— Non! beugla Garrett, fou de douleur, sentant le flot brûlant du sang qui lui dégoulinait le long de la joue.

Il expédia son poing — en un geste frénétique,

incontrôlé, tenant surtout du réflexe — dans la figure grimaçante du monstre.

La bouche s'ouvrit en grand juste au moment où il atteignait sa cible.

Son poing plongea loin, loin, en profondeur, dans la gorge de la créature.

Chaude et humide.

Ses yeux jaunes exorbités, elle émit un *gulp* interloqué. Brandit ses bras poilus, puants, au-dessus de sa tête. Rejeta la tête en arrière pour essayer de se libérer de cette main qui l'étranglait.

Garrett enfonça son poing plus avant. Il saisit quelque chose. De mou. De mou et spongieux. Tout au fond de cette gorge.

La créature produisit une sorte d'éructation rauque. Secoua la tête. Éructa de nouveau.

Garrett attrapa l'organe chaud et visqueux logé dans son ventre. Tira dessus de toutes ses forces.

Un hurlement strident s'échappa de la bouche du monstre quand Garrett arracha cet organe rose en forme de saucisse, couvert d'un épais mucus luisant. Avec un cri de fureur, le policier l'expédia de l'autre côté de la rue.

La créature gémit, s'effondra comme une masse sur la neige, ses pattes cédant sous elle. Un tas de fourrure. Elle rampa vers les taillis, en râlant. Vaincue. Puis Garrett l'entendit vomir, vomir sans cesser de geindre.

La haie trembla quand le monstre blessé se fraya un chemin à travers.

Garrett abaissa son regard sur la neige, éclaboussée de sang, rouge de son propre sang. Il sentit le flot brûlant qui lui coulait le long de la joue. Des élancements persistants, insoutenables, là où il n'avait plus d'oreille.

La douleur, plus brûlante encore que le flot de sang.

Il leva la main pour couvrir le trou. Mais il avait trop mal pour toucher.

Il tomba à genoux, surpris de la quantité de sang qui pouvait se déverser de sa tête, surpris de se sentir si faible au point qu'il n'arrivait plus à extirper ses mains de la neige maculée de sang, surpris, si surpris, surpris de la clarté avec laquelle il entendait encore ses propres cris de terreur.

— Liam ? Margaret ? Il y a quelqu'un ?

Pas de réponse.

Elle s'avança dans la maison plongée dans l'obscurité en allumant les lumières au fur et à mesure. Monta le thermostat et se frotta les mains pour essayer de se réchauffer avant d'aller dans la cuisine pour se préparer une tasse de thé.

La neige tambourinait contre les fenêtres. Le vent ébranlait les carreaux. Elle était restée à la bibliothèque plus longtemps que prévu. En sortant, elle s'était aperçue qu'il faisait nuit noire. Il neigeait toujours et les allées verglacées étaient traîtresses.

Elle remplit la bouilloire et mit l'eau à chauffer. Puis elle se hâta de monter dans sa chambre pour enfiler une tenue plus chaude et plus décontractée. En allumant le plafonnier, elle découvrit la pièce en désordre, dans l'état où elle l'avait laissée le matin. Le lit était défait, les couvertures roulées en boule, le drap de dessus traînait au milieu de la pièce. Sa chemise de nuit pendait au dossier d'une chaise, sa brosse à cheveux était par terre, près de la commode.

Pourquoi es-tu si étonnée ? Tu t'attendais peut-être que des elfes viennent tout remettre en ordre pendant que tu étais sortie ?

Elle s'approcha de la commode et se pencha pour ramasser sa brosse en prenant appui contre la tablette du meuble. Elle heurta quelque chose de mou. En se relevant, elle aperçut la main du mannequin. Une couche de cire blanche couvrait les doigts recourbés.

Elle ne put s'empêcher de sourire en se souvenant de la nuit précédente, de la façon merveilleuse dont Liam lui avait fait l'amour tandis qu'à l'autre bout de la chambre, la bougie se consumait lentement, sa cire tombant goutte à goutte sur la main.

Elle effleura la cire qui se craquela et glissa légèrement.

Elle saisit la main qui n'était pas en bois, contrairement à ce qu'elle avait imaginé. Dure, mais plutôt comme du cuir.

Elle la retourna, écarta les doigts raides pour examiner la paume, puis la remit à l'endroit.

Au moment où la mince couche de cire se brisa d'un coup, elle vit le tatouage.

Un petit poignard noir avec une minuscule goutte de sang bleue à l'extrémité de la pointe.

— Ohh !

La main tomba sur la commode, les doigts s'écartant lentement.

C'était la main de Chip.

La main de Chip. La main de Chip.

SIXIÈME PARTIE

47

Combien de temps les avait-elle fixés sans parvenir à détourner le regard? Ces doigts tannés déployés sur la commode. Le minuscule poignard noir sur le dos de la main se fondant dans la peau brunâtre. Le poignet coupé net et méticuleusement recousu avec du gros fil noir.

Combien de temps? Combien de temps?

Jusqu'à ce que le poignard disparaisse derrière un rideau de larmes. Que la main devienne floue. Jusqu'au moment où elle avait fermé les yeux en serrant les paupières quand la chambre avait commencé à tourner, le parquet à chavirer comme le pont d'un navire pris dans la tempête.

Panique.

Une panique qui lui bloquait la respiration, lui donnait la nausée, lui raidissait les muscles au point qu'elle avait mal partout et l'impression qu'ils allaient éclater, tous ses muscles, et ses jambes si lourdes, si lourdes qu'elle n'arrivait pas à bouger pour s'éloigner de cette... chose... cette chose que j'ai tenue, pressée, qui m'a touchée, caressée. Cette main.

La main de Chip.

La main de Chip.

La main de Chip.

Sur ma commode. Tenant une bougie, la serrant si fort pendant que Liam et moi faisions l'amour.

Pourquoi? Oh, pourquoi?

Pourquoi, Liam?

— Il faut que je m'en aille d'ici, dit-elle à voix haute, sans parvenir à desserrer les dents.

Ses mâchoires si crispées. Tout son corps contracté. Tendu convulsivement.

Elle se détourna brusquement de la commode. Se força à respirer. À faire un pas. Puis un autre.

Mary Beth. Je vais appeler Mary Beth.

J'ai besoin d'aide, Mary Beth.

Il faut que je réfléchisse. Lucidement. Que j'essaie de comprendre. Il y a forcément une explication.

Liam. Ce cher Liam.

Si bon. Si brillant. Si merveilleux.

Il m'aime.

Mais...

La main de Chip. La main de Chip. La main de Chip.

Ça n'avait aucun sens. Peut-être Mary Beth pourra-t-elle élucider ce mystère?

Il faut absolument que tu m'aides, Mary Beth.

Elle finit par se retrouver au salon. Essuya ses larmes. Ouvrit le premier tiroir du bureau. Les mains tremblantes.

Ça n'avait aucun sens.

Elle gribouilla un petit mot. Elle aurait voulu s'appliquer. D'ordinaire, elle avait plutôt une jolie écriture. Ses professeurs la complimentaient toujours à ce sujet.

Son écriture. Sa main. Pour écrire. Sa main.

La main de Chip. La main de Chip.

Combien de fois l'avait-elle tenue? Embrassée? Cette main.

DINE SANS MOI. JE RENTRERAI TARD.

Elle se dirigea vers la cuisine pour afficher son mot sur le réfrigérateur, changea d'avis, revint sur ses pas et ajouta : BAISERS, SARA.

Je t'aime, Liam. Et je sais que toi aussi, tu m'aimes.

Tout va s'arranger. Je sais que j'ai fait le bon choix cette fois-ci.

Mais... la main de Chip?

Mary Beth trouvera une explication.

Elle colla le mot sur la porte du frigidaire. Sortit son manteau du placard. Ses gants tombèrent de la poche, mais elle ne prit pas la peine de les ramasser.

Et si Liam rentrait? S'il arrivait à l'instant même et voulait savoir ce qu'elle faisait?

Serait-elle capable de lui demander des explications à propos de la main?

Que fait la main de Chip sur notre commode, Liam?

Impossible. Pas tant que la panique ne se serait pas dissipée. Pas tant qu'elle n'aurait pas retrouvé une respiration normale. Pas tant qu'elle n'arriverait pas à fermer les paupières une seconde sans voir cette main recousue avec son tatouage estompé. Ces doigts tannés, recroquevillés...

Oh, Liam! Pourquoi?

Dehors, la neige s'était changée en pluie glaciale. Les trottoirs étincelaient comme de l'argent mat sous la couche de verglas.

Ignorant le sol glissant, elle se dirigea rapidement vers le campus. Elle savait qu'elle fuyait. Elle se dit qu'elle allait chercher de l'aide.

Je reviendrai, Liam. Tard. Mais je reviendrai.

Elle traversa le campus d'une traite, les mains dans les poches, son col remonté, les cheveux trempés. Elle courut sur la glace, dans la gadoue, en trébuchant, dérapa plusieurs fois sur l'allée verglacée. Elle était à bout de souffle quand elle arriva chez Mary Beth, pliée en deux par un point de côté, les tempes bourdonnantes.

Mary Beth parut surprise de la voir. Elle portait un jean, déchiré aux genoux, et un sweat-shirt trop grand pour elle, aux manches retroussées.

— Sara...

— Je... j'ai besoin de te parler.

— Reprends ton souffle d'abord. Tu es trempée. Tu as couru tout le long? Qu'est-ce qui ne va pas, Sara? Que s'est-il passé?

Sara mit la main sur son cœur en s'efforçant d'inspirer profondément. Une fois. Deux fois. Lentement. Elle suivit son amie dans l'appartement. Une boîte ouverte sur la table contenant les vestiges d'une pizza. De la musique. Bruce Springsteen. Mary Beth s'empressa d'aller éteindre.

Puis elle se retourna vivement vers Sara.

— Alors qu'est-ce qui ne va pas? Raconte-moi.

Sara commençait à respirer un peu mieux. En jetant un coup d'œil dans la chambre, elle vit une valise ouverte sur le lit.

— Tu... tu pars? demanda-t-elle d'une voix encore essoufflée.

Mary Beth fit la grimace en se grattant l'épaule.

— Il faut que je rentre à la maison. Mon père a fait une chute. Il s'est cassé la jambe. Maman est dans tous ses états. Comme d'habitude.

Elle roula les yeux.

— Tu te rends compte! Prendre l'avion par un temps pareil! Pourvu qu'ils ne ferment pas l'aéroport.

Elle s'empara de l'anorak trempé de Sara qu'elle alla étendre sur le banc près de la porte.

— Tu veux boire quelque chose? Quelque chose de chaud?

Sara ferma les yeux. Revit la main.

— Est-ce que tu as du vin?

Mary Beth réfléchit un instant.

— Seulement du rouge. Ça te va?

— Parfait.

Mary Beth disparut dans la cuisine et revint avec deux verres remplis de vin. Sara avala une grande goulée qui lui brûla la gorge, mais elle se sentit réconfortée. Elle en but encore un peu.

— Que t'arrive-t-il, Sara? demanda Mary Beth en se laissant tomber au bord du canapé à côté d'elle.

Elle repoussa ses cheveux emmêlés.

— Que s'est-il passé?

Sara inspira à fond. Elle déglutit avec difficulté. But encore une gorgée. Son verre était déjà presque vide.

— Ce n'est pas facile à expliquer, dit-elle. Il s'agit de Liam.

Mary Beth leva les yeux au ciel.

— Encore une histoire de superstitions?

— Oui. Non. Enfin, oui.

Elle eut toutes les peines du monde à lui raconter le cérémonial qui s'était déroulé la veille au soir. Elle lui expliqua à quel point Liam s'était montré romantique. Tendre. Affectueux. Elle lui parla du coffret, de la bougie, de l'air de flûte, du chant mélodieux en gaélique.

Et puis de la main.

— Quoi? Il a mis la bougie dans la main? s'exclama Mary Beth en lui agrippant le bras.

Sara sentit la chaleur de ses doigts à travers son pull-over.

Elle hocha la tête. Et puis l'atroce vérité jaillit :

— C'était la main de Chip!

Au départ, évidemment, Mary Beth n'en crut pas un mot.

— Il doit y avoir une explication logique, Sara. Liam n'est pas un vampire!

Un vampire!

Sara répéta mentalement le mot, comme si c'était la première fois qu'elle l'entendait.

Un vampire!

— Écoute, Sara, ce n'est pas parce que le tatouage était le même... Ça ne veut rien dire. Beaucoup de gens se font faire ce genre de tatouages, tu sais. Il se peut très bien que quelqu'un se soit amusé à en peindre un sur la main d'un mannequin, comme ça. Pour rire.

Sara réprima un sanglot.

— Elle ne provenait pas d'un mannequin. Je l'ai touchée. Je l'ai prise dans mes mains. Ce n'était pas du bois, mais de la peau!

Mary Beth la saisit fermement par les épaules.

— Tu trembles des pieds à la tête, ma pauvre chérie. Tu as paniqué pour rien, j'en suis sûre. Si on appelle Liam, je suis certaine qu'il pourra...

Sara se leva brusquement.

— Cette femme... elle essayait de m'avertir.

— Hein? Quelle femme?

— Angela. Ou Kristen. Quel que soit son nom. Elle m'a téléphoné. En me disant qu'elle vivait avec Liam avant moi.

— Quoi! s'exclama Mary Beth en écarquillant les yeux.

Elle émit un long sifflement.

— Elle m'a dit que j'étais en danger, poursuivit Sara. Évidemment je ne l'ai pas cru. Liam m'a affirmé qu'il ne la connaissait pas. Alors je ne suis pas allée à la voir. Et si... si elle disait la vérité? Si elle essayait vraiment de me mettre en garde?

Mary Beth s'adossa au canapé en tortillant une mèche de cheveux blonds entre ses doigts.

— Quelqu'un t'a appelée? Pour t'avertir à propos de Liam?

Sara acquiesça d'un signe de tête, les yeux rivés sur le verre qu'elle serrait entre ses mains.

— J'avais déjà reçu d'autres appels auparavant. Avant

notre mariage. Liam a pensé que c'était probablement l'une de ses ex qui avait fait une dépression. Il m'a dit de ne pas en faire cas.

— Bizarre, commenta Mary Beth en secouant la tête.

— Et puis elle a rappelé. Il y a deux jours. En me disant qu'elle s'appelait Kristen, qu'elle avait vécu avec Liam. Elle m'a vraiment fichu la trouille. Je ne savais pas si je devais me fier à elle ou pas. J'ai décidé de passer outre. Je n'avais aucune raison de prêter foi à ce qu'elle me racontait. Mais pourquoi m'a-t-elle appelée ? Pourquoi ?

Mary Beth remplit le verre de son amie.

— Tiens. Bois encore un peu. Finissons la bouteille. Respire à fond, Sara. On va élucider le problème. Ça ne peut pas être si terrible. Essaie de te ressaisir, d'accord ? Regarde-toi. Tu trembles comme une feuille. Tu commences à me faire peur.

— Moi je suis morte de peur ! lui rétorqua Sara en inclinant son verre sans s'en rendre compte, renversant un peu de vin sur ses genoux. Je suis terrorisée, Mary Beth. Je ne comprends absolument pas...

— Elle est peut-être encore dans les parages, l'interrompit Mary Beth en se levant brusquement, son verre dans une main, la bouteille dans l'autre. T'a-t-elle laissé un numéro ? Si tu lui parles, elle t'aidera peut-être à éclaircir la situation.

Sara emplit ses poumons d'air. Elle se frotta la tempe de sa main libre.

— Si je lui parle... Tu veux dire si je l'appelle ? Eh bien...

— Nous pourrions aller la voir ensemble, proposa Mary Beth.

Sara n'arrivait pas à réfléchir clairement. Elle se sentait incapable de prendre une décision.

— Elle m'a dit qu'elle était descendue au College Inn. Tu sais, la vieille pension dans Fairmont Street.

Mary Beth posa la bouteille sur la table.

— Le College Inn ? Tu en es sûre ?

— Oui. C'est ce qu'elle m'a dit. Pourquoi ?

— Eh bien... tu sais. Avec toute l'agitation qu'il y a là-bas en ce moment, fit Mary Beth en se dirigeant vers le téléphone. Enfin, appelons tout de même. Voyons si nous arrivons à la joindre.

Elle prit le combiné.

— Comment est-ce que tu m'as dit qu'elle s'appelait déjà? Angela?

Sara secoua la tête.

— Non. Kristen.

Elle réfléchit intensément pour tâcher de se souvenir du nom de famille de la jeune femme.

— Verret. Kristen Verret.

Elle s'attendait que Mary Beth compose le numéro des renseignements pour avoir celui du College Inn. Au lieu de cela, elle la dévisageait, abasourdie.

— Qu'est-ce qu'il y a...?

— Sara, redis-moi son nom. Je ne peux pas le croire.

— Kristen Verret, répéta docilement Sara.

Elle se leva et, se sentant prise de vertige, s'agrippa au bras du canapé en se disant qu'elle n'aurait pas dû se relever si vite.

— Qu'est-ce qu'il y a, Mary Beth? Qu'est-ce que tu as à me regarder comme ça?

— Ça ne peut pas être Kristen Verret, gémit son amie d'une voix à peine audible. Ce n'est pas possible.

— Pourquoi? Mais qu'est-ce que tu racontes?

— Kristen Verret? Tu es sûre? Kristen Verret?

— Oui, j'en suis certaine, répliqua Sara d'un ton agacé. Vas-tu me dire ce qui ne va pas à la fin?

— Tu n'as pas écouté la radio? C'est la femme qui a été assassinée ce matin. Au College Inn. Kristen Verret. Découpée en morceaux. Tu n'es vraiment pas au courant?

48

Sara croisa les bras sur son estomac et ferma les yeux, en proie à une douleur fulgurante. Elle avala sa salive en luttant contre la nausée.

— Tu en es sûre? dit-elle au bout d'un moment.

Mary Beth se rassit lourdement à côté d'elle.

— Tu n'en as vraiment pas entendu parler? Il n'était question que de ça ce matin à la radio. Tu n'as pas écouté les nouvelles?

Elle posa une autre question, mais Sara ne l'écoutait plus. À la place, elle perçut la voix de Liam lui assurant qu'il ne connaissait personne du nom de Kristen. Lui expliquant que la jeune femme de la photographie devait être une amie de Margaret.

Tu ne m'as pas menti, Liam? Si.

Tu ne m'as pas menti. Ce ne sont pas que des mensonges, Liam? Allons! Rassure-moi.

Non.

Et si Kristen Verret avait dit la vérité? Pourquoi l'aurait-elle appelée? Pourquoi lui avait-elle téléphoné et pourquoi l'avait-on assassinée dans sa chambre?

Pourquoi Liam connaissait-il toutes les victimes de ces horribles assassinats?

Non. Par pitié! Non. Trop de pourquoi, se dit-elle en se prenant la tête entre les mains. Elle referma les yeux en essayant d'écarter de son esprit toutes ces questions qui déferlaient les unes après les autres comme autant de vagues sinistres et glaciales.

Tu m'as menti, Liam. Et j'ai gobé tous tes mensonges.

Parce que j'avais envie de te croire. Je voulais désespérément te faire confiance.

Je suis malade. J'ai affreusement mal au cœur.

Liam, j'ai besoin de toi.

Quand elle rouvrit les yeux, Mary Beth se tenait debout devant elle et lui parlait à toute allure d'une voix surexcitée. Sara voyait ses lèvres bouger, mais elle ne comprenait pas un traître mot de ce qu'elle racontait.

Kristen Verret. Ce nom qui lui revenait continuellement en tête noyait la description immonde que Mary Beth était en train de lui faire.

Kristen Verret.

Elle m'a appelée et quelqu'un l'a mise en pièces.

— Oh, mon Dieu! gémit-elle.

Mary Beth se pencha vers elle et lui posa une main réconfortante sur l'épaule.

— Il faut qu'on appelle la police, dit-elle. Tu dois absolument leur parler de ce coup de fil.

— Je... je ne me sens pas bien, bredouilla Sara en se levant précipitamment avant d'écarter son amie.

— Sara... ?

Elle se rua dans les toilettes, claqua la porte derrière elle, se pencha sur la cuvette, pliée en deux de douleur, et essaya de vomir.

— Sara, est-ce que ça va ?

La voix angoissée de Mary Beth derrière la porte.

Sara toussa. Elle avait la gorge nouée.

Je me sens atrocement mal. Je ne peux pas croire ce qui m'arrive.

Je ne comprends pas. Je n'y comprends absolument rien.

Elle revit le visage de Liam, son sourire enjôleur, ses yeux bruns chaleureux, si pleins de tendresse.

Oh, mon Dieu ! Je ne comprends rien. Liam, est-ce que tu vas m'expliquer ce qui se passe ? Aide-moi à me sentir mieux.

La douleur s'apaisait. La nausée était en train de passer. Elle se redressa et se détourna de la cuvette, les jambes flageolantes. Essuya la sueur froide qui perlait au-dessus de sa lèvre supérieure.

Quand elle émergea des toilettes, elle savait ce qui lui restait à faire. Mary Beth l'attendait impatiemment dans l'entrée.

— Tu es verte ! s'exclama-t-elle en la dévisageant d'un air effaré. Veux-tu que j'annule mon départ ?

Elle jeta un coup d'œil à sa montre.

— Je ne pense pas qu'il y ait un avion plus tard pour Cleveland. Mais je peux partir demain.

Sara prit la main toute chaude de son amie dans les siennes qui étaient glacées.

— Ce n'est pas la peine. Ne rate pas ton avion. Je me sens déjà mieux. Je vais... je vais rentrer à la maison.

— Sara ! Tu es folle. Il n'en est pas question. Appelons la police. Il faut que tu leur parles de ce coup de fil. Avant de retourner chez Liam. Il le faut.

Sara secoua la tête avec véhémence. Ce mouvement brusque ne fit qu'accentuer sa migraine.

— Non, il faut que je rentre. Je dois parler à Liam.

— Mais s'il...?

Mary Beth préféra ne pas aller au bout de sa pensée.

— Il faut que je lui donne une chance, reprit Sara d'une voix plus stridente qu'elle ne l'aurait souhaité. Il faut que je lui laisse la possibilité de s'expliquer, ajouta-t-elle plus calmement.

Elle se glissa devant son amie et gagna le salon. Mary Beth lui courut après.

— Tu es sûre que tu ne veux pas que je reste? Je pourrais te raccompagner chez toi. Tu n'as vraiment pas bonne mine. Je pourrais te reconduire en voiture. Et t'attendre au cas où... au cas où...

Elle n'acheva pas sa phrase. Baissa les yeux.

— Tout ira bien, répondit Sara d'une voix chevrotante en s'efforçant de paraître sereine. Je t'assure. Ça ira. J'ai besoin de prendre un peu l'air. Ça a été un tel choc.

Elle désigna le journal froissé par terre.

— Mais je ne pense pas que Liam... Enfin, je veux dire... Je ne sais pas. Je sais juste que je dois lui donner une chance de s'expliquer. À propos de la main. De Kristen Verret. De... tout.

Elle s'apprêtait à prendre son manteau quand Mary Beth s'interposa. À son grand étonnement, elle la prit dans ses bras et l'étreignit très fort en pressant sa joue chaude contre la sienne.

Ces déploiements d'émotion ne lui ressemblent guère, pensa Sara. Est-ce le vin? Est-elle stressée parce que son père est à l'hôpital? Parce qu'elle doit prendre l'avion ce soir? Elle n'est pas *vraiment* inquiète à mon sujet. Si?

— Je... je te téléphonerai en arrivant chez mes parents, dit Mary Beth en s'écartant d'elle sans la quitter des yeux. Ça risque d'être tard. On fait escale à Pittsburgh. Pourquoi faut-il que les avions s'arrêtent à Pittsburgh?

Sara rit.

— Je ne sais pas. Mais c'est vrai que ça ne loupe pas, dit-elle en enfilant son vêtement.

— Laisse-moi au moins te donner un parapluie, suggéra Mary Beth en ouvrant le placard de l'entrée. Regarde ton manteau. Il est encore tout trempé.

Sara jeta un coup d'œil par la fenêtre.

— Non, non, ça va. Il a recommencé à neiger. J'aime bien la neige. Ça me calme.

Elle se dirigea vers la porte.

— Mon vol va être annulé, dit Mary Beth en se mordillant nerveusement la lèvre. À tous les coups. Regarde-moi ça ! C'est le blizzard !

Elle ouvrit et s'écarta pour la laisser passer.

— Je ferai bien de me mettre en route tout de suite. C'est fou ce qui tombe ! Je t'appellerai. De l'aéroport.

— Tout ira bien. Vraiment. Fais bon voyage et salue tes parents pour moi.

Dès qu'elle eut franchi le seuil de l'appartement, Sara s'emmitoufla dans son manteau. Ses bottes rendaient un son mat sur le sol en ciment du long couloir. Des empreintes boueuses jalonnées de petites flaques d'eau souillée en pointillé conduisaient à une porte de l'autre côté du hall.

Sale nuit, pensa-t-elle en remontant son col. À tous égards.

Elle sortit de l'immeuble et s'attarda un instant à l'abri de la marquise surplombant l'entrée, la lourde toile de tente claquant bruyamment dans le vent, avant de s'éloigner dans la nuit parsemée de flocons.

D'habitude, elle adorait marcher dans la neige fraîche, mais ce soir, cela n'apaisa en rien son angoisse. Les rafales de vent glacial lui soufflaient de la neige mouillée dans la figure. La pluie avait gelé sous le tapis blanc immaculé, formant une couche de verglas traîtresse.

En levant les yeux, elle vit une voiture déraper à l'intersection. Le véhicule fit un tête-à-queue en heurtant violemment le trottoir et finit par s'arrêter dans une glissade à quelques centimètres d'un réverbère.

Pourvu que Mary Beth arrive saine et sauve à l'aéroport, pensa-t-elle en baissant la tête pour se protéger des bourrasques. Elle s'efforça d'accélérer un peu l'allure.

Ses joues la brûlaient, elle avait le nez et les oreilles tout engourdis par le froid lorsqu'elle aperçut enfin la maison. Les flocons scintillaient sous la lampe du perron. Aucune autre lumière n'était allumée.

Bizarre, pensa-t-elle. Il est presque neuf heures. Liam devrait être rentré. Une main en visière, elle inspecta les fenêtres de la chambre de Margaret au deuxième étage. Personne non plus là-haut.

Étaient-ils sortis? Par une nuit pareille?

Peu probable.

Elle glissa sur la première marche du perron et se rattrapa de justesse à la rambarde. Elle fouilla dans son sac à la recherche de son trousseau de clés, ses doigts frigorifiés se mouvant avec peine parmi tout son fatras.

Elle finit par ouvrir la porte, la poussa d'un coup d'épaule, tapa des pieds sur le paillasson et pénétra dans la maison, ravie de retrouver un peu de chaleur.

Obscurité.

— Il y a quelqu'un?

Elle jeta un coup d'œil dans l'escalier tout en se frottant les mains pour essayer de se réchauffer. Le plafonnier du couloir au premier semblait être le seul éclairage de toute la maison.

Liam était-il monté? Il se couchait rarement de si bonne heure? Et pourquoi aurait-il éteint toutes les lumières du rez-de-chaussée?

À moins qu'elle n'ait laissé allumé à l'étage en partant?

— Hé, il y a quelqu'un? cria-t-elle d'une voix étranglée tant sa gorge était nouée.

Pas de réponse.

S'il te plaît, Liam. Sois là. J'ai besoin de te voir, de te parler. J'ai besoin que tu me dises que tout va bien.

Sans prendre la peine de retirer son manteau, elle s'agrippa à la rampe et commença à monter les marches à pas lents. Des flocons accrochés à son col lui glissaient dans le cou.

Son cœur battait à tout rompre quand elle atteignit le palier. Elle prit une profonde inspiration, retint son souffle, puis se dirigea vers la chambre.

Liam, je t'en prie. Sois là. S'il te plaît.

La porte était fermée.

Elle saisit la poignée, la tourna, donna une poussée.

La lumière du couloir se répandit dans la pièce obscure.

Une odeur de chaud. De transpiration.

Elle entra. Vit Liam au lit. Couché sur le dos.

Le bras autour des épaules de quelqu'un.

Une autre forme humaine. Quelqu'un dans le lit. Un visage dans l'ombre.

Liam se redressa vivement en clignant les yeux. Surpris. Il retira son bras à la hâte.

L'autre personne bougea. Se mit sur son séant.

Une femme.

Liam au lit avec une femme.

Elle changea de position. Son visage apparut dans la lumière.

Margaret!

Liam au lit avec Margaret! Sa sœur!

Margaret se pencha vers Liam. Ses seins nus surgirent de dessous le drap. Elle plissa les yeux, éblouie par la lumière, s'éclaircit la voix et chuchota :

— Oh, Sara. Désolée.

49

— Nooooon!

Sara poussa un hurlement d'indignation.

Liam au lit avec Margaret. Liam au lit avec sa sœur.

Elle regardait ses seins pressés contre la poitrine de Liam, les fixant intensément sans parvenir à détourner le regard. Pourquoi était-elle nue? Que faisait-elle couchée avec son frère?

Liam fit brusquement volte-face et posa les pieds par terre.

Il était nu lui aussi.

Ils étaient tous les deux complètement nus. Au lit ensemble. Le frère et la sœur. Mon mari et sa sœur.

Une vague de répulsion lui souleva le cœur.

Je vais être malade. Je me sens vraiment mal. Je voulais juste rentrer à la maison. Pour avoir des explications. Je voulais simplement que Liam me donne des explications. C'est tout.

Et maintenant...

Elle savait qu'elle devait agir. S'en aller.

Pourquoi restait-elle plantée là? Pourquoi avait-elle l'impression d'avoir les pieds cloués au sol?

— Écoute, Sara..., commença Liam en se redressant, les bras tendus vers elle.

Derrière lui, Margaret tira sur le drap pour se couvrir la poitrine. Sans paraître disposée à se lever. Ou à partir.

Partir. Partir. Partir.

— Liam... Comment est-ce que tu peux...? bredouilla-t-elle d'une voix hystérique.

C'était ignoble! Ignoble!

Liam se mit debout. Elle vit son corps luisant de sueur dans la lueur jaune provenant du couloir.

Ils viennent de faire l'amour. Margaret et Liam. Liam et sa sœur. Ils ont couché ensemble!

Sara cilla des paupières à plusieurs reprises, comme si cela pouvait suffire à effacer toute la scène, à les faire disparaître tous les deux de sa vue. Puis elle bondit en avant. Pour bouger simplement. Pour remettre ses jambes en mouvement.

S'élança dans la pièce. Trébucha. Perdit l'équilibre. Elle ne se maîtrisait plus.

Liam et sa sœur. Liam et sa sœur. Liam, mon mari.

— Sara... attends! brailla Liam.

Le son mat de ses pieds nus résonnait sur le plancher.

— Attends!

— Noooon!

Une autre plainte rauque monta de sa gorge. Elle s'empara de la main posée sur la commode. La main de Chip. Tannée. Dure, osseuse.

Elle s'en saisit et l'expédia à toute volée contre la glace en poussant un cri de fureur, d'humiliation, d'horreur. Avec une force que la rage décuplait.

La main repliée, presque un poing, s'écrasa contre le miroir.

Qui vola en éclats.

Sara resta bouche bée devant la toile d'araignée de fêlures.

Puis un gémissement déchirant s'éleva derrière elle.

— Pas le miroir! Oh, non! protesta Liam.

Margaret, glapissante, se redressa dans le lit tout en s'arrachant les cheveux.

Liam se rua sur Sara qui brandit les deux poings et se mit à lui marteler la poitrine.

Le souffle coupé, il chercha néanmoins à s'emparer d'elle.

Elle parvint à l'esquiver, s'agrippa à la colonne du lit et profita de son élan pour se précipiter vers la porte.

— Sara... attends! Sara, tu ne comprends pas!

Quelle pitoyable défense! pensa-t-elle, surprise de puiser en elle une telle amertume. Elle dévala l'escalier quatre à quatre. Haletante. Ignorant la douleur qui lui taraudait le côté. Les violents élancements au fond de ses orbites.

— Tu ne comprends pas! beugla Liam du haut de l'escalier.

Ah, elle ne comprenait pas! Comment osait-il baiser sa sœur?

Pourquoi couchait-il avec Margaret?

Elle évita de se retourner pour ne pas le voir debout là-haut, nu comme un ver, les cheveux noirs ébouriffés, le corps en sueur. Sa sueur. La sueur de sa sœur.

Oh, Liam. Oh, mon Dieu, Liam.

Pourquoi fais-tu l'amour avec ta sœur? Ce n'est pas l'une de tes fichues superstitions, si?

Oh, mon Dieu, Liam. Mon Dieu.

— Je te rattraperai, Sara!

Ce furent les derniers mots qu'elle entendit avant de se précipiter dehors. Laissant la porte grande ouverte, elle dégringola les marches glissantes et se mit à courir.

Courir. Courir.

En passant devant les voitures qui zigzaguaient sur la chaussée argentée. Devant des fenêtres poudrées de neige d'où des stalactites pendaient tels des poignards.

Il faisait si froid. Le monde entier était une glacière ce soir.

Elle traversa en trombe le campus désert et sinistre parmi les arbres nus frémissant sous leurs manteaux immaculés. Les bâtiments sombres entourant le Cercle semblaient tapis sous des nuages de neige gris rosé, comme s'ils s'efforçaient de se tenir chaud.

Il faisait froid. Beaucoup trop froid.

Mais elle ne sentait ni le vent, ni la neige. Elle voyait la blancheur glaciale tout autour d'elle, mais ne sentait rien.

Engourdie. Je suis complètement engourdie. Mon esprit. Mon corps. Tout engourdis. Comme morts.

« Je te rattraperai. » Le souvenir de ces paroles menaçantes de Liam la fit frissonner. Elle se retourna, s'attendant à le voir derrière elle, courant, nu, dans la neige, l'appelant, lui criant : « Tu ne comprends pas ! »

Si banal pour quelqu'un d'aussi brillant.

Tu ne comprends pas ! Comme un personnage d'un mauvais feuilleton. Ce n'était pas une riposte digne d'un homme de lettres de réputation internationale.

Un homme de lettres de réputation internationale qui couchait avec sa sœur et puis s'écriait : « Tu ne comprends pas ! »

Non, je ne comprends pas, lâcha-t-elle entre ses dents. Vraiment pas, Liam.

La neige s'était mise à tomber plus fort, fouettée en tous les sens par des bourrasques virevoltantes. Sara écarta les flocons qui l'aveuglaient.

Soudain, l'immeuble de Mary Beth se profila devant elle, avec sa longue marquise croulant sous la neige. Un homme en uniforme gris, coiffé d'une casquette, jetait des poignées de sel sur le trottoir. Il lui tournait le dos, un seau à la main.

Elle en profita pour se glisser à côté de lui sans qu'il la vît. Les particules de sel crissaient sous ses semelles. Elle s'engouffra dans le hall en glissant sur le sol humide et s'arrêta un instant pour reprendre haleine. Le froid l'avait suivie à l'intérieur. Elle l'avait fait entrer avec elle.

Mais elle ne s'en aperçut pas.

Elle ne sentait rien. Rien du tout.

Elle sonna six fois à la porte de Mary Beth. Puis tambourina longuement. Avec acharnement. De ses poings engourdis. Tapa, tapa tout en appelant. Encore et encore, jusqu'au moment où elle se souvint que Mary Beth était partie. Elle était à l'aéroport.

Elle n'est pas là. Pas là. Pas là.

Bien sûr que non. Qu'est-ce qui m'arrive ?

Elle fit volte-face et se laissa tomber contre la porte en poussant un soupir.

Qu'est-ce que je fais maintenant?

Où est-ce que je vais?

50

Retour dans la nuit sous la neige. Comme une orpheline sans abri.

Il faut que je réfléchisse. Calmement. Que je trouve une solution.

Je peux m'en sortir. C'est sûr. Si seulement je pouvais arrêter de trembler comme une feuille, mais je n'y arrive pas.

J'ai tellement froid. Froid dedans et dehors.

La tempête s'était un peu apaisée. De gros flocons se posaient sur ses cheveux et ses épaules. Le vent était tombé, réduit à un murmure étouffé. Le campus s'étendait devant elle pareil à un cliché obscur. Figé. Vide. Rien ne bougeait.

Elle fourra ses mains dans les poches de son manteau et serra les bras le long de son corps dans l'espoir de grelotter un peu moins. Ignorant les picotements de la neige sur son visage, dans ses yeux, elle s'engagea dans Dale Street. Et vit la cafétéria à l'enseigne au néon rose et vert tout au bout de la rue. Lumière solitaire parmi les autres devantures fermées, plongées dans l'obscurité.

Était-ce ouvert?

Oui. En plissant les yeux, elle distingua des lueurs derrière la vitrine embuée.

Il faut que je me réchauffe. Que j'arrête de trembler.

Que je me ressaisisse.

Je vais m'en tirer. C'est sûr. Je suis capable de me sortir de n'importe quelle situation.

Oh, mon Dieu. Liam. Pourquoi?

En entrant dans l'établissement, elle se secoua comme un chien mouillé. Une petite flaque de neige fondue se forma rapidement sous ses pieds. Elle sentit la chaleur sur son visage, inhala une odeur de café fort à laquelle se mêlaient des relents de graisse rance.

Elle se frotta les sourcils pour chasser quelques derniers flocons en parcourant des yeux les rangées de tables et de boxes en vinyle rouges.

Le petit restaurant était étonnamment animé. C'était sans doute l'un des rares endroits encore ouverts à cette heure-ci.

Une bande d'étudiants se tassaient dans le box le plus proche. Plus loin, deux hommes âgés à la mine sombre serraient entre leurs paumes des tasses blanches remplies de café fumant. Un couple propret — des étudiants eux aussi — avait pris place à l'une des tables en formica blanc. Ils avaient étendu leur manteau mouillé sur le dossier de leur chaise et se tenaient la main en se regardant dans le blanc des yeux d'un air rêveur, ignorant les Coca et les assiettes de frites posés devant eux.

L'amour naissant.

Sara détourna le regard, sentant l'amertume la gagner. Elle avait froid. Si froid.

En frissonnant, elle se dirigea vers le petit box situé sous l'enseigne Budweiser contre le mur du fond. Tandis qu'elle avançait pas à pas, cramponnée au col de son manteau, elle eut l'impression que tous les regards s'étaient portés vers elle, que les conversations s'étaient arrêtées, que plus rien ne bougeait. Ils la fixaient tous, l'examinant sous toutes les coutures comme quelque spécimen de laboratoire.

Parce qu'ils savaient.

Ils savaient que son mari avait couché avec sa sœur. Qu'il s'était servi de la main mutilée de son ancien petit ami lors d'une étrange cérémonie aux bougies.

Comment étaient-ils au courant? Et pourquoi est-ce qu'ils me dévisagent? Qu'est-ce qu'ils me veulent à la fin?

En atteignant le box vide, elle jeta un coup d'œil par-dessus son épaule. Personne ne la regardait. Pas une seule paire d'yeux tournée dans sa direction. Personne ne s'intéressait à elle.

Incapable de réprimer les frissons qui la secouaient des

pieds à la tête, elle se glissa sur la banquette. Puis elle se rappela qu'elle avait toujours son manteau sur le dos, se releva pour l'enlever et le fourra sur le siège en face d'elle.

La serveuse, une jeune femme aux traits tirés, avec des cheveux blonds platine coupés court et plaqués en arrière, apparut avant que Sara ait eu le temps de se rasseoir.

— Vous voulez un menu?

Elle s'agrippa au dossier de la banquette. Pourquoi est-ce que je n'arrête pas de trembler? Je devrais commencer à me réchauffer.

— Donnez-moi juste un café, s'il vous plaît. Noir.

— Vous êtes sûre que ça va, mademoiselle?

Des yeux verts la fixaient d'un air inquiet.

Sara émit un faible gémissement. Est-ce que ça se voit que je grelotte? J'ai l'air si bizarre que ça?

— Je... ne me sens pas très, très bien, balbutia-t-elle. Il fait un froid de canard.

— Je vous apporte votre café tout de suite. Voulez-vous autre chose?

— Non... Euh... eh bien...

Quelque chose pour calmer ce tourbillon dans mon estomac. Pour m'aider à me sentir normale de nouveau.

Je suis normale. Je sais que je le suis.

— Oui. Un toast, s'il vous plaît. Juste un toast beurré.

La serveuse hocha la tête et partit précipitamment. Sara entendit le grésillement de la graisse sur la plaque chauffante. Les étudiants entassés dans le box voisin de la porte éclatèrent de rire.

Sara s'affaissa sur la banquette et se blottit contre le mur chaud. Elle se frotta énergiquement les manches, inspira à fond, puis retint son souffle dans l'espoir d'arrêter de frissonner.

Je suis malade. Je dois avoir la grippe ou quelque chose comme ça. Je suis malade et je ne sais pas où aller.

Les bras serrés contre elle, elle ferma les yeux et s'efforça de concentrer son attention sur les bruits du restaurant. Des bruits normaux. Je suis normale. Complètement normale. Un brouhaha de voix ponctué d'éclats de rire, le cliquetis des couverts contre les assiettes, le raclement d'une chaise sur le sol en linoléum. Elle sentit qu'elle se calmait un peu.

— Voilà votre café. Vous m'avez dit que vous vouliez du lait?

La voix de la serveuse la força à rouvrir les yeux.

— Oui, mais...

Mon sac!

Je n'ai pas pris mon sac. Ni mon portefeuille. J'ai tout laissé à la maison.

Son sang se figea dans ses veines. Les frissons reprirent de plus belle. Elle fourra la main dans la poche de son jean. Palpa quelques pièces de monnaie.

Je n'ai pas de quoi payer mon café.

Alors elle se leva brusquement, attrapa son manteau et partit en courant. Devant la serveuse ahurie, entre les tables, le long du comptoir, sous les yeux des vieillards à la mine sinistre, le nez du couple B.C.B.G., des étudiants qui levèrent tous les yeux cette fois-ci, pour voir cette jeune femme manifestement affolée qui détalait si vite, les pans de son manteau voltigeant derrière elle.

— Hé, mademoiselle! Votre café!

La voix rauque de la serveuse interrompue par la porte qui claqua derrière elle. Sara, l'orpheline. Sara sans abri. À nouveau dans le froid.

Sans un sou.

Et maintenant, que faire?

Elle glissa sur un tas de gadoue grisâtre, se rattrapa à la porte d'une cabine téléphonique pour ne pas tomber.

Je ne vais pas pleurer. Pas question. Pas tant que je ne serai pas au chaud et en sécurité. La promesse solennelle de rester forte. Pas facile à tenir.

Elle s'agrippait toujours à la porte métallique, le regard rivé sur la cloche gravée sur la vitre. Alors elle comprit qu'elle devait l'appeler.

Il faut que j'aille chercher mes affaires, se dit-elle, voyant clair tout à coup en dépit des gros flocons et du brouillard dense sous une chape de nuages gris-rose. Soudain parfaitement lucide.

Je dois aller chercher mon sac. Mon argent. Une valise avec quelques vêtements. Liam sera bien obligé d'accepter que je récupère mes affaires. Il ne peut pas me laisser errer toute la nuit dans la neige.

Oh, mon Dieu. Liam.

Vais-je arriver à lui parler ?

Oui. Je prendrai un ton très détaché.

Elle se mit à répéter mentalement ce qu'elle lui dirait quand il décrocherait le téléphone. Tout lui semblait limpide à présent. Pas de discussions. Ne pas le laisser parler. Elle n'aurait qu'à rassembler quelques effets et s'en aller au plus vite. Elle irait à l'hôtel. Au College Inn. C'était grand et toujours à moitié vide.

Non. Pas le College Inn.

C'était là que Kristen avait été assassinée.

Kristen. Kristen. Qui est Kristen, Liam ?

Liam ?

Elle entrevit son visage, le combiné pressé contre son oreille, ses yeux bruns écarquillés par la surprise, anxieux de la voir, de s'expliquer avec elle, ses cheveux noirs en bataille, les traits tendus. Elle vit son visage et se rendit compte qu'il ne lui inspirait plus que du dégoût.

Les mots fusaient dans son esprit tandis qu'elle ressassait machinalement son laïus.

« Liam, je vais rentrer à la maison pour prendre mes affaires, mais je ne veux pas te voir. »

Oui. C'était bien. Elle pouvait dire ça.

« Laisse la porte d'entrée ouverte et va te coucher. Ne m'attends pas. Ne me parle pas. Je n'en ai que pour une minute ou deux. »

Oui. Elle pouvait dire ça. Sans problème.

Et sans pleurer. Sans pleurer. Sans pleurer.

Elle serrait sa pièce de vingt-cinq *cents* de toutes ses forces dans sa main — la seule qu'elle avait sur elle — tant elle redoutait de la laisser tomber dans la neige. Elle l'introduisit en tremblant dans la fente et appuya le combiné glacé contre son oreille. Les mots, répétés avec soin, lui revinrent en mémoire tandis qu'elle attendait le déclic, puis le bourdonnement de la tonalité.

Oh, mon Dieu, Liam. Mon Dieu. Pourquoi a-t-il fallu que ça arrive ?

Ce n'est pas ce que je vais dire. Je sais ce que j'ai à dire. Mais quel est mon numéro de téléphone ?

Seigneur ! Comment ai-je pu l'oublier ? Je suis vraiment en train de perdre la boule.

Elle s'en souvint brusquement dès qu'elle eut réprimé

une vague de panique. Elle le composa lentement, avec précaution. Il ne fallait pas qu'elle se trompe. Pas maintenant. *Je n'ai qu'une seule pièce. Un quarter, en tout et pour tout.*

Elle entendit la sonnerie retentir. Une fois. Deux fois.

Elle essaya d'avaler sa salive, mais on aurait dit que quelqu'un lui avait fait un nœud dans la gorge. Elle avait la bouche sèche. Le combiné glacial lui faisait mal à l'oreille. Un flocon de neige lui glissa dans le cou.

Trois coups. Quatre.

Décroche, Liam. Je ne veux pas te parler. Mais décroche.

Cinq coups. Six. Sept.

Les mots de son petit discours repassaient sans cesse dans son esprit. *Est-ce que je tremble trop pour pouvoir m'exprimer clairement? Ai-je trop froid pour parler?*

Je vais mourir de froid ici. On va me retrouver frigorifiée dans cette cabine, le téléphone collé à l'oreille.

Huit coups. Neuf.

Il n'est pas à la maison.

Elle restait clouée là à écouter la sonnerie régulière, dans l'incapacité de réagir. Comme si son esprit avait gelé. Et ses émotions avec.

Il n'est pas à la maison. Margaret non plus.

À écouter le bourdonnement rythmique. Encore et encore. Et les paroles de Liam revinrent la hanter, cette menace qu'il avait proférée au moment où elle avait pris la fuite : « Je te rattraperai, Sara. »

Évidemment. Ils étaient à ses trousses. Margaret et lui. Ils la cherchaient partout. Je peux donc me glisser dans la maison et prendre mes affaires sans risquer de tomber sur eux.

Si j'ai ma clé.

Elle plongea la main dans l'autre poche de son jean. Elle ne mettait jamais ses clés dans son sac. Parce qu'elle avait peur de les perdre, elle essayait toujours de les avoir sur elle.

Elle les avait bel et bien emportées.

— Ouf!

Elle reposa le combiné sur son support. Le bourdonnement monotone continuait à vibrer dans ses oreilles. Elle s'obligea à sortir de la cabine. De combien de temps disposait-elle? Avant que Liam abandonne ses recherches et rentre à la maison?

Elle prit une profonde inspiration et se mit à courir. Dans sa panique, elle n'avait pas pris le temps de fermer son manteau qui claquait derrière elle telle une cape, tandis qu'elle filait sur le trottoir, glissant, dérapant, à bout de souffle, la neige lui martelant la figure, les bras tendus devant elle comme pour atteindre au plus vite un lieu sûr.

Une voiture la dépassa lentement, les vitres masquées par la neige, les pneus crissant sur la chaussée verglacée. Les phares glissèrent sur elle, découpant sa silhouette dans la nuit comme sous la lumière blafarde d'un projecteur. Elle fondit dans l'ombre, sans ralentir le pas.

De combien de temps disposait-elle? Combien de temps?

Elle bifurqua brusquement à l'angle de la rue. La maison se dressait sous ses yeux, à quelques centaines de mètres. La neige tourbillonnait autour d'elle. Elle entendait les grincements de ses bottes qui s'enfonçaient dans la neige humide. Aucun autre bruit.

Partout autour d'elle, le silence.

La nuit et le silence.

Elle extirpa les clés de sa poche en montant les marches du perron ensevelies sous un épais tapis blanc. Est-ce que je vis vraiment ici? Est-ce bien ma maison? Là où j'habite avec Liam?

Plus maintenant.

Les larmes lui brouillèrent la vue, brûlant ses joues glacées.

Pourquoi maintenant? Pourquoi faut-il que je pleure maintenant?

Elle se supplia d'arrêter. Se réprimanda vertement. Se força à réprimer ses larmes, les halètements de sa poitrine.

Elle s'essuya les yeux du revers de la main. Si salées, ces larmes qui lui piquaient les yeux. Si amères.

Sur le point d'introduire la clé dans la serrure, elle se ravisa et sonna.

Et s'ils étaient de retour? S'ils étaient rentrés après qu'elle eut téléphoné. Mieux valait vérifier.

Elle appuya longuement sur le bouton. Le drelin-drelin de la sonnette lui parvenait de l'intérieur. Elle se félicita d'avoir pu réfléchir avec autant de lucidité.

Ce sentiment fut de courte durée. Elle retira prestement son doigt et tendit l'oreille. Il lui sembla entendre des bruits de pas.

Non. Par pitié. Non.

— Hé !

Une voix criant à tue-tête.

Son sang se figea. Elle fit volte-face, perdit l'équilibre, faillit dévaler les marches du perron.

Deux garçons approchaient. Des étudiants de Moore State, probablement. L'un d'eux portait un long manteau en fourrure. Le visage de l'autre disparaissait sous un capuchon rouge. Ils se pourchassaient dans la rue. Une boule de neige vola. Gros éclats de rire. Ils s'empoignèrent l'un l'autre, se bourrant de coups, avant de se remettre à courir.

Sara se détourna en soupirant. Il y a des gens qui s'amusent ce soir. Elle appuya à fond sur la sonnette pendant presque une minute.

Personne.

Rentre donc, Sara, et puis file aussi vite que tu le peux.

Elle frissonna. Des pieds à la tête. Elle tremblait tellement qu'elle eut besoin de ses deux mains pour insérer la clé dans la serrure.

Elle la tourna. Emplit ses poumons d'air. Ouvrit la porte d'une poussée.

Et pénétra dans l'obscurité chaude et pesante de la maison.

51

Le parquet gémissait sous ses pas légers.

— Il y a quelqu'un ? chuchota-t-elle en se tournant vers la cage d'escalier.

Elle tendit l'oreille. Perçut le vrombissement du réfrigérateur qui se remettait en route dans la cuisine. Le son saccadé de sa propre respiration.

Elle leva la main vers l'interrupteur, puis se ravisa. Non. Pas de lumière. Inutile de clamer sa présence s'ils revenaient.

Elle saisit la rampe et commença à monter, les yeux rivés sur le palier obscur.

Que ceux qui sont endormis restent endormis. L'incantation de Liam lui revint brusquement à l'esprit. C'était sa voix qui, dérivant doucement dans l'escalier, lui résonnait aux oreilles. Elle s'immobilisa, cramponnée à la rampe. On aurait dit qu'il se tenait là-haut, sur le seuil de la chambre, psalmodiant ces mots une fois encore.

Que ceux qui sont endormis restent endormis. Que ceux qui sont réveillés restent réveillés.

Cette nuit-là avait été si romantique.

Si romantique et si belle. La lueur vacillante de la bougie, des ombres ondulant ici et là, Liam ondulant lui aussi avec tant de légèreté sur elle, en elle. Leurs deux corps intimement mêlés, en harmonie, aussi proches que ces paroles lyriques chuchotées au creux de son oreille.

— Aaaghh.

Elle laissa échapper un gémissement de dégoût.

Ses bottes rendirent un son mat sur les marches lorsqu'elle se remit à monter.

Cela n'avait rien de romantique. C'était ignoble.

Que signifiait cette incantation d'ailleurs? Elle s'était laissé porter par le tourbillon du bonheur, si enthousiaste, si bêtement naïve — tant elle était avide de croire en Liam, de s'assurer que cette fois-ci était la bonne, que tout irait bien —, qu'elle n'avait pas réfléchi un seul instant au sens de ses propos sibyllins.

Que ceux qui sont endormis restent endormis.

De qui parlait-il? Qui devait dormir? Et qui devait veiller?

Cela avait-il une signification quelconque?

Je ne veux vraiment pas y penser maintenant, se dit-elle, en s'arrêtant sur le palier, répugnant à lâcher la rampe qui lui procurait un sentiment de sécurité. Je ne veux pas y penser. Ni à ça ni à Liam. Pas tant que je ne serai pas sortie d'ici.

Au moment où sa main lâcha finalement prise, une vague de nausée lui souleva l'estomac. Liam et Margaret... Il faut que je retourne dans cette chambre. Liam et Margaret.

S'étaient-ils moqués de moi depuis le début?

Couchaient-ils ensemble chaque fois que je quittais la maison?

Margaret s'était toujours montrée si gentille, si compréhensive à mon égard. Si... chaleureuse.

Elle semblait parfaitement normale et si tolérante vis-à-vis des superstitions de son frère, de ses petites manies. Toujours prête à s'effacer dès que j'arrivais. Si empressée de m'aider, de devenir mon amie, m'incitant à me confier à elle.

Et pendant tout ce temps-là...

Tout ce temps-là...

Combien de temps? se demanda-t-elle tout à coup en avalant péniblement sa salive tout en faisant un pas hésitant en direction de la chambre. Deux pas. Trois. Depuis combien de temps durait cette abjecte relation? Toute leur vie?

Que ceux qui sont endormis restent endormis.

Cela ne voulait strictement rien dire à son avis. Elle secoua la tête pour essayer de chasser cette phrase de son esprit. Les mots ne lui servaient plus à rien désormais. Les explications non plus.

Comment Liam pourrait-il rendre compte d'une telle trahison?

Comment pourrait-il expliquer la main de Chip? Kristen, assassinée au College Inn?

Les autres meurtres? Tous, des gens qu'il connaissait d'une manière ou d'une autre? Les autres meurtres? Se pouvait-il qu'il ait quelque chose à voir dans ces assassinats?

Non.

Il était trop tendre — trop *faible* — pour être un assassin. Un mutilateur! Les corps avaient été réduits en pièces, à en croire les reportages horrifiants de la presse et de la télévision. Écartelés, déchirés, écorchés, lacérés jusqu'à ce qu'ils n'aient plus aucune apparence humaine.

Non. Liam ne pouvait faire une chose pareille.

Il était trop doux. Trop sensible. Trop *cérébral.*

À moins que... ?

Le connaissait-elle si bien que ça? Que savait-elle au fond à son sujet?

Toutes ces histoires qu'il lui avait racontées avec un plaisir en apparence si innocent, ces charmantes légendes, ces merveilleux contes de fées ne révélaient rien de sa personnalité.

— J'ignore qui tu es, murmura-t-elle.

Elle avait été subjuguée par lui, si fascinée par son romantisme un peu suranné qu'elle n'avait pas pris le temps d'apprendre à le connaître. Pourquoi était-il obnubilé par ces récits d'antan peuplés de fées et de nains?

Et pourquoi était-il tellement superstitieux?

Oui. Pourquoi était-il obsédé par toutes les superstitions de la terre? De simples superstitions de la vie de tous les jours. D'autres étranges, beaucoup plus compliquées dont elle n'avait jamais entendu parler auparavant.

Pourquoi, Liam?

Trop tard pour poser des questions maintenant. Elle n'obtiendrait probablement jamais de réponses.

Du reste, elle ne voulait plus les connaître.

Elle s'arrêta devant la porte de la chambre, l'entrouvrit, aperçut une faible lueur. Y avait-il quelqu'un?

Un craquement. Elle fit brusquement volte-face en direction de l'escalier. Étaient-ils rentrés?

Elle tendit l'oreille en s'efforçant d'ignorer les palpitations de son cœur.

Non. Silence.

Elle poussa la porte en respirant à fond. La lampe d'une des tables de chevet allumée éclairait faiblement le lit, la couverture jetée à terre, le drap de dessus tout plissé, pendant d'un côté — celui de Liam. Le drap de dessous, chiffonné, portait encore la marque des corps de Liam et de Margaret. Les oreillers étaient empilés les uns sur les autres. Celui du dessus creusé. Creusé par sa tête. Liam couché sur elle. Liam et Margaret froissant les draps.

Les tachant.

Elle s'approcha du lit, pantelante. Elle sentait leurs odeurs. La sueur de Liam. Le parfum sucré de Margaret.

Elle sentait les effluves de leurs ébats sur les draps, dans l'air chaud et pesant de la pièce. Leur présence autour d'elle. Tangible. Leurs odeurs. Leurs odeurs.

— Oh!

Avait-elle jamais éprouvé un écœurement pareil?

Mon mari et sa sœur. Mon mari.

Elle s'empara inconsciemment du drap de dessous, le dégagea du matelas et se mit à le rouler en boule, avec l'autre, les serrant ensemble, comme si elle s'apprêtait à les jeter dans le panier de linge sale, les tordant frénétiquement entre ses mains, sentant leurs odeurs, celle de Liam et celle de Margaret, et son estomac se serra, se roula en boule avec les draps, et la nausée de déferler.

— Qu'est-ce que je fais?

J'ai perdu le contrôle de moi-même, se rendit-elle compte tout à coup. Ses mains s'activaient toutes seules. Son estomac chavirait.

Ses mains rejetèrent les draps et ses jambes la portèrent jusqu'à la salle de bains. Leur salle de bains.

Elle plaqua les mains sur sa bouche pour essayer de réprimer son envie de vomir jusqu'au moment où elle atteindrait la cuvette des toilettes. Au passage, elle tapa sur l'interrupteur. Le lustre s'alluma.

Elle se précipita sur les toilettes, souleva le couvercle, se pencha.

... Et entendit un *gloup gloup gloup* régulier derrière elle.

Qu'est-ce que c'était que ce bruit?

Elle se tourna vers la baignoire. Vit la tache sombre dégoulinant le long du rideau de la douche entrouvert.

Gloup gloup gloup.

Alors elle oublia sa nausée et se mit à crier. Un cri bref, rauque, qui se changea en un hurlement d'horreur perçant, interminable.

52

Gloup gloup gloup.

Le sang rouge vif coulait goutte à goutte à une cadence régulière du nez et de la bouche de Margaret.

Margaret. Nue.

Margaret fixant Sara d'un air hébété, la tête inclinée de côté. Le regard baissé sur elle. Baissé sur elle parce qu'elle était suspendue au mur.

Des traînées de sang rouge sur le carrelage blanc.

Qu'est-ce que c'était que cette chose qui sortait de sa poitrine ?

Sara plissa les yeux, incapable de crier ou de proférer le moindre son, ou même de bouger, les mains crispées sur son visage, s'efforçant d'interpréter cette vision surréaliste, de la comprendre et de la nier en même temps.

Qu'est-ce qui jaillissait de la poitrine ensanglantée de Margaret ?

Le crochet de la douche.

Le crochet de la douche, maculé d'un sang épais, lui sortait de la poitrine. À travers la peau déchirée, en lambeaux. Le sang dégoulinait de ses seins et de son ventre.

On l'avait pendue là. Le crochet en chrome de la douche lui transperçait le corps. On l'avait empalée là comme un quartier de viande. On aurait dit un tableau. Un tableau sanguinolent.

Un bras avait été délogé de son articulation. Arraché. Il ne tenait plus que par un tendon.

Et le sang n'arrêtait pas de couler le long du mur blanc, s'accumulant dans le fond de la baignoire en une flaque qui s'élargissait à vue d'œil, bouchant l'écoulement.

Margaret. Margaret. Liam avait tué Margaret.

Il avait tué sa sœur.

En tirant sur ses cheveux, Sara se força à détourner le regard de la baignoire. Les yeux fermés, elle sortit de la pièce, les jambes flageolantes. Le cœur battant. Au rythme des gouttes qui s'écoulaient dans la baignoire.

Il avait tué sa propre sœur.

Pourquoi, Liam ? Pourquoi ?

Il ne pouvait pas y avoir de réponse. Aucune réponse logique. Raisonnable.

Liam était fou. Psychotique. Dément.

Il a tué Margaret. Il l'a massacrée.

Il a assassiné sa sœur.

Et maintenant il me cherche.

La police. Il faut que j'appelle la police.

Mais pas d'ici. Pas le temps. Pas le temps du tout. Prends quelques affaires. Juste quelques affaires.

Et puis file, Sara. Va-t'en d'ici.

Elle ouvrit la porte du placard, s'emparant de la poignée en verre avec une telle vigueur qu'elle faillit tomber à la renverse. Elle tendit aveuglément les bras vers l'étagère du haut en gémissant et chercha à tâtons la valise qu'elle avait rangée là-haut.

— Non.

Elle baissa les bras, fit volte-face.

Pas le temps de faire sa valise. Fiche le camp, Sara. Prends ton sac et déguerpis.

Quitte cette maison.

Il te cherche. Il a tué sa sœur. Et maintenant il te cherche.

Il va revenir. Il risque d'être là d'une minute à l'autre. Il faut que tu t'en ailles. Tout de suite.

Elle claqua la porte du placard. Recula d'un pas. Se retourna.

Oui. Va-t'en, Sara. Prends ton sac et file d'ici.

Elle s'apprêtait à sortir de la chambre quand elle entendit un bruit sourd derrière elle, et comprit que Liam était de retour.

53

Elle pivota sur elle-même en poussant un faible cri. Elle ne voulait pas qu'il l'attaque de dos. Elle voulait lui faire face, affronter son assassin.

Personne.

Ses genoux cédèrent sous elle. Elle se rattrapa *in extremis* à la colonne du lit.

Où est-il?

Liam? Es-tu là?

Qui a fait ce bruit derrière moi?

Elle braqua son regard en direction de la salle de bains et aperçut un bras, le bras nu de Margaret, pendant sur le rebord de la baignoire.

Il s'était détaché du corps.

Cela expliquait ce son mat.

La main barbouillée de sang était ouverte comme si elle essayait d'atteindre le sol.

Sara sentit sa gorge se serrer. Elle n'arrivait pour ainsi dire plus à respirer.

Remue-toi, Sara. Ne reste pas plantée là.

Obéissant à l'ordre impérieux de cette voix intérieure, elle se détourna de la salle de bains et se rua dans le couloir. Elle dévala l'escalier, cramponnée à la rampe, en clignant les yeux dans l'espoir de faire disparaître la vision de ce bras coupé, avachi sur le rebord de la baignoire tachée de sang, cette main sanguinolente tendue vers le sol.

Pas une vision. La réalité. La vraie Margaret.

Liam et Margaret.

Il l'avait massacrée. Et maintenant c'est moi qu'il veut tuer.

Elle attrapa son sac au passage sur la table de l'entrée. Faillit le laisser tomber. Le rattrapa par les lanières qu'elle

serra de toutes ses forces. Ouvrit précipitamment la porte
d'entrée.

Allait-elle le trouver devant la maison en train de
l'attendre? Prêt à lui arracher le bras? À la pendre sur la
porte?

Elle inspecta les alentours faiblement éclairés par la
lumière jaune du porche. Personne. La neige continuait à
tomber doucement, sans faire de bruit.

Pas de *gloup gloup gloup*.

Tout était doux, silencieux, blanc comme un nuage
d'été là-dehors.

File, Sara. Tu ne peux pas rester là. La voix pressante la
tira une nouvelle fois de sa torpeur. Dieu merci il y avait
cette voix pour la guider. Une force surgie du tréfonds d'elle-
même, bien qu'elle ne sût pas très bien d'où. Dieu merci il y
avait cette voix. Sans elle, elle se serait effondrée depuis
longtemps.

Effondrée. Prête à mourir.

Pourquoi, Liam?

Pourquoi faut-il que je meure? Pourquoi fallait-il que
Margaret meure? Pourquoi?

Va-t'en!

Mais où vais-je aller? Je ne sais pas où aller.

Ses bottes s'enfoncèrent dans la neige épaisse quand
elle descendit le perron à l'aveuglette et s'élança dans la rue
déserte.

Qui me sauvera, Liam? Qui peut venir à mon secours?

La police?

Elle tituba jusqu'à la cabine au coin de la rue. Oui. La
police. La police viendra, Liam. Elle me protégera et t'arrêtera.

Elle porta le combiné à son oreille.

Silence.

Pas de tonalité.

Elle tapa sur le cadran. Appuya frénétiquement sur la
touche du O.

Rien.

Oh non. Il faut que je parte. Que je m'éloigne de toi. Le
plus loin possible.

Elle braquait son regard sur chaque porte. Chaque
ombre projetée sur la neige, y compris la sienne glissant tête

baissée sous la lumière d'un réverbère, puis fuyant comme sous l'effet de la terreur, la faisait tressaillir.

Elle crut le voir une douzaine de fois. Tapi derrière un taillis enneigé. Surgissant de derrière un arbre. Son manteau tourbillonnant autour de lui, ses cheveux noirs lui retombant sur le front, ses yeux sombres la fixant — remplis de haine?

Est-ce que tu me détestes, Liam?

Pourquoi veux-tu me tuer? Je t'aimais tant.

Je t'aimais. Au passé maintenant. Je t'aimais de tout mon cœur. Son cœur aussi froid maintenant que la neige sous ses pieds.

Aussi froid que le corps mutilé de Margaret, suspendu au crochet chromé de la douche.

Glacial. Le monde entier glacial maintenant. Glacial et sombre.

Elle glissa sur le trottoir verglacé, tendit ses mains devant elle dans l'espoir de se rattraper à quelque chose. En vain.

Elle tomba brutalement sur les genoux et bascula. Son visage s'enfonça dans la neige. Elle releva la tête en gémissant. Une violente douleur dans le genou droit l'ébranla des pieds à la tête. Elle épousseta la neige qu'elle avait dans les yeux, sur les joues.

Un sanglot lui échappa. Elle s'efforça de réprimer ses larmes avant qu'elles ne se mettent à couler. Couler. Couler.

— Bon sang!

En se redressant, elle vit que son sac s'était ouvert. Elle aperçut son portefeuille, un tube de rouge à lèvres éparpillés dans la neige. Un trousseau de clés.

Étouffant un autre sanglot, elle se pencha pour les ramasser. Les fourra dans son sac d'une main tremblante. Les clés.

Les clés.

C'étaient celles du bureau de Milton.

Et de sa maison.

Je l'ai vu ce matin, se souvint-elle. Il paraissait désespéré. Il voulait absolument me parler.

Oh mon Dieu!

Cherchait-il à me prévenir? Se pourrait-il qu'il ait découvert la vérité à propos de Liam?

Essayait-il de m'aider? Pourquoi ne me suis-je pas arrêtée? Pourquoi ne pas l'avoir écouté?

Elle serra la clé dans sa main.

Je vais aller chez Milton. Je vais aller me réfugier chez lui.

C'était un endroit parfait pour se cacher. Si loin du campus. Dans les bois.

Elle regardait fixement la clé à travers le rideau de larmes qui lui emplissaient les yeux. Comme un trésor. Un fragment d'étoile. Une étoile pour la guider.

Milton m'aidera à réfléchir calmement. À cesser de trembler. Il me protégera. Je pourrai appeler la police de chez lui.

Elle imagina Milton, si grand, si fort. Il avait toujours voulu l'aider. Il avait toujours voulu qu'elle vienne à lui.

Eh bien, le moment était venu. J'ai besoin de vous maintenant, Milton.

Oui.

La maison de Milton.

Je serai en sécurité là-bas.

54

À moitié aveuglée par la neige, elle s'élança vers la prochaine cabine téléphonique au coin de la rue suivante. Mon Dieu, je vous en supplie, faites qu'il soit chez lui, pria-t-elle en saisissant le combiné humide et glacé.

Soyez là, je vous en conjure, Milton. J'ai besoin de vous maintenant.

Elle serrait l'appareil à le rompre.

Pas de tonalité non plus.

Non. Par pitié!

Un cri de rage lui échappa. Elle tambourina sur le cadran, puis raccrocha violemment avant d'écouter une nouvelle fois.

Toujours rien.

Aucun de ces fichus téléphones n'est donc en état de marche ?

Elle lâcha le combiné qu'elle laissa pendre au bout de son cordon et sortit précipitamment de la cabine, le cœur battant, insensible au froid, aux flocons sur son front, à la neige fondue qui lui trempait les cheveux, engourdie maintenant, insensible à tout sauf à la peur.

Une voiture qui patinait dans la gadoue surgit au bout de la rue. Une lumière blanche unique balaya Sara au passage. À l'instant où elle la dépassa, Sara se rendit compte que c'était un taxi dont l'un des phares ne marchait plus.

Un taxi ?

Oui. *Campus Taxi*. Elle déchiffra ces deux mots au-dessus de la lanterne.

Elle le héla en agitant les deux bras vigoureusement.

— Hé, taxi ! Oh, s'il vous plaît !

Il s'arrêta en une longue glissade. Une Plymouth marron et blanche surmontée d'une épaisse couche de neige.

Elle s'engouffra à l'arrière. Les précédents occupants avaient laissé des flaques d'eau à l'emplacement de leurs souliers. Elle sentit une odeur de tabac froid en dépit de la pancarte INTERDICTION DE FUMER accrochée au siège sous ses yeux.

Elle serra les bras autour d'elle en frissonnant.

— Vous ne pourriez pas monter un peu le chauffage, s'il vous plaît ?

Le chauffeur, un vieil homme à la mine sombre, coiffé d'une casquette à carreaux, lui jeta un coup d'œil dans le rétroviseur.

— Je peux pas faire mieux que ça. Vous avez beaucoup de chance. J'allais rentrer chez moi.

— Oui, beaucoup de chance, murmura-t-elle d'un ton amer.

— Où va-t-on ? demanda-t-il avec impatience.

Les essuie-glaces raclaient le pare-brise en déposant une longue traînée blanche sur la vitre. Penché sur son volant qu'il serrait en haut des deux mains, l'homme fixait son attention sur la route.

Dès que les pneus cessèrent de tourner dans le vide et qu'il put démarrer, Sara se retourna et essaya d'y voir quelque chose à travers la lunette arrière. Liam, es-tu là quelque part, derrière moi? Est-ce que tu me suis?

Un tapis de neige masquait la vitre, lui bloquant entièrement la vue, ce qui lui procura bizarrement un certain réconfort.

Tu ne peux pas voir à l'intérieur de la voiture. Tu ne peux pas savoir que je suis là.

Le taxi faisait des embardées, dérapant de-ci de-là, glissant comme un patineur. Sara essuya la vitre embuée et regarda défiler les maisons plongées dans l'obscurité, les pelouses enneigées, étincelant d'un éclat bleuté dans la nuit.

Le carreau se voila de nouveau et le monde disparut derrière la buée.

Elle aurait voulu que cela dure éternellement. Que le monde reste de l'autre côté de cette vitre, obscur, silencieux, lointain.

Liam... Liam...

Elle imaginait la surprise de Milton quand il la trouverait sur le seuil de sa porte.

— Sara, qu'est-ce qui ne va pas? Sara, je vous en prie, parlez.

Elle entendait sa voix rauque, se représentait son visage encore plus rouge que d'habitude sous l'effet de l'excitation. De l'inquiétude.

Elle se demandait s'il croirait à son histoire. Si tant est qu'elle parvienne à la lui raconter. Jusqu'où irait-elle dans son récit avant de craquer et de se mettre à pleurer?

Je tiens plutôt bien le coup pour le moment. Mais combien de temps est-ce que cela va durer?

Un grondement sonore fit bondir son cœur dans sa poitrine. Le chauffeur tourna brusquement le volant en jurant entre ses dents. Il évita de justesse un énorme chasse-neige qui reculait sur la route.

Je vous en prie, ne dégagez pas cette route trop vite, pensa-t-elle tandis que le chauffeur manœuvrait avec peine pour redresser le cap. Ne facilitez pas la tâche à Liam. Donnez-moi un peu de temps avant qu'il ne me rattrape.

Ça va aller, se rassura-t-elle en suivant des yeux le va-et-vient des essuie-glaces. J'ai réussi à m'échapper. Je serai en sécurité là-bas jusqu'à ce que la police arrive. On me protégera. On t'empêchera de m'atteindre. Ils te trouveront et te captureront. Te...

La voiture s'immobilisa soudain si brusquement qu'elle se cogna l'épaule contre la portière.

— Qu'est-ce qui se passe ?

Le chauffeur fixa le compteur sans répondre.

— Que se passe-t-il, monsieur ? Pourquoi nous sommes-nous arrêtés ?

Il se retourna lentement et la dévisagea de ses yeux sombres par-dessous sa casquette en laine. Puis il alluma le plafonnier.

— Six dollars quatre-vingts, s'il vous plaît.

— Oh.

Elle inclina la tête et essaya d'apercevoir quelque chose à travers le pare-brise. Était-ce la maison de Milton ? Étaient-ils déjà arrivés ? Si vite ?

Elle s'aperçut tout à coup qu'elle avait serré la clé de la maison dans sa main durant tout le trajet. Elle posa le trousseau sur ses genoux pour chercher son portefeuille.

— Vous vivez ici, mademoiselle ?

Elle continua à fouiller dans son sac. Mon portefeuille. Où est passé mon portefeuille ?

— Vous vivez ici, mademoiselle ? répéta-t-il. La maison est bien sombre.

Elle trouva un billet froissé dans le fond de son sac. Dix dollars.

— Tenez, dit-elle en le tendant au chauffeur. Gardez la monnaie.

Son cœur se mit à battre quand elle ouvrit la portière. Les clés de Milton commencèrent à glisser de ses genoux. Elle les rattrapa de justesse.

Le vent lui expédia une volée de neige poudreuse dans la figure. Elle s'extirpa du véhicule et leva les yeux vers la maison. Pas une seule lumière aux fenêtres. Celle du porche aussi était éteinte.

Le taxi recula dès qu'elle eut claqué la portière. Ses pneus crissèrent sur l'allée enneigée. Son phare unique éclaira un instant la façade de la maison. Sara entrevit la gouttière remplie de neige, la grande baie vitrée couverte de givre.

Elle glissa son sac sous son bras en gardant les clés dans sa main. Puis elle avança prudemment, pas à pas, le long de la maison, consciente de la présence d'une couche de verglas glissante sous la neige fraîche.

Les yeux sur les fenêtres sombres. Puis sur la porte.

S'il vous plaît, Milton, soyez chez vous. Il faut absolument que vous soyez là. J'ai besoin de votre aide, de votre protection. Pour me préserver de lui.

Les arbres frémirent en lui envoyant une nouvelle giclée de neige.

Elle s'arrêta et son regard se porta vers le côté de la maison, en direction des grands sapins dressés là telles des statues immaculées.

Un sanglot lui monta à la gorge.

Je me suis mariée ici. Liam et moi avons échangé nos vœux au pied de ces arbres. Comme j'étais heureuse ce jour-là! Le plus beau de ma vie!

Il n'y a pas si longtemps de cela, je suis venue ici pour épouser l'homme que j'aimais.

Ce soir, je reviens pour le fuir.

Un nouveau coup de vent fit frissonner les branches autour d'elle, comme prises de compassion. En serrant la clé dans sa main, tête baissée pour se protéger des rafales, elle se dirigea vers la porte d'entrée.

Je vous en prie, Milton, soyez chez vous.

S'il vous plaît, aidez-moi.

Elle écarta d'une main tremblante la neige qui dissimulait la sonnette et appuya sur le bouton, à fond, un long moment, en écoutant le bourdonnement sonore qui résonnait à l'intérieur de la maison, attendant que Milton se lève et vienne lui ouvrir.

55

Le vent jetait des paquets de neige contre la porte. Sara sentait le froid sur ses cheveux, dans son cou. Elle retira son doigt de la sonnette. Tendit l'oreille.

Le frémissement des arbres. Les hurlements du vent.

Mais pas de bruits de pas. Aucun signe de vie.

— Milton! explosa-t-elle.

Elle commençait à craquer. Elle était en train de se décomposer, les fragments délicats de son être se brisaient comme du verre ou de la porcelaine.

— Milton!

Sa voix. Si ténue, si effrayée.

Elle se remit à sonner en enfonçant le bouton de toutes ses forces. Le bourdonnement régulier reprit de l'autre côté de la porte. Elle s'obstina. Trois longs coups. Puis un quatrième, interminable.

— Milton! Milton! S'il vous plaît!

Elle tambourina sur la porte avec les poings. Puis sonna encore.

Silence à l'intérieur de la maison. Pas un craquement. Pas une lumière.

Il n'était peut-être pas chez lui.

Elle ferma les yeux et essaya de se souvenir. Lui avait-il dit qu'il s'en allait?

— Milton, êtes-vous là? Avez-vous le sommeil lourd? Allez-vous vous réveiller à la fin et venir m'ouvrir?

Une nouvelle bourrasque ébranla le tas de neige amoncelé au pied de la façade. Sara approcha la clé de la serrure. Elle s'y reprit à trois reprises avant de s'apercevoir qu'elle la tenait à l'envers.

Elle finit par ouvrir et poussa la lourde porte en bois.

Fouilla l'obscurité du regard. Sentit une agréable chaleur sur son visage.

— Milton?

Elle pencha la tête en avant. Pas un bruit.

Elle tapa ses bottes à l'entrée avant de pénétrer un plus dans la maison. Le vent lui expédia la porte dans le dos à toute volée. Elle bondit, puis la ferma et cligna les yeux dans l'obscurité, cherchant à s'y accoutumer.

— Milton, c'est moi! Sara. Milton, êtes-vous là?

Elle chercha en vain l'interrupteur à tâtons, puis se dirigea à l'aveuglette vers le salon. Des formes floues se dessinaient dans la pièce. Elle vit l'éclat mat des lames de couteau contre le mur. La précieuse collection de Milton.

— Milton, réveillez-vous! C'est moi, Sara.

Silence.

Va voir dans sa chambre, s'ordonna-t-elle en avançant avec précaution dans la pénombre bleutée. Elle se souvint du long couloir tapissé de miroirs. La chambre de Milton était au bout, à gauche.

— Milton?

Il faisait si bon dans la maison. Quel soulagement d'être au calme.

Elle inspira profondément et retint son souffle avant de traverser le salon, les yeux rivés sur le rectangle noir qui devait être l'entrée du couloir.

Elle avait franchi la moitié de la distance qui l'en séparait quand ses pieds heurtèrent quelque chose. Quelque chose de lourd et de mou.

Elle s'affala en gémissant sur l'obstacle encombrant qui céda sous elle.

Pas un pouf. Trop mou pour que ce soit un pouf.

La forme bougea sous son poids. Elle sentit un liquide chaud, collant sur ses mains.

— Oh, mon Dieu!

Elle s'agenouilla avec peine.

— Oh, mon Dieu, répéta-t-elle.

Elle n'avait pas besoin de voir pour savoir de quoi il s'agissait.

Elle avait trouvé Milton.

Le lustre s'alluma tout à coup.

Elle cilla des paupières. Regarda fixement ses mains. Le sang noir, épais qui lui collait aux doigts.

Puis le corps tailladé de Milton. Déchiqueté. Fendu en deux.

Milton?

Ouvert comme un paquet. La peau arrachée au-dessus de son pantalon de pyjama trempé de sang. L'estomac rouge extirpé. Sorti de l'abdomen. Ses intestins roses déroulés sur le sol dans une mare de sang noir.

La tête de Milton inclinée contre le pied du canapé, la bouche grande ouverte, ses yeux écarquillés par l'horreur.

— Oh, mon Dieu! Oh, mon Dieu!

Ses mains toutes gluantes. Le sang encore chaud.

Elle leva les yeux vers les couteaux dans leurs vitrines en verre, puis se retourna brusquement en se souvenant. En se souvenant que quelqu'un — quelqu'un d'autre — avait allumé la lumière.

Ce fut alors qu'elle le vit.

À l'entrée du couloir. Son manteau gris déboutonné. Ses cheveux noirs en bataille. Les bras croisés sur sa poitrine.

Liam. La fixant intensément. D'un œil si cruel. Les traits figés par une expression dure qu'elle n'avait jamais vue sur ce visage qu'elle s'imaginait si bien connaître.

Ce visage qu'elle croyait aimer.

Je ne le connais pas.

Je ne sais rien de lui.

Il va me tuer.

Sara, toujours à genoux. Essayant de soutenir le regard de Liam.

Mais elle ne voulait pas le voir.

Elle ne supportait pas de le regarder.

Ce visage la révulsait à présent. Ce regard lui glaçait le sang.

Tant de meurtres, Liam! Tant d'horribles meurtres. Inhumains.

— Tu as tué Milton, Liam.

Elle avait brusquement retrouvé l'usage de sa voix.

— Tu... tu l'as tué, Liam, répéta-t-elle en désignant le corps de ses mains ensanglantées. Et tu as tué ta sœur.

Liam cligna les yeux. Mais son expression ne changea pas. Elle resta froide. Plus froide que la neige qui tambourinait contre la grande baie.

— Tu as tué ta propre sœur, hurla-t-elle.

Il lui répondit finalement sans desserrer les dents.

— Ce n'est pas moi qui les ai tués, Sara. C'est toi.

56

Elle ne le quittait pas des yeux tout en s'efforçant de réfléchir.

Ce qu'il venait de dire ne tenait pas debout. Fou. Il était fou à lier, se rendit-elle compte tout à coup.

J'aurais dû m'en douter. Il y avait tellement d'indices. Toutes ces superstitions insensées.

Mais comment aurais-je pu deviner que c'était un assassin ?

Comment aurais-je pu savoir qu'il découpait les gens en morceaux ?

Il restait planté à l'entrée du couloir, bras croisés, sourcils froncés. À l'observer attentivement. À la surveiller.

Attendant qu'elle réagisse à son accusation démente ?

Elle se releva lentement en essuyant ses mains tachées de sang sur le devant de son manteau. Réfléchis, Sara. Réfléchis vite.

Sa voix intérieure, puissante, l'incitait à fuir. Pour sauver sa peau.

Mais comment faire ?

Elle jeta un coup d'œil en direction de la porte d'entrée. Pouvait-elle l'atteindre avant lui ?

Probablement pas.

Il bloquait le couloir, la seule autre issue.

Impossible de m'échapper, se dit-elle, sentant sa poitrine se comprimer sous l'effet de la panique.

J'ai besoin d'une arme.

Avait-elle le temps de courir jusqu'aux vitrines, d'en ouvrir une et de s'emparer d'un des couteaux de Milton avant que Liam ne la rattrape ?

Non. Sûrement pas.

Son regard se posa sur la cheminée. Elle aperçut le tisonnier en fer à côté du panier de bûches.

Le tisonnier. Elle avait peut-être une chance de l'atteindre.

Elle réprima la vague de terreur qui l'envahissait. On aurait dit que la pièce allait l'engloutir. Cette pièce où Liam et elle avaient bavardé pour la première fois.

À la réception de Milton. Ils avaient passé toute la soirée à parler tous les deux, juste là, en face de la cheminée.

Et maintenant il va essayer de me tuer.

Je vais me jeter sur le tisonnier et...

— C'est toi qui les as tués, Sara, dit-il soudain d'une voix grave, monocorde, interrompant brutalement le cours de ses pensées. C'est toi. Tu ne me crois pas, hein ?

Il semblait tellement amorphe tout à coup. Dépourvu d'énergie, de tout ce qui ressemblait au Liam qu'elle avait connu.

— Je te crois, Liam, bredouilla-t-elle.

N'importe quoi pourvu qu'il garde son calme, qu'il reste où il était, à l'entrée du couloir.

— Je t'assure, je te crois.

— Sara !

Son nom jailli de sa bouche comme un cri de colère la fit réagir. Elle bondit à l'autre bout de la pièce, atteignit la cheminée avant lui et s'empara du tisonnier, plus lourd qu'elle ne le pensait.

Elle le brandit en le tenant des deux mains à l'instant où il saisissait l'autre extrémité.

— Non ! Lâche ça !

Une plainte désespérée.

Ils se démenèrent l'un et l'autre, chacun tirant de son côté en poussant des gémissements.

— Sara, écoute-moi ! Laisse-moi t'expliquer ! Il faut que tu me laisses m'expliquer !

— Non ! Lâche ça, lâche ça, répéta-t-elle. *Aïe !*

Liam changea brusquement de tactique. Cramponné au tisonnier, il se mit à pousser dans l'espoir de la déséquilibrer.

Elle recula en titubant. Il parvint à lui arracher la barre en fer des mains et l'agita au-dessus de sa tête avant de la lui plaquer contre la poitrine, la forçant à battre en retraite jusqu'au canapé.

— Liam, non! Laisse-moi partir! Liam, je t'en supplie!

Il se dressait devant elle, le regard enflammé, la fureur déformant ses traits, et s'efforçait de reprendre son souffle.

— Liam, non!

Elle ne pouvait plus bouger. Impossible de se dégager. Il l'avait acculée contre le canapé en pressant le tisonnier contre elle.

Plus aucun espoir de lui échapper.

Il allait la tuer. La dépecer, comme les autres. L'écorcher vive et la pendre quelque part contre un mur.

— Je t'en prie! Liam! Je t'en prie!

Il ne lui restait plus d'autre solution que de le supplier. Était-il complètement fou? Il n'éprouvait donc plus rien pour elle? L'avait-il jamais aimée?

Il se pencha vers elle d'un air menaçant, le souffle haletant, son visage d'ordinaire si pâle rouge écarlate.

— Il faut que tu m'écoutes. Tu dois me laisser t'expliquer.

Oui, pensa-t-elle. Explique. Parle. Parle. Explique-toi, Liam. Toute la nuit si tu le veux.

Et puis, brusquement, elle perdit le contrôle d'elle-même.

Elle s'était contenue longtemps, mais maintenant, piégée contre le canapé, son regard fixé sur lui, épouvantée, les mots lui échappèrent en un débit discontinu avant qu'elle ait le temps de les réprimer, de se mordre la langue, de retenir son souffle, de faire quoi que ce soit pour les arrêter.

— Tu as couché avec ta sœur, Liam! Comment peux-tu expliquer ça? Tu as couché avec ta sœur et puis... et puis... tu l'as tuée!

— Non, non, non, protesta-t-il d'une voix réduite à un murmure. Margaret n'était pas ma sœur. C'était ma *femme*.

57

Qu'est-ce qu'il raconte?

Sara plongea son regard dans ses yeux bruns, ces yeux qu'elle avait tant aimés. Elle ne pouvait plus rien y déchiffrer à présent. Elle n'arrivait pas à déceler la moindre parcelle de sincérité dans ces prunelles sombres fixées sur elle.

A-t-il complètement perdu la tête?

Ou bien est-ce moi?

Pourquoi dit-il que Margaret était sa femme? C'est moi sa femme! Qu'est-ce que c'est que ce mensonge aberrant?

Le plafond se mit à tourner. Elle ferma les yeux, mais son vertige ne passait pas. Comme si toute sa confusion, ses interrogations, ses peurs tourbillonnaient dans sa tête, plus vite, toujours plus vite.

Impossible d'y voir clair. D'y comprendre quoi que ce soit.

Quand elle rouvrit finalement les yeux, il avait écarté le tisonnier de sa poitrine et reculé d'un pas, le regard hagard, les traits tendus. Elle se redressa à demi et s'assit au bord du canapé. La pièce recommença à chavirer en tous sens. Elle fixa son attention sur Liam, se concentrant désespérément sur lui.

— Vas-tu me laisser m'expliquer? demanda-t-il d'une voix faible. Ou est-ce que tu vas encore m'attaquer?

— Je... je ne cherchais pas à t'attaquer. Je voulais simplement partir, bredouilla-t-elle.

— Vas-tu me laisser m'expliquer? répéta-t-il.

— Oui.

Avait-elle le choix?

Il lâcha le tisonnier qui rebondit sur le tapis et roula jusqu'à la table basse. Il se tenait devant elle, droit comme un piquet, les bras le long du corps, et la fixait intensément. Son regard se fit distant. Sara comprit qu'il se concentrait comme s'il essayait de décider par où commencer.

À moins qu'il ne s'efforce d'inventer une bonne histoire, pensa-t-elle amèrement.

C'est un conteur, après tout. Sa vie n'est faite que de légendes et de mythes.

Vas-tu me raconter un conte de fées, Liam?

Il croisa les bras sur sa poitrine.

— Margaret était ma femme, reprit-il d'un ton hésitant.

Sara ne put résister à l'envie de l'interrompre aussitôt. Elle avait trop mal.

— Je croyais que c'était moi, ta femme.

Elle s'aperçut qu'il fixait obstinément un point quelque part au-dessus d'elle. Sa réaction était passée totalement inaperçue.

— Margaret était mon amour, toute ma vie, dit-il d'une voix tremblante. Je la connais depuis l'âge de quatre ans. Nous ne nous sommes jamais séparés.

— Liam...

Il lui fit signe de se taire.

Quelle était cette ombre dans son regard? Du chagrin?

— Nous étions voisins et non pas frère et sœur. Ses parents habitaient la ferme la plus proche de la nôtre, aussi désolée et misérable que la nôtre. Nous étions toujours ensemble, Margaret et moi. Toujours. Je pensais souvent que nous nous maintenions en vie mutuellement.

Il étouffa un faible sanglot, puis continua.

— Nous avons quitté l'Irlande ensemble. Pour fuir mon père. Et la malchance. La malchance. La malchance. C'est ce qu'on croyait du moins. On s'est mariés ici dès qu'on a été en âge de le faire.

Il s'interrompit à nouveau pour reprendre son souffle. La sueur faisait briller ses cheveux sombres et dégoulinait sur son front.

Un silence pesant s'installa entre eux.

Sara aurait voulu protester de nouveau, hurler, le bombarder de questions: qu'est-ce que tu racontes? Que tu es bigame? Si tu étais marié avec elle, pourquoi m'avoir épousée? Tu m'as épousée et tu as continué à vivre avec elle?

Ça ne pouvait pas être vrai. Il délirait. Il délirait complètement.

Le regard de Liam cherchait le sien.

— Te souviens-tu du conte que je t'ai raconté la nuit où je t'ai demandé ta main ? L'histoire de la femme-fée ? Eh bien, Margaret était ma femme-fée. Je lui ai été fidèle toutes ces années, autant qu'on puisse l'être. Mais, comme dans cette vieille légende, j'ai été forcé de prendre une deuxième épouse. Et cette femme-là, Sara, c'était toi.

— Liam, protesta-t-elle.

— Écoute-moi ! hurla-t-il.

La violence de son cri l'interloqua.

— Écoute-moi, Sara, reprit-il d'une voix plus douce. Il fallait que nous ayons un enfant. Je voulais épargner Margaret. Quelqu'un d'autre devait le mettre au monde à sa place et il fallait qu'il soit légitime. C'est la raison pour laquelle Margaret et moi avions besoin de toi. Il fallait à tout prix que je te fasse un enfant.

— Non, hurla-t-elle. Je ne te crois pas, Liam. Pourquoi inventes-tu une histoire aussi abominable ? T'imagines-tu que je vais croire à... une telle folie ?

— C'est la vérité, insista-t-il d'un ton plus triste que fâché. La sinistre vérité.

— Liam, je t'en prie...

— J'aimais Margaret de tout mon cœur, Sara, au point que j'aurais fait n'importe quoi pour elle. Elle était tout pour moi, ma femme-fée. Margaret et moi avions besoin d'un enfant. J'avais besoin d'en enfant. Pour me libérer des démons.

Un cri de douleur jaillit des profondeurs de son être.

— Tu ne peux pas savoir ce que j'ai vécu, Sara. Les démons... les démons... C'est mon père qui me les a transmis. Toute ma vie, j'ai... j'ai...

Il avala sa salive. Son regard devint vitreux, plus distant encore.

— Mon père... avant que Margaret et moi prenions la fuite... m'a appris à les tenir en échec. À être vigilant. Il m'a expliqué comment me libérer en ayant un enfant légitime. C'était la seule manière de sortir de cet enfer. Mais je ne pouvais pas faire ça à Margaret. Ma mère est morte quand j'avais dix ans. Je suis sûr qu'elle a voulu mourir. Je suis persuadé qu'elle s'est laissée partir, sachant la vérité. Sachant ce qui allait m'arriver quand je deviendrais un homme. Je ne pouvais pas faire ça à Margaret...

— Liam, s'il te plaît...

Elle lui fit signe de s'asseoir auprès d'elle. Ce récit, elle le voyait bien, le mettait à la torture. Était-ce l'évocation de ses souvenirs qui lui était si pénible? Ou bien la nécessité d'inventer au fur et à mesure? Se rendait-il compte que son discours n'avait strictement aucun sens, qu'il faisait l'effet d'un dément radotant tout seul? S'en rendait-il compte? Était-ce la raison pour laquelle il paraissait souffrir à ce point?

Il ignora son geste.

— J'essaie de te faire comprendre la situation, Sara, poursuivit-il après s'être raclé bruyamment la gorge. Je devais me débarrasser des démons. Il fallait que je me libère pour que Margaret et moi puissions enfin vivre normalement. Mais les démons...

— Quels démons, Liam? le coupa-t-elle. De quoi parles-tu?

Il déglutit à nouveau, puis inspira à pleins poumons.

— Les démons de la superstition. Est-ce que tu ne t'es pas posé des questions à propos de mes superstitions, Sara? Tu ne t'es jamais demandé pourquoi j'étais si strict, si vigilant, si attentif à chaque moment de la journée? C'était à cause des démons. Je n'avais pas le choix.

— Liam, s'il te plaît. Assieds-toi. Je peux t'aider. Je...

— Toutes les superstitions sont conçues pour chasser les mauvais esprits. Je te l'ai expliqué, Sara. Tu t'en souviens? Pourquoi dit-on « À vos souhaits » très fort quand quelqu'un éternue? Pour éloigner les démons. Rappelle-toi. Quand on touche du bois ou qu'on jette du sel par-dessus son épaule, c'est aussi pour faire fuir les mauvais esprits. Mais moi, je ne peux pas! Je ne peux pas m'en débarrasser!

Il hurlait à présent en se martelant la poitrine à coups de poing.

— Je ne peux pas les chasser. Parce qu'ils vivent en moi, tous ces démons de la superstition!

58

Il a besoin d'aide.

Je ne m'en étais pas rendu compte.

J'aurais dû m'en douter.

Il était tellement maniaque, si anxieux d'obéir à la lettre à toutes les règles de la superstition. Si exagérément prudent. Obsessionnel. J'aurais dû comprendre.

Elle leva les yeux vers son pauvre mari au désespoir. Sa peur cédait peu à peu le pas à un terrible sentiment de culpabilité. J'aurais pu l'aider. J'aurais dû voir qu'il était terrorisé. J'ai pris ses superstitions comme une plaisanterie en feignant de les trouver drôles, attendrissantes. Je n'ai pas voulu faire face à la réalité. J'aurais pu l'aider avant... avant qu'il ne soit trop tard. Mais... maintenant, que faire?

Que faire?

D'autres pensées lui traversaient l'esprit : Et Margaret? Savait-elle que Liam se prenait pour son mari? Était-elle au courant? Jouait-elle le jeu? Était-ce la raison pour laquelle elle les avait trouvés au lit ensemble?

Oui. Qu'en était-il de Margaret? Son rôle n'avait aucun sens.

Elle devait savoir que Liam était gravement malade. Pourquoi n'avait-elle pas essayé de le faire soigner? C'était sa sœur, après tout.

Ou non?

Les yeux rivés sur Liam qui s'était mis à arpenter fiévreusement la pièce sur une courte distance — quatre ou cinq pas dans une direction, puis dans l'autre —, Sara se creusait la cervelle pour tâcher de se souvenir de ses cours de psychologie. Beaucoup de gens s'imaginaient possédés par des démons. Cette phobie procédait généralement d'une mauvaise conscience liée à quelque obscur secret qu'ils gardaient en eux ou à un acte dont ils avaient honte.

Ça ne m'aide pas beaucoup maintenant, pensa-t-elle tout en suivant ses allées et venues frénétiques. Ça ne m'aide même pas du tout.

Liam s'arrêta brusquement devant elle et reprit son récit d'une voix chevrotante.

— Il faut que tu comprennes, Sara, il faut que tu comprennes pourquoi je m'efforce d'être si prudent. Chaque fois que je commets une erreur, chaque fois que j'omets d'observer une des règles de la superstition — dès qu'une personne proche de moi en enfreint une —, l'un des démons en profite.

Il poussa un profond soupir.

— En profite pour quoi faire? demanda-t-elle d'une voix à peine audible.

— Pour se sauver, répondit-il en évitant son regard. Pour se glisser hors de mon corps. S'échapper. Chaque fois... chaque fois...

Il étouffa un sanglot et ferma les yeux, manifestement au supplice.

— Les démons s'évadent... et ils tuent. Ils ne tuent que les gens que je connais. Ils... ils vivent dans ma conscience. Ils connaissent tous ceux que je connais. Chaque fois qu'ils sortent de moi, ils assassinent quelqu'un. Un ami. Une connaissance. Y compris des gens que je n'ai rencontrés que brièvement. Ils les massacrent, puis disparaissent à jamais.

Sara commençait à comprendre. Tel était donc le terrible secret de Liam. Il avait tué. Il avait tué...

Elle frissonna.

Avait-il vraiment assassiné tous ces gens?

Il avait tué et, comme il ne pouvait pas l'admettre, il avait créé des démons pour expliquer ses meurtres. Il les avait fabriqués de toutes pièces. Pour pouvoir blâmer quelqu'un d'autre que lui-même et se sentir lavé de ces crimes monstrueux qu'il avait commis.

Des démons.

Évidemment, un spécialiste du folklore qui vivait dans un monde de magie peuplé de personnages imaginaires ne pouvait qu'invoquer des démons quand il se retrouvait dans une situation aussi désastreuse.

Et je suis sûre que ces démons lui paraissent on ne peut plus réels, pensa-t-elle en l'observant attentivement.

— Ils sont toujours prêts à sortir, poursuivit-il. Ils sont là, en permanence, à la lisière de ma conscience. Ils attendent d'avoir une chance de s'échapper. Ils me hantent depuis si longtemps, Sara. Tu peux comprendre pourquoi j'étais si empressé de les transmettre, pourquoi je devais à tout prix m'en libérer.

Il se rapprocha d'elle. Elle vit que son menton tremblait. Des larmes lui emplirent les yeux.

— J'ai... j'ai essayé de te prévenir. Je t'assure. Parfois les démons abaissent leur garde. Il leur arrive de devenir léthargiques. Ils sommeillent peut-être, je n'en sais rien. Pas très souvent, mais tout de même, de temps en temps, cela se produit. Je le sens très bien quand ils ne sont plus vigilants, quand ils cessent d'être à l'affût. C'est dans ces moments-là que je t'ai appelée pour t'avertir du danger.

Elle le dévisagea, interdite.

— Ces coups de fil menaçants, c'était toi?

Il hocha la tête.

— Oui, c'est moi qui t'ai téléphoné. Je voulais te mettre en garde contre moi. Les pattes de lapin aussi, c'était moi. La pauvre Phoebe. C'est moi qui t'ai expédié ses pattes, Sara. Je voulais te faire peur, te prévenir avant qu'il ne soit trop tard. Trop tard pour toi.

Sara serra ses joues brûlantes entre ses mains.

— Oh, mon Dieu!

Il est encore plus fou que je ne le croyais.

Sans le quitter un seul instant des yeux, elle se leva lentement.

— Liam, je vais téléphoner maintenant, dit-elle d'une voix douce en articulant soigneusement. Je vais trouver quelqu'un pour t'aider, mon chéri. Tout ira bien.

— Non! s'écria-t-il en lui barrant le passage.

La panique s'empara d'elle, mais elle s'efforça de conserver une apparence calme.

— Tout ira bien, Liam, je te le promets, répéta-t-elle. On va pouvoir te soigner.

— Assieds-toi, Sara.

Elle scruta ses yeux bruns sans y détecter une once de chaleur. Elle battit en retraite vers le canapé en soupirant, se percha nerveusement sur le bord et jeta un coup d'œil au tisonnier qui traînait par terre à ses pieds.

— Cesse de me faire la leçon, Sara. J'essaie de t'expliquer la situation. J'ai besoin que tu me croies.

— Je te crois, Liam. C'est juste que...

— C'est faux !

Elle fit un bond en arrière, épouvantée par cette nouvelle explosion de colère.

— Je veux que tu saches ce que j'ai vécu, cette angoisse de tous les instants, poursuivit-il, le teint empourpré, le menton tremblotant. Un cauchemar. Il n'y a pas d'autre mot. Margaret et moi n'avions pas le choix. Il fallait que nous trouvions une issue. Je devais me libérer. Afin que nous puissions avoir une vraie vie, elle et moi. Je veux que tu comprennes bien ça, Sara.

— Liam, je t'en conjure...

— Nous avons fait tout ce que nous pouvions pour te rendre heureuse. Nous nous sommes donné beaucoup de peine. N'est-ce pas, Sara ? Tu le reconnais, hein ?

Elle fit mine de se relever sans quitter le tisonnier des yeux.

— Laisse-moi partir, Liam. Laisse-moi téléphoner et faire venir du secours. Tout ira bien, mon chéri.

Une fois encore, il s'interposa rapidement pour l'empêcher de s'enfuir.

— Nous nous sommes donné du mal pour préserver ton innocence et te cacher la vérité. Nous ne voulions pas te perturber. Nous t'aimions... parce que tu allais nous libérer. Tu allais me donner un enfant, Sara. Cet enfant hériterait des démons et m'affranchirait de leur emprise. Ton enfant éloignerait de moi tous ces mauvais esprits. Nous t'aimions pour cela, Margaret et moi, du fond du cœur. Nous formions une famille tous les trois. Une vraie famille. Et nous n'aurions pas supporté que quoi que ce soit vienne gâcher cette belle harmonie qui comptait tant à nos yeux. Nous tenions trop à toi. Alors quand ton ex-petit ami est apparu...

— ... Chip ?

— Quand il est apparu... et quand Kristen a débarqué en ville...

— Kristen ?

— Ma deuxième femme. Je l'ai épousée il y a deux ans,

à Chicago. Margaret et moi espérions qu'elle aurait un enfant de moi, mais elle nous a laissés tomber. Elle nous a laissés tomber et il nous a fallu tout recommencer à zéro.

— Oh, mon Dieu, murmura Sara en prenant son visage entre ses mains.

— Voyant qu'ils allaient faire échouer notre plan, Margaret a tenu à se charger d'eux.

— C'est... elle... qui les a tués, balbutia-t-elle.

Liam hocha la tête d'un air sinistre.

— Margaret n'aimait pas tuer. Elle avait un caractère paisible. Comme moi. Mais il n'y avait pas d'autre solution. Nous ne pouvions pas laisser ces intrus saboter notre projet. Il fallait à tout prix préserver ton innocence.

— Ils... sont morts à cause de moi?

Liam hocha de nouveau la tête.

Le regard de Sara glissa sur lui et alla se poser sur le corps éventré de Milton, gisant dans une mare de sang, ses viscères répandus sur le sol.

Tant de sang.

Tant de morts.

Comment est-ce possible, Liam? Comment?

Elle ne pouvait plus rester assise sans bouger. Elle se leva d'un bond, plongea sur le tisonnier dont elle s'empara d'une main tremblante. L'objet lui échappa, mais elle le reprit à la hâte et le pointa dans la direction de Liam.

— Tu... tu t'es servi de la main de Chip. Tu...

— Il fallait que j'apaise les démons. Je devais essayer de les faire dormir, répondit-il en levant les deux mains en un geste d'apparente capitulation. Il n'y avait pas d'autre moyen.

— Oh...

Un gémissement sourd s'échappa de la gorge de Sara.

— Non, Liam. Non, non, non. Tais-toi. Tu es très perturbé. Tu as besoin d'aide.

Elle leva le tisonnier bien haut pour être sûre qu'il le voie.

Liam baissa les bras et fit un pas dans sa direction. De grosses gouttes de sueur ruisselaient le long de ses tempes.

— On a tout fait pour préserver ton innocence, répéta-t-il. C'était essentiel pour nous. Et puis ce soir, tu es rentrée de bonne heure et tu nous as surpris. Tu nous as vus au lit ensemble, Margaret et moi. Et... tu l'as tuée.

— Non! hurla-t-elle en agitant le tisonnier pour l'empêcher d'approcher. Arrête de dire ça!

— Tu as brisé le miroir, Sara, tu as fracassé la glace de la coiffeuse. Au moment où tu as fait ça, ils sont sortis. Les démons! Ils se sont échappés de mon corps et ils ont tué Margaret. Je... je n'ai rien pu faire pour la sauver.

Il bafouillait à présent et parlait d'une voix tendue, à demi étouffée.

— J'ai... j'ai entendu ses cris d'agonie. Je ne pouvais pas supporter de regarder. Je n'ai pu qu'imaginer ce que ce monstre était en train de lui faire. Je suis parti en courant et j'ai foncé ici aussi vite que j'ai pu en espérant — en priant — pour que les démons ne s'en prennent pas à Milton. Quand je suis arrivé, il était déjà trop tard. Trop tard.

Sa voix se brisa.

— Milton...

Il n'acheva pas sa phrase, se couvrit les yeux d'une main et émit un sanglot déchirant.

— Liam, écoute-moi. Il n'y a pas de démons!

— C'est toi qui les as déchaînés, Sara, hurla-t-il. En cassant le miroir, tu les as libérés. C'est ta faute. Ta faute!

Sur ce, il se rua gauchement sur elle, manqua sa cible et se rattrapa au dossier du canapé sur lequel il prit appui pour faire volte-face, pantelant.

Sara recula en brandissant le tisonnier devant elle.

— C'est de la folie! cria-t-elle d'une voix aiguë. De la folie pure, Liam. Il n'y a pas de démons. Pas de démons! Regarde. Je vais te le prouver!

— Non! Attends! hurla-t-il, désespéré.

Elle le vit s'élancer à sa poursuite en titubant.

Mais elle avait déjà atteint le couloir. Elle balança le tisonnier par-dessus son épaule comme une batte de base-ball.

— Regarde, Liam, regarde bien! Pas de démons. Pas de démons nulle part!

— Sara, je t'en supplie!

Ignorant ses cris hystériques, elle bascula le tisonnier en arrière.

L'abattit de toutes ses forces contre le mur.

Et regarda le long miroir se briser avec fracas. Un craquement sinistre retentit en écho quand il explosa en mille morceaux.

59

— Pas de démons nulle part! brailla-t-elle. Tu vois bien, Liam? Pas de démons!

Elle leva le tisonnier une deuxième fois et l'expédia à toute volée sur un autre panneau de glace.

Encore et encore.

Elle s'élança dans le couloir en balançant la lourde barre de fer de-ci de-là, fracassant tous les miroirs les uns après les autres.

— Pas de démons! Pas de démons! Regarde!

Les chocs du tisonnier, les craquements de la glace, le vacarme des débris s'abattant sur le parquet — des bruits si rassurants, si réels, si décisifs — ponctuaient ses cris.

— Regarde bien, Liam! Pas de démons!

Un cri de terreur s'éleva derrière elle, pareil au hurlement strident d'une sirène. Il couvrit le fracas des miroirs qui se brisaient, le bruit assourdissant des fragments tombant en cascade, les appels désespérés de Sara.

La plainte interminable de Liam, empreinte de tant de souffrance et d'horreur, la força à cesser son manège et à se retourner. Il était accroupi à l'entrée du couloir, la tête inclinée en arrière, les yeux exorbités, bouche béante.

— Regarde bien, Liam! Il n'y a pas de démons! répéta-t-elle en lâchant le tisonnier qui heurta bruyamment le parquet et roula jusqu'au mur. Pas de démons. Tout va bien. Pas de démons.

Il tomba à genoux, les mains jointes, comme s'il priait.

Sara s'avança dans sa direction le long du couloir dévasté; les débris de glace craquaient sous ses bottes.

— Nooon!

Les mains toujours pressées l'une contre l'autre, il tendit le cou et poussa un autre hurlement déchirant.

— Liam...

Elle s'immobilisa quand ce gémissement atroce fut brusquement interrompu.

On aurait dit qu'il suffoquait. Il porta les mains à son cou qu'il serra avec force au moment où sa langue jaillissait d'entre ses lèvres.

Non. Pas sa langue.

C'était plus gros qu'une langue. Et violet. Quelque chose de violet surgissait de sa bouche grande ouverte.

Il y en avait deux! Deux langues!

Se déployant hors de sa bouche, plus longues, toujours plus longues, se déroulant dans le couloir en ondulant et en s'agitant en tous sens, comme si elles cherchaient à atteindre Sara.

— Oh, mon Dieu! Oh non, Liam?

Il roula de côté, les deux mains cramponnées à sa gorge, hoquetant lamentablement.

Sara s'arracha les cheveux en fixant, incrédule, ces langues entremêlées qui continuaient à s'allonger.

— Oh, mon Dieu! Oh, mon Dieu! Qu'ai-je fait?

Liam émit un grondement étouffé et une mousse jaune jaillit de sa bouche. Non. Pas de la mousse. Une tête! Une tête jaune, spongieuse!

— Ohhh!

Sara s'effondra contre le mur, sur un pan de miroir fracassé.

Les deux langues bondirent hors de la tête écumante. Deux yeux rouges s'ouvrirent. La tête s'extirpa de la bouche ouverte de Liam qui étouffait littéralement en battant frénétiquement l'air des deux mains.

Une odeur pestilentielle envahit l'étroit couloir. Il faisait affreusement froid tout à coup. Sara sentit sur ses joues une moiteur fétide qui lui donna la chair de poule.

Des épaules jaunes se faufilèrent hors des lèvres de Liam; la chair paraissait toute molle, visqueuse.

Les langues jumelles se tapèrent l'une contre l'autre. Les yeux rouges s'ouvrirent et la fixèrent intensément avant de se refermer. La peau de la tête semblait flasque, grumeleuse, comme des œufs brouillés. Des œufs brouillés baveux, dégoulinant sur les épaules jaunes gigotantes.

Liam gisait sur le dos à présent, agitant convulsivement

les bras, donnant des coups de pied en tous sens, la tête renversée en arrière tandis que le démon aux yeux rouges extrayait le reste de son corps de sa bouche. Un petit *plop* se fit entendre au moment où ses pieds fourchus atterrissaient sur le sol.

Avec une violente secousse, il extirpa sa queue de lézard de la gorge de Liam et se redressa en entortillant ses deux langues qui s'entremêlèrent comme des serpents jumeaux. Puis il fit un pas lourd en direction de Sara.

— Non !

Son hurlement se réduisit à un faible chuchotement.

Cette odeur. Je ne supporte pas cette odeur.

Elle essaya de retenir sa respiration. Mais la puanteur semblait l'imprégner, s'incruster dans ses pores.

Les pieds fourchus produisaient d'ignobles bruits de succion en se soulevant du plancher. La créature qui se tenait bien droite était aussi grande qu'elle. Elle leva ses bras spongieux et luisants tout en avançant dans le couloir d'une démarche pesante en laissant dans son sillage une traînée de bave jaune bouillonnante.

Un pas. Un autre. Encore un. Les deux langues pendant l'une contre l'autre. Les yeux rouges brillant d'un éclat plus vif.

Elle est réelle, pensa Sara, frappée de stupeur. Oh, mon Dieu, elle est réelle.

Il lui fallut plusieurs secondes pour comprendre que le monstre s'apprêtait à l'attaquer.

60

Une puanteur âcre l'enveloppa.

Sara recula en titubant. Se retourna. Essaya de courir dans l'autre sens, en direction de la chambre. Fuir.

Fuir à tout prix.

Mais il était trop tard.

Elle sentit les langues violacées, tièdes, gluantes s'enrouler autour de son cou. L'attirant en arrière. Se resserrer autour de sa gorge. L'étranglant comme deux boas constricteurs.

L'odeur... L'odeur.

En poussant un grognement de dégoût, Sara leva les bras et tira de toutes ses forces, mais ses doigts glissaient sur la surface humide et granuleuse de ces horribles langues.

Tandis qu'elle luttait désespérément pour se libérer, le front chaud, spongieux du démon vint se presser contre son dos.

Je... je.. ne peux plus respirer.

Plus... respirer.

Elle entendit un grognement derrière elle. Puis des bruits de pas précipités, les crissements de débris écrasés par terre.

Elle se retourna au moment où les langues relâchèrent leur emprise.

Et vit les bras de Liam autour du ventre jaune. Les langues se mirent à battre l'air furieusement comme des fouets. Deux pattes munies de longues griffes s'abattirent sur Liam, l'égratignant férocement, lacérant ses vêtements, sa peau.

Mais Liam tenait bon.

C'est lui qui m'a délivrée, comprit-elle soudain.

Il l'a attaqué et l'a arraché de mon cou.

— Cours, Sara! cria Liam d'un ton suppliant.

Elle hésita, les yeux rivés sur lui tandis qu'il maintenait désespérément son emprise sur la chair flasque de l'immonde créature.

— Cours! Va-t'en! File!

Elle se faufila docilement à côté d'eux. Se rua dans le salon. Fit volte-face.

Juste à temps pour voir le monstre soulever Liam dans ses bras.

Tout se passa très vite. Le démon brandit Liam en l'air, puis le rabattit brutalement en lui plantant son genou dans le dos.

Un bruit de cassure. Comme une coquille de crabe se

brisant entre les pinces d'un casse-noix. Ce craquement sinistre parut se prolonger interminablement, en suspension dans l'air pesant du couloir, dans les oreilles de Sara.

Liam gémit et s'effondra comme une masse dans les bras du monstre. Ses cheveux frôlèrent le sol quand sa tête bascula en arrière, et son regard morne, flou maintenant, presque sans vie, se posa sur Sara.

— Je... je suis désolée, Liam! dit-elle. Tu m'as dit la vérité. Je n'arrive pas à croire... que tu as enduré ça toute ta vie.

— J'aurai fait une bonne chose au moins, répondit-il d'une voix étranglée, à peine un murmure pareil au bruissement du vent sur les feuilles mortes. Je t'ai sauvé la vie.

Sa tête retomba brusquement. Ses mains glissèrent mollement sur le sol.

La créature le lâcha avant de disparaître dans le couloir en laissant une nouvelle traînée de bave jaunâtre dans son sillage.

Liam gisait à terre, le dos brisé. Sara voyait ses yeux, ces yeux bruns qu'elle avait adorés, fixant le plafond, sans rien voir.

Liam est mort.

Il est mort pour moi.

Oh, mon Dieu. Il est mort et maintenant... Maintenant...

Soudain, il bougea.

Sa tête se secoua.

Abasourdie, elle avança d'un pas.

— Liam, es-tu vivant? Liam...?

Non.

De la fourrure foncée lui sortit de la bouche. Une tête hideuse, simiesque, s'extirpa de sa gorge. Des yeux verts, un long museau, deux rangées de dents irrégulières, une épaisse bave blanche coulant de sa gueule béante. Des épaules couvertes de fourrure déformèrent abominablement les lèvres de Liam.

— Non! Oh, mon Dieu, non!

Les tempes bourdonnantes, Sara se cramponna au mur, agitée des pieds à la tête de frissons convulsifs qui l'empêchaient de respirer.

Le démon poilu dont les yeux verts lançaient des éclairs bondit hors de la bouche de Liam en faisant claquer ses longues mâchoires, manifestement affamé. Il étira son cou maigrelet en poussant des grognements.

Puis un bras luisant surgit à son tour. Une épaule lisse, étincelante. Un autre bras. Une tête de lézard argentée, répugnante, parsemée de vilaines taches brunes, se dressa, les yeux fermés, la bouche grande ouverte tordue par une grimace lascive.

Le monstre sauta à terre, se planta sur ses jambes minces comme des baguettes, des pattes d'insecte. Lécha ses lèvres luisantes de sa langue fourchue comme celle d'un serpent.

Une autre forme sombre monta des entrailles de Liam et jaillit tout à coup de sa bouche avec un petit bruit de raclement. Mince d'abord, elle déploya bientôt de larges ailes opaques qui battirent l'air en produisant des craquements secs comme du papier. Elle rejeta en arrière sa tête de cygne et émit un rire strident de hyène, révélant des dents pointues.

Tous les démons de la superstition.

C'était ce que Liam lui avait dit. Ils étaient tous en lui et s'échappaient à présent en masse.

Se bousculant les uns contre les autres. S'étirant à n'en plus finir. Se heurtant en battant leurs vilaines ailes. En faisant claquer leurs puissantes mâchoires. En pourléchant leurs babines violacées de leurs grosses langues immondes. Remplissant le couloir étroit de leurs grondements et de leurs soupirs. De leur odeur fétide.

Et tous avaient les yeux rivés sur elle.

Tous se préparaient à l'attaquer d'un instant à l'autre, comme elle le comprit brusquement.

Pourquoi n'arrivait-elle pas à détourner le regard? À cause de Liam? Parce qu'elle savait qu'elle ne le verrait plus jamais?

Mais il fallait fuir.

Jusqu'où parviendrait-elle à aller?

Jusqu'où irait-elle avant qu'ils ne la rattrapent, se jettent sur elle, la brisent en deux et la réduisent en pièces?

— Adieu, Liam.

Elle se rua vers l'entrée, loin des créatures gesticulantes aux figures d'affamés.

Chaque pas lui demandait un effort colossal; ses bottes

étaient lourdes comme du plomb. Elle avait la tête qui tournait et la vision de ces corps déformés, de ces gueules hideuses continuait à la hanter. Ses jambes molles comme du caoutchouc la portaient à peine.

Elle réussit malgré tout à atteindre la porte.

L'ouvrit et se précipita dehors, dans la neige. La neige froide et blanche. Qui sentait si bon, si frais.

Elle avait parcouru la moitié de l'allée, entre les arbres frissonnants, ployant sous leur charge immaculée, quand elle aperçut le premier démon sur le seuil.

Il leva sa tête couverte de fourrure vers le ciel mauve et entrouvrit sa gueule en poussant un long hurlement. Puis il s'élança à sa poursuite en galopant à quatre pattes.

À sa poursuite.

Ha ha ha ha! Sa respiration pantelante pareille à un rire cruel.

Une autre créature à la porte, faisant claquer ses ailes noires, ses griffes dressées, prête à fondre sur elle.

Ha ha ha ha! Sara se força à se détourner, accéléra l'allure, mais ses bottes s'enfonçaient de plus en plus profondément dans la neige.

Quelques mètres seulement la séparaient encore de la route.

Elle les vit tous lancés à ses trousses, certains progressant par bonds, d'autres voltigeant. Jacassant et hurlant tout en rattrapant inexorablement leur retard sur elle.

Ha ha ha ha!

Quelle horrible parade!

Si avides. Si affamés. *Jubilant* tant ils étaient sûrs de l'attraper.

De l'attraper et la tuer.

Tous les démons de la superstition vivent en moi.

Ils ont tué Liam et maintenant c'est à moi qu'ils en veulent.

Ha ha ha!

Elle filait à toute allure le long de la route tapissée de neige, tête baissée, ses cheveux noirs flottant derrière elle, soufflant des petits nuages de fumée blanche, quand, brusquement, elle s'étala de tout son long.

Elle trébucha et piqua du nez dans la neige. Elle tendit les bras pour amortir sa chute et atterrit violemment sur son coude gauche. Elle se tordit de douleur.

Alors ils s'agglutinèrent tous autour d'elle. Bourdonnant comme des mouches. Grondant. Ricanant. *Ha ha ha!* Leurs baves chaudes faisaient fondre la neige.

Tous les démons de la superstition.

Ils l'encerclèrent et se mirent à tournoyer autour d'elle, plus vite, toujours plus vite, la prenant au piège au milieu, la coinçant dans leur odeur fétide, noircissant la neige dans leurs tourbillons, noircissant le monde, son monde, refermant le cercle autour d'elle, dansant, dansant pour elle, se rapprochant encore et encore, la plongeant dans l'obscurité, une obscurité totale. Des monstres hideux et noirs sur la neige blanche, si blanche.

61

Quand Sara ouvrit les yeux, elle vit du blanc.

Elle cligna les paupières.

Encore.

Le blanc étincelait au-dessus d'elle. Une lumière douce comme de la neige.

Je suis morte, pensa-t-elle. Je suis entrée dans le tourbillon blanc de la mort. Elle toussa.

Oh! Une minute.

Les morts ne toussent pas.

Elle essaya de relever la tête, mais celle-ci pesait une tonne.

Elle entrevit des murs blancs. Une porte blanche.

— Vous êtes réveillée?

Une voix d'homme. Grave et suave.

Un visage apparut au-dessus d'elle. Un visage noir. Le crâne enveloppé dans des bandages.

Elle fixa son attention sur lui. Le reconnut. C'était l'inspecteur.

— Elle est en train de se réveiller, dit-il à l'adresse de quelqu'un. Vous feriez bien de venir. Dites-moi quand je pourrai l'interroger.

Le policier disparut de sa vue et une femme à la figure poupine, agréable, couronnée de cheveux blancs à demi dissimulés sous une coiffe d'infirmière le remplaça. Un uniforme blanc amidonné. Un insigne épinglé sur la poitrine. Sara n'y voyait pas suffisamment clair pour pouvoir le déchiffrer.

— Suis... je à l'hôpital?

Le son de sa voix, si réel, si vivant, la déconcerta.

La femme hocha la tête.

— Mais...

Des mains solides sur ses épaules la forcèrent à s'allonger.

— N'essayez pas de vous redresser. Vous avez besoin de vous reposer.

— Mais... comment suis-je arrivée ici?

L'infirmière haussa les épaules.

— C'est ce policier qui vous a trouvée et vous a conduite ici. Vous étiez déjà là quand j'ai commencé mon service ce matin.

Sara toussa à nouveau. Elle avait mal à la gorge.

Comme si elle avait lu dans ses pensées, la femme lui tendit un verre d'eau.

— Vous avez subi un choc terrible, ma pauvre petite. J'ai jeté un coup d'œil à votre feuille de température. Les médecins ne savent même pas ce qui vous est arrivé. « Traumatisme indéterminé. » C'est tout ce que ça dit.

Elle leva les yeux du tableau en question.

— Avez-vous eu un accident ou quelque chose?

— Je... je ne sais pas vraiment..., commença Sara. Il faut que je me lève. Il faut que j'aille...

L'infirmière la repoussa gentiment.

— Ne buvez pas trop vite, mon petit cœur. Ça va aller très bien. Mieux vaut ne pas vous lever tout de suite. En tout cas pas tant que les médecins n'auront pas fait leur tournée.

— Mais je...

— Vous m'avez l'air plus en forme que nous ne le pensions. Vraiment. Ça va aller. Je vois bien que vous êtes inquiète. Mais ne vous faites pas de soucis. Et maintenant, voilà la bonne nouvelle, ajouta-t-elle en lui souriant avec douceur.

— La bonne nouvelle?

— Oui, la bonne nouvelle. Vous allez très bien vous en tirer et votre bébé se porte à merveille.

— Mon... bébé?

L'infirmière hocha la tête. Un sourire radieux illuminait son visage.

Et Sara se mit à hurler.

COLLECTION

«SUSPENSE & CIE»

Ed Mc Bain
Mary Mary
La Maison de Jacques

Alexandra Frye
Une épouse et une mère parfaite

Tabitha King
Traquée

Evan Hunter
Conversations criminelles

Alfio Caruso
Les Pénitents

Judith Kelman
Le Rôdeur
Phobies

Philippe Luber
Pardonnez-nous nos pêchés

Andrew Klavan
Jugé coupable

Enzo Russo
Tous sans exception

William Diehl
La Stratégie de l'hydre

Sandra Brown
Faux semblant

Ryne Douglas Pearson
Simon, pas si simple

Terri Holbrook
Meurtre dans un village anglais

COLLECTION

«SUSPENSE & CIE»

Rosamond Smith
Le Département de musique

Joy Fielding
Qu'est-ce qui fait courir Jane?

Dominique Dunne
Une femme encombrante
Une saison au purgatoire

Henry Meigs
La Porte des Tigres

Stephen King
Shining
L'Accident
Le Fléau
Danse macabre

Arturo Pérez-Reverte
Le Tableau du Maître flamand,
Prix de la littérature policière
Le club Dumas

James Patterson
Le Masque de l'araignée
Et tombent les filles
Jack & Jill

Edward Stewart
Privilèges
Avec la bénédiction du ciel

Steven Hartov
La Fièvre du Ramadan

Paul Wilson
Mort clinique

IMPRIMERIE QUEBECOR
L'ÉCLAIREUR